SOYEZ ZEN

OUVRAGES DE LA COLLECTION « L'ÂGE D'ÊTRE »

SARAH BARKER
La technique Alexander

MELODY BEATTIE
Vaincre la codépendance

CHARLOTTE JOKO BECK
Soyez zen

ARLETTE BRAINE
Des plantes pour tous les jours (juin 93)

SIMONNE BROUSSE
La vie est énergie

RÉMY CHAUVIN
La biologie de l'esprit

STEPHEN CHUN TAO CHENG
Le tao de la voix (avril 93)

DOCTEUR LIONEL COUDRON
Mieux manger pour mieux vivre

KORRA DEAVER
Le cristal, pierre de santé

DENISE DESJARDINS
La mémoire des vies antérieures

PATRICK DROUOT
Nous sommes tous immortels

GÉRARD EDDE
Vers l'éternelle jeunesse

ISABELLE FILLIOZAT
Trouver son propre chemin

JOHN A. GRIM
Chamane (mars 93)

ALAIN GUILLO
À l'adresse de ceux qui cherchent

PETER ET MARY HARRISSON
Votre enfant a un passé

GERMAINE HOLLEY
Comment comprendre son horoscope (février 93)

RICHARD KHAITZINE
Transformez vos désirs en réalité

ELIZABETH KÜBLER-ROSS
La mort est un nouveau soleil

PHILIPPE DE LOUVIGNY
Comprenez vos enfants grâce à la numérologie

GÉRALD MAY
Comment se libérer des dépendances (mai 93)

MATTHEWS ET JUDITH MCKAY/
PETER D. ROGERS
Quand la colère monte...

L'Âge d'Être

CHARLOTTE JOKO BECK

Compilation de Steve SMITH

Soyez zen

La pratique du zen au quotidien

Titre original
Everyday zen

Traduit et adapté de l'américain
par Katia Holmes

ISBN : 2-266-03708-0

L'auteur

Américaine du New Jersey, Charlotte Beck a fait le conservatoire de musique d'Oberlin. Mère de quatre enfants, obligée de gagner sa vie, elle est tour à tour enseignante, secrétaire, administratrice d'un département universitaire.

Elle commence à pratiquer le zen après 40 ans, d'abord avec Maezumi Roshi puis Yasutani et Soen Roshi. Charlotte devient Joko. Désignée par son premier maître comme l'un de ses héritiers spirituels Charlotte Joko Beck s'installe au centre Zen de San Diego en 1983 où elle vit et enseigne actuellement.

Sommaire

Préface

Pour bien vivre, selon Sigmund Freud, il faut savoir fonctionner harmonieusement, au travail comme en amour. Or, l'enseignement du zen est en grande partie lié à une tradition monastique qui est à cent lieues des tribulations de notre univers habituel, avec les hauts et les bas de l'amour et du sexe, de la famille, et de la vie professionnelle. Parmi les adeptes du zen en Occident, il y en a très peu qui vivent dans le cadre de communautés monastiques à structure traditionnelle. La plupart mènent des vies très ordinaires et sont confrontés aux mêmes réalités que le reste de leurs contemporains : comment trouver l'âme sœur, ou comment assumer une rupture, changer les couches de bébé, négocier les termes d'un crédit au logement, obtenir une promotion au travail. Cela dit, les « centres zen » qu'ils fréquentent sont un peu comme des sanctuaires de la tradition, avec leur aura d'ésotérisme et ce sentiment d'être « à part » qu'ils inspirent. Il est vrai que les robes monastiques noires, les crânes rasés et les rituels traditionnels contribuent à renforcer l'impression que le zen est une sorte d'alternative exotique à la vie ordinaire, plutôt qu'une manière particulièrement riche de vivre le quotidien. Dans la mesure où la tradition du zen a fleuri dans un cadre monastique qui a influencé la forme de ses images et de ses symboles, et la formulation de ses expériences, les maîtres zen formés à l'école classique ne sont pas toujours à même de prendre en compte les problèmes concrets qu'un Occidental de la fin du vingtième siècle est susceptible de rencontrer dans sa vie de tous les jours. C'est ainsi qu'à leur insu, ils servent d'alibi à certains qui cherchent à fuir leurs problèmes quotidiens, sous prétexte d'accéder à des expériences extraordinaires. Si le zen doit devenir partie intégrante de la civilisation occidentale, il lui faudra trouver une forme d'expression qui soit parlante pour les Occidentaux. Ainsi une formule traditionnelle comme : « Couper du bois et chercher de l'eau » pourrait trouver un équivalent moderne du genre : « Faites l'amour et prenez l'autoroute ! »

Quoi qu'il en soit, le zen continuera à fleurir partout où il y aura des êtres désireux de s'éveiller à ce qu'ils sont et à la réalité de la vie, telle qu'elle se manifeste de manière immédiate à chaque instant. C'est exactement ce qui se passe dans une petite maison très ordinaire, dans une rue tranquille d'un faubourg de San Diego, où le zen s'épanouit discrètement sous l'influence experte de Charlotte Joko Beck. Là, on explore les rapports humains tels qu'on les vit tous les jours, on fait face à ses problèmes d'ambition et de carrière à travers un zen du quotidien, un zen de l'amour et du travail, tel que l'enseigne Joko. « Un zen étonnamment pur et vivant », pour reprendre une formule d'Alan Watts.

Joko Beck est une Américaine de pure souche qui enseigne le zen. Née dans le New Jersey, Joko — qui s'appelait alors Charlotte — a fait le Conservatoire de musique d'Oberlin, après quoi elle s'est mariée et a fondé une famille. A la suite de difficultés conjugales, elle entreprit de gagner sa vie et celle de ses quatre enfants en étant, tour à tour, enseignante, secrétaire, et plus tard, administratrice-assistante d'un grand département universitaire. Joko avait déjà bien entamé la quarantaine lorsqu'elle se mit à la pratique du zen sous la direction de Maezumi Roshi (alors Sensei) à Los Angeles, et plus tard avec Yasutani Roshi et Soen Roshi.

Pendant des années, elle fit régulièrement l'aller et retour entre San Diego, où elle habitait, et le centre zen de Los Angeles (ZCLA). Ses aptitudes naturelles et sa persévérance tenace lui permirent de progresser régulièrement dans sa pratique. Au point que ses condisciples, appréciant sa maturité, sa lucidité et sa compassion, lui demandèrent de plus en plus souvent d'enseigner. Par la suite, Maezumi Roshi devait désigner Joko comme l'un de ses héritiers spirituels, la troisième en ligne de succession, et c'est ainsi qu'elle vint s'installer au centre zen de San Diego en 1983, où elle vit et enseigne actuellement.

Dans la mesure où, avant de pratiquer le zen, Joko avait déjà derrière elle toute une richesse d'expériences vécues, et vécues en tant que femme et Occidentale, elle exprime un zen dépouillé de toutes les fioritures dues aux spécificités de la tradition patriarcale japonaise. Joko est sans prétention et ne donne pas dans le culte de la personnalité ; elle enseigne une forme de zen qui est une parfaite illustration d'un ancien principe du Chan (nom chinois du zen), *wu shih* : rien de spécial. Depuis que Joko s'est installée au centre de San Diego, elle ne se rase plus la tête, ne revêt que rarement l'habit monastique et ne se sert que très peu de ses titres. Ce centre est comme une sorte de creuset où, à travers l'expérience commune de Joko et de son groupe, s'élabore petit à petit une forme de zen indigène. Un zen américain qui, tout en gardant la rigueur et la discipline requises par la pratique, tient compte de la mentalité et du mode de vie américains.

Les enseignements de dharma que donne Joko sont des modèles de simplicité et de bon sens. A la faveur d'une vie de combats et d'enrichissement personnels, et de nombreuses années passées à écouter et à conseiller avec une bienveillance naturelle ses étudiants en déroute, elle a acquis une rare connaissance de la psychologie humaine, doublée d'un excellent sens de la pédagogie qui s'exprime à travers des images et des formules percutantes. Son enseignement est très pragmatique car, plutôt que de chercher à susciter telle ou telle expérience particulière, il vise essentiellement à développer une qualité de conscience et de sagesse capable d'éclairer tous les domaines de la vie. Joko se méfie énormément de tous les types de démarche qui consistent à vouloir éliminer de force les résistances et les blocages qu'on rencontre en soi, dans l'espoir de trouver un « raccourci » vers l'éveil spirituel ; elle sait trop la fragilité — voire le danger — des ouvertures soudaines et artificiellement induites, qui ne sont guère de nature à favoriser une vie mieux équilibrée et plus riche de compassion. Joko est plutôt partisane d'un développement éventuellement un peu plus lent, mais certainement plus sain et plus responsable ; un développement qui intéresse l'individu dans sa globalité, et qui règle les problèmes de blocages psychologiques, au lieu de les esquiver. Le style d'enseignement de Joko Beck est assez bien reflété par cette description due à l'un de ses étudiants, Elihu Gyenmo Smith :

> « Il existe une autre manière de pratiquer que j'appelle "le travail global" et qui consiste à tout inclure dans sa pratique : émotions, pensées, sensations et sentiments. Au lieu de les repousser en se servant de son mental comme d'un bouclier d'acier, ou de les pourfendre avec une concentration aussi aiguisée qu'une lame, on s'ouvre à eux, tout simplement. On prend conscience de ce qui se passe en soi d'instant en instant, on voit les pensées surgir et disparaître, on constate les émotions qu'on est en train d'éprouver, et ainsi de suite. Il ne s'agit pas de se concentrer sur un point donné, mais tous azimuts, à travers une conscience ouverte au maximum.
>
> Cet exercice a pour but de nous éveiller à ce qui se passe "à l'intérieur" et "à l'extérieur" de nous. Assis, en train de faire zazen, on prend conscience de ces événements intérieurs et extérieurs qu'on observe sans intervenir, sans chercher à les analyser, à les retenir ou à les repousser. Plus on voit

clairement la nature de ses sensations, de ses émotions et de ses pensées, et plus on est capable de les démystifier spontanément. »

Joko ayant un sens profond de l'égalité, elle conçoit plutôt son rôle comme celui d'un guide que d'un *gourou*, et refuse catégoriquement toute tentative de se voir mettre sur un piédestal. Elle a au contraire coutume de partager ses propres difficultés avec ceux à qui elle enseigne, créant ainsi un climat d'échange et de compréhension mutuelle qui permet à chacun de trouver lui-même sa propre voie.

Ce livre est une compilation d'extraits choisis dans des enregistrements de causeries informelles données par Joko dans le cadre de retraites de méditation intensives, ou des réunions hebdomadaires du samedi matin. Les retraites, qui s'appellent des *sesshin* (« entrer en contact avec l'esprit », en japonais), durent de deux à sept jours et se déroulent en silence, hormis les quelques paroles nécessaires à la communication entre le maître et le disciple. Avec des journées qui commencent très tôt et qui sont bien remplies — huit heures de zazen ou plus, entrecoupées de périodes de travail exécuté dans un esprit méditatif —, ces sesshin sont à la fois un défi personnel et un puissant instrument de progrès dans l'éveil spirituel.

Joko n'a guère d'indulgence pour les formes de pseudo-spiritualité qui ne donnent une image romantique et idéalisée des choses que pour mieux ignorer les réalités de la vie et les souffrances qui s'y attachent. Il y a une ligne du *Shoyo Roku* qu'elle affectionne particulièrement et qu'elle aime souvent citer : « Sur l'arbre desséché, une fleur s'épanouit. » En vivant chaque instant tel qu'il se présente, l'ego se désintègre peu à peu, laissant apparaître de plus en plus clairement l'étonnante merveille du quotidien. C'est sur ce chemin-là que Joko nous entraîne, et ses paroles, si « ordinaires » qu'elles en deviennent extraordinaires, nous montrent la voie : celle d'une sagesse élégante en vêtements de tous les jours.

Débuter

Faire ses débuts dans la pratique du zen[1]

Ma chienne ne se pose pas de questions sur le sens de la vie. Il lui arrive de s'inquiéter de l'arrivée de sa pâtée, mais elle n'a pas d'angoisses métaphysiques pour autant. Pourvu qu'elle ait sa dose de nourriture et de caresses, la vie est belle ! L'ennui, c'est que les *roseaux pensants* que nous sommes ne fonctionnent pas comme les chiens. L'être humain jouit en effet de la conscience de soi — un privilège parfois lourd à porter puisqu'il peut aussi bien faire notre perte que notre salut. Méconnaissant la véritable nature de notre esprit, nous essayons d'emprisonner cette énergie vive dans un ego qui nous cause des foules de problèmes, car nous ne maîtrisons pas ce qui se passe.

Qui n'a jamais ressenti un certain mal de vivre ? Cette sourde angoisse, qui se fait plus lancinante dans les moments difficiles, reste néanmoins perceptible quand tout va bien : la peur de voir le vent tourner nous gâche une partie du plaisir. Nous sommes habités par une inquiétude latente qui a ses racines dans un malaise existentiel plus profond : il est un fait que, dans l'ensemble, nous ne sommes guère satisfaits de la vie que nous menons. Si je vous disais que votre existence est d'ores et déjà parfaite et complètement satisfaisante,

1. ZEN : pour une définition de ce terme, consulter le glossaire explicatif, à la fin du livre. Tous les mots signalés par une astérisque (*) dans le texte renvoient à une rubrique de ce glossaire (NdT).

vous me prendriez pour une cinglée. Vous ne trouverez personne pour vous déclarer que sa vie est parfaite, telle qu'elle est. Et pourtant, il existe en chacun de nous une intelligence innée et parfaitement consciente de sa propre infinitude[1]. A vrai dire, nous sommes de véritables contradictions ambulantes : débordés par les difficultés d'une vie à laquelle nous ne comprenons pas grand-chose, nous avons par ailleurs confusément conscience de la présence en nous d'une réalité infinie et intelligente. Nous sommes tiraillés entre un sentiment d'impuissance et d'incompréhension totales, et l'intuition très vague d'une connaissance dormante en soi.

C'est cette contradiction interne qui nous amène à nous poser des questions. Au départ, on a tendance à croire que c'est en changeant le monde et les autres que tout ira mieux. On entreprend donc de chercher ailleurs qu'en soi-même des « solutions » plutôt simplistes. On s'imagine qu'il suffirait d'avoir une plus grosse voiture, une plus belle maison ou un patron plus compréhensif, de vivre une nouvelle passion, ou de partir en vacances sur une île tropicale pour que tout s'arrange. C'est une démarche que nous faisons tous, à un moment ou à un autre. Chacun de nous possède un inépuisable stock de rêves et de fantasmes qu'il passe sa vie à essayer, les uns après les autres. On se dit : « Ah, cette fois, il ne me manque plus que ça — cette voiture, cette maison, etc. — pour être vraiment heureux ! » Or, une fois acquise ladite voiture ou maison, on s'aperçoit qu'il manque quand même encore un petit quelque chose pour que notre bonheur soit complet. Et ainsi de suite, à l'infini. Nous menons nos vies de fantasme en chimère, sans jamais atteindre la satisfaction espérée. Nous courons après un arc-en-ciel qui s'éloigne de plus en plus à mesure qu'on croit s'en rapprocher. Et quand le charme des fantasmes les plus évidents s'est émoussé, on en

1. Tout être possède un potentiel de perfection qu'on appelle la *nature-de-bouddha* (Voir rubrique correspondante dans le glossaire) (NdT).

cherche de plus subtils. Autrement dit, puisqu'on n'arrive pas à trouver le bonheur escompté dans les plaisirs matériels, on va voir du côté du spirituel. Et, paradoxalement, c'est souvent en recherchant un bonheur matériel qui ne cesse de vous échapper qu'on arrive à la spiritualité. C'est pourquoi la plupart d'entre nous abordent la spiritualité avec une attitude essentiellement matérialiste, au départ : c'est toujours la même motivation égocentrique qui nous anime — JE veux être heureux —, elle a simplement changé d'objet, substituant le spirituel au matériel[1]. Ceux qui fréquentent le Centre Zen n'ont peut-être plus comme idéal de bonheur de s'acheter une Porsche, une Mercédès, ou le dernier cri de la hifi ou de la vidéo. Mais ils font zazen dans l'espoir d'arriver à régler tous leurs problèmes, du jour au lendemain — ou presque. Fondamentalement, leur attitude n'a pas changé : ils en sont encore à chercher une « potion magique » qui leur garantisse un bonheur sans nuages, *ad vitam aeternam*. Simplement, comme la recette « matérialiste » du bonheur n'a pas très bien marché, on en essaie une version pseudo-spirituelle. La spiritualité devient notre dernier gadget : « Si seulement je trouvais la sagesse, alors là, je serais vraiment heureux ! » Nous arrivons au zen chargés de tout un fatras de fantasmes : cette fois-ci, ça y est, on tient *LA* solution. On a enfin *trouvé* la recette miracle, le sésame du bonheur garanti — l'éveil, la sagesse. C'est du solide, le spirituel ; des valeurs sûres. A nous le vrai bonheur !

Notre vie pourrait se résumer à l'histoire d'un petit sujet en quête d'un objet extérieur à lui-même. Et, puisque le sujet qui sert de référence est limité dès le départ — comme l'est le corps et le mental d'un être humain —, son objet reflétera forcément les mêmes limitations. Résultat : les limitations s'additionnent et on se sent encore plus mal à l'aise qu'au départ.

Nous avons tous une vision subjective de la vie qui

1. Voir à ce sujet la rubrique *Matérialisme spirituel* dans le glossaire (NdT).

s'élabore au fil des années à travers un conditionnement propre à chacun de nous. D'un côté, il y a *moi*, et de l'autre les *objets* : tout ce qui m'est extérieur — les choses, les gens et les situations. Il y a certains objets que j'aime et d'autres que je n'aime pas. Une fois ce repérage établi, nous procédons à un tri automatique de toutes nos expériences, de façon à maximiser ce qui nous plaît et à minimiser ce qui nous déplaît. Et toute notre vie s'organise autour de ce principe de satisfaction maximum. C'est une manipulation à laquelle tout le monde se livre, mais qui nous maintient constamment à distance de notre vécu brut en escamotant la réalité. On reste en dehors de sa propre vie : on la considère, on l'analyse, on l'évalue en fonction d'un seul principe : « Qu'est-ce que je peux en tirer? Qu'est-ce que ça va me rapporter? », et c'est sur la base de ce critère égocentrique qu'on se précipite sur les choses — ou les gens — ou qu'on les fuit comme la peste. Voilà les spéculations qui nous occupent du matin au soir. Pas étonnant que nous nous sentions si mal dans notre peau, derrière nos petits airs de gens aimables et bien comme il faut! Si on grattait un peu ce vernis superficiel dont chacun se pare en société, on découvrirait une véritable tourmente intérieure : une zone de turbulences confuses où règnent la peur, la souffrance et l'angoisse. Nous avons évidemment recours à toutes sortes de subterfuges pour oublier cette sensation de malaise intérieur : chacun noie ses angoisses existentielles comme il peut! On mange trop, on boit trop, on fume trop, on s'abrutit de boulot, de télé, ou de musique — on fait n'importe quoi, mais à l'excès, pour couvrir la petite voix enrouée de la conscience de soi. On s'active tous azimuts pour occulter l'angoisse qui nous habite en permanence. Il y a des gens qui vivent dans cet état-là jusqu'à leur dernier souffle. Mais, plus les années passent et plus le mal empire : ce qui était supportable à vingt-cinq ans devient parfaitement intolérable à cinquante. Nous connaissons tous des gens qui sont quasiment des morts vivants, claquemurés dans leurs idées étriquées. Leur vie a perdu toute flexibilité et toute fluidité, et, en se figeant, elle s'est vidée de toute joie. Quelle sinistre perspective ! C'est pourtant celle qui nous guette tous si nous ne nous réveillons pas à temps. A temps pour travailler sur soi afin de démystifier l'illusion d'un prétendu *sujet*, d'un ego qui existerait indépendamment de son *objet*. Or, c'est justement la finalité de toute pratique spirituelle bien comprise : combler la soi-disant distance qui sépare le *moi* du *ça*. Lorsqu'on cesse de manipuler l'expérience brute de son vécu, le sujet et l'objet ne font plus qu'un. Instant de vérité dans lequel on entrevoit sa propre réalité et celle de sa vie.

> L'éveil spirituel n'est pas une *chose* qui se gagne ou qui s'acquiert : c'est au contraire une absence de chose. Toute votre vie, vous avez cherché *quelque chose*, vous avez poursuivi un but — quel qu'il soit. Or, l'éveil consiste justement à abandonner toutes ces finalités hypothétiques pour travailler sur le réel de soi-même et de la vie. La spiritualité n'est pas affaire de mots, de gloses ou d'exégèses savantes. C'est un passage à l'acte, une pratique.

Vous pourriez passer mille ans à compulser toute la littérature qui a été écrite sur la spiritualité et sur l'éveil : ce serait à peu près aussi efficace que de lire une recette de cuisine en guise de repas, car vous auriez encore faim et vous ne connaîtriez toujours pas la saveur du plat ! La spiritualité est une expérience de chaque instant qu'il revint à chacun de cultiver au cœur même de son vécu quotidien.

Nous devons apprendre à retrouver le naturel — notre naturel. Or, la vie que nous menons s'en est tellement éloignée que la pratique du zen va nous paraître très ardue — très peu naturelle — au départ. Un peu comme quelqu'un qui aurait marché sur les mains pendant des années et qui aurait du mal à réapprendre à se tenir sur ses deux pieds — il serait obligé de faire un effort pour retrouver ce qui était en réalité ses réflexes naturels — qui avaient cessé de lui venir spontanément. Aussi paradoxal que cela puisse paraître, on a besoin de réapprendre le naturel! Le point de départ consiste à comprendre que la source de toutes nos expériences — problèmes ou bonheurs — ne se trouve pas ailleurs qu'en soi-même. Quand on commence à envisager les choses sous cet angle — ne serait-ce même que très partiellement, au départ — on est sur la bonne voie. Une telle prise de conscience représente en effet un début d'éveil. Elle est porteuse d'une tout autre perception de la vie qui nous apparaît alors beaucoup plus fluide et plus joyeuse qu'on n'aurait pu l'imaginer. Et cette nouvelle perception des choses nous motive pour « pratiquer » — c'est-à-dire cultiver cet état d'esprit.

Si on décide de pratiquer le zen*, c'est pour apprendre à vivre de manière plus équilibrée, plus sensée. Le zen* ayant près de mille ans maintenant, c'est un système éprouvé et rodé — un chemin parfaitement balisé, même s'il n'est pas tous les jours facile. En tout cas, c'est l'antidote absolu aux fantasmes qui ne débouchent sur rien : faire zazen*, ce n'est pas planer dans les nuages, à la poursuite de quelque chimère éthérée. C'est au contraire une discipline pratique qui nous aide à bien garder les pieds sur terre et qui nous met face à la réalité de notre être et de notre vécu. Pratiquer le zen*, ce n'est pas tourner le dos au monde ou à ses responsabilités. C'est au contraire apprendre à mieux faire tout ce qu'on fait, à vivre plus pleinement chaque moment de son quotidien : mieux assumer son travail, mieux élever ses enfants, cultiver de meilleurs rapports avec les autres.

> En pratiquant le zen, on ne fuit pas le quotidien,on le vit — complètement, sans rien esquiver. Une pratique saine peut nous délivrer de nos contradictions internes en nous aidant à retrouver l'équilibre et la santé intérieurs que nous avait fait perdre notre cécité spirituelle.

Ceci dit, reconnaissons qu'il faut une certaine dose de courage pour bien faire zazen*. C'est pourquoi le zen* n'est pas forcément une discipline qui attire tout le monde. Mais, pourvu qu'on se sente suffisamment motivé, qu'on sache faire preuve d'un peu de patience et de persévérance, et se faire aider d'un bon maître, on verra sa vie se stabiliser et s'équilibrer progressivement. Nos émotions perdront de leur ascendant sur nous. Quand on commence à faire zazen, on prend conscience du chaos qui règne dans un mental constamment occupé à brasser toutes sortes d'idées, et on se rend compte que c'est là-dessus que devra porter l'essentiel de ses efforts. Au départ, on est complètement prisonnier de cette frénésie, de cette valse incessante des pensées, et la pratique consiste à essayer de ramener un peu de lucidité et de stabilité dans cette pagaille. Une fois que l'esprit s'éclaircit et se stabilise un peu, il échappe à l'emprise dictatoriale des pensées et ne se laisse plus prendre au piège des *objets*. Dans l'espace mental retrouvé, reconquis, l'esprit est alors capable de se percevoir lui-même, tel qu'il est véritablement. L'espace d'un instant, on « se » reconnaît, avec la même certitude infaillible qu'une mère retrouvant son enfant.

Le zazen n'est pas une sorte de sport qu'on peut espérer maîtriser en le pratiquant pendant un an ou deux. C'est une discipline qui devient un mode de vie, car elle offre à un être humain des possibilités d'enrichissement illimitées. Le zazen nous fera découvrir que nous participons de l'infinitude de la nature essentielle de l'univers. Ensuite, à nous de nous ouvrir à cette immensité et de l'exprimer dans notre quotidien. Certains se demanderont peut-être si cette fréquentation des valeurs spirituelles ne risque pas de nous désincarner un peu, de nous éloigner des autres et du concret. Or, c'est l'inverse qui se produit : plus on touche à la réalité ultime des choses et plus on éprouve de compassion[1] envers les autres, et plus notre vie quotidienne se transfigure. Rien ne change, apparemment, mais en réalité, tout est différent : notre façon de vivre et de travailler, nos rapports avec nous-mêmes et avec les autres. Le zen, ce n'est pas passer trente ou quarante minutes par jour, les fesses sur un coussin. C'est un programme de vie qu'on se donne pour la vie. C'est une pratique de tous les instants, vingt-quatre heures sur vingt-quatre.

A présent, si vous souhaitez poser des questions sur la pratique du zen en rapport avec votre vie quotidienne, je serai heureuse d'y répondre.

***Question** : Pourriez-vous en dire un peu plus sur la façon de se dessaisir de ses pensées pendant la méditation?*

Joko : Je ne pense pas qu'on se dessaisisse jamais de quoi que ce soit. Je crois plutôt qu'on use les choses jusqu'à la corde, jusqu'à ce qu'elles se détachent de nous. Si on cherche à forcer l'esprit, dans un sens ou dans un autre, on ne fait que retomber dans la dualité (sujet-objet) à laquelle on voulait justement échapper. La meilleure façon de se dessaisir de ses pensées, c'est d'apprendre à les reconnaître quand elles apparaissent et de constater leur présence. Apprendre à se rendre compte de ce qui se passe : « Ah, revoilà cette vieille idée, ou ce sentiment familier », et, sans porter de jugement de valeur, simplement revenir à l'expérience de l'instant présent. Encore et toujours. C'est juste une question de patience : il faut toujours ramener l'esprit à l'instant

1. Pour mieux comprendre ce terme dans son acception bouddhique, voir les rubriques *nature-de-bouddha*, *mahayana*, *sagesse et compassion* (NdT).

présent, encore et toujours, inlassablement, des dizaines de milliers de fois. Pas la peine de chercher en vous une sorte d'oasis exempte de pensées. En fait, les pensées n'ont pas de réalité propre et il arrive un moment où elles se font moins distinctes et moins impérieuses ; parfois, elles ont même tendance à s'estomper — dans l'instant où on se rend compte de leur irréalité. Elles disparaissent alors, sans qu'on sache tout à fait comment. Ces pensées-là ne sont jamais qu'une tentative d'autodéfense de notre part. Personne ne tient réellement à s'en dessaisir ; nous y sommes trop attachés. Le seul moyen de s'en défaire, c'est d'en percevoir l'irréalité. On y parvient à force de revisionner continuellement le même vieux film qu'on a dans la tête. Il est possible qu'à la cinq centième séance, on finisse par s'en lasser un peu : et là, l'espace d'un moment, on échappe à la fascination que ces images exercent habituellement sur nous, et on arrive à percevoir leur irréalité foncière.

Il y a deux sortes de pensées. Penser n'est évidemment pas une mauvaise chose en soi ; il y a des pensées utiles et nécessaires, qui représentent ce que j'appellerais *la pensée fonctionnelle*. Ce sont celles dont on a besoin pour fonctionner au quotidien, pour aller d'un point à un autre, pour faire un gâteau ou pour résoudre un problème de physique. Ce genre de pensées correspond à une bonne utilisation de notre mental. On n'a pas à se préoccuper de savoir si elles sont réelles ou pas : ces pensées sont ce qu'elles sont — essentiellement utilitaires. En revanche, à côté de cette « pensée fonctionnelle », le reste — soit quatre-vingt-dix pour cent de ce qu'on retourne sans arrêt dans sa tête — est une pensée purement discursive et spéculative, dépourvue de base réelle : un bouillonnement d'opinions, de jugements, de souvenirs et de rêves d'avenir. Et, du berceau à la tombe, nombreux sont ceux qui vivent dans ce brouillard de constructions mentales sans rapport avec le réel. Le plus pénible, quand on fait zazen, c'est le moment où l'on devient le témoin de ce qui se passe réellement dans sa tête. C'est une vraie claque en pleine figure : on se voit tel qu'on est — égoïste, violent, plein de préjugés. Et si nous sommes ainsi, c'est à cause du mode de pensée erroné qui conditionne notre existence — la méconnaissance de la nature de notre esprit que nous travestissons en ego. La nature essentielle des êtres humains est fondamentalement bonne et douée de compassion, mais que de scories à dégager pour exhumer ce joyau enfoui en nous !

Question : *Vous avez dit qu'avec le temps, les hauts et les bas sont moins violents, et que les crises ont un peu tendance à s'estomper, pour finir par disparaître, progressivement.*

Joko : Ça ne veut pas dire — et je ne dis pas — qu'on sera à jamais à l'abri des crises ou des difficultés, mais que si on est énervé, par exemple, on n'aggravera pas les choses en se complaisant dans ce sentiment. Si on sent la colère monter en soi, cet accès durera une seconde, et puis — fini ; les autres n'auront même pas le temps de s'en apercevoir. Tout simplement parce qu'on ne s'accrochera pas à la colère, on ne se laissera pas emporter par ce sentiment en s'y identifiant. N'imaginez pas pour autant que si vous pratiquez zazen pendant des années, vous allez devenir une sorte de zombie ! Bien au contraire : nos émotions gagnent en finesse et en acuité, et les sentiments qu'on éprouve pour les autres se font plus réels et plus profonds, parce qu'on a beaucoup plus de recul par rapport à ce qui se passe en soi-même.

Question : *Pourriez-vous parler un peu de la façon dont le travail et le quotidien s'intègrent à la pratique spirituelle ?*

Joko : Le travail occupe une place privilégiée dans la pratique du zen. Tout travail exige à la fois un effort et une mobilisation complète de l'attention : on doit se consacrer entièrement à ce que l'on fait, à ce qui est là, sous son nez. Quand vous êtes en train de nettoyer votre four, par exemple, donnez-vous complètement à cette tâche, tout en restant conscient des pensées qui vous passent par la tête pendant ce temps-là et qui sont susceptibles d'interrompre votre travail — ou d'en modifier la qualité — si vous les suivez sans vous en rendre compte. Du genre : « Ah, comme je déteste nettoyer ce four ! Ce produit pue l'ammoniaque ! De toute façon, personne n'aime faire ça. Mais quand même, avec toutes les études que j'ai faites, ça ne devrait pas être à moi de faire un boulot pareil ! » Et ainsi de suite : on se laisse emporter dans un inépuisable monologue intérieur qui n'a rien à voir avec le nettoyage du four, proprement dit. Restez vigilant et, à chaque fois que l'esprit a tendance à repartir dans tous les sens, ramenez-le gentiment sur votre travail. Il faut apprendre à faire la distinction entre le travail — la tâche concrète — qui nous occupe réellement, et les commentaires auxquels on s'adonne en même temps dans sa tête et qui ne sont qu'un enchaînement de créations mentales sans réalité propre. En vérité, le travail — en soi — est une chose simple ; il suffit de s'occuper de ce qui nécessite notre attention à ce moment-là. Mais il y a très peu de gens qui sont capables de travailler comme ça, sans tomber dans toutes les complications qu'occasionne l'inattention, lorsque notre attention se disperse et suit le cours erratique des pensées. Avec un peu de pratique et de patience, on apprend à travailler plus *naturellement*, c'est-à-dire en faisant exactement ce qu'il faut pour accomplir sa tâche, sans rien de superflu.

Je ne saurais trop vous inciter à travailler ainsi, quel que soit votre mode de vie.

La pratique de l'instant

Je voudrais maintenant évoquer les principales difficultés que l'on rencontre en faisant zazen. Ce sont d'ailleurs généralement les mêmes pour un débutant que pour quelqu'un qui pratique déjà depuis un certain temps.

La première fois que j'ai participé à une *sesshin** — il y a de ça des années — je n'aurais pas su dire à qui revenait la palme de la folie, entre moi et tous ces gens, assis là par terre, par une chaleur tropicale — il a fait 40° tous les jours, cette semaine-là, sans parler des mouches et du vacarme incessant... C'était absolument épouvantable ! J'étais plutôt écœurée et vaguement désemparée. Cependant, le programme prévoyait des entrevues à intervalles réguliers, pour chacun de nous, avec Yasutani Roshi ; et c'est ce que j'ai vu et ressenti pendant ces moments privilégiés qui m'a incitée à persévérer. L'ennui avec le zazen, c'est que ce sont les six premiers mois, ou la première année, qui sont les plus pénibles. C'est en effet le moment — ô combien ingrat ! — où l'on commence à découvrir l'étendue de la pagaille qui règne dans sa tête et où l'on apprend à regarder ses incertitudes et ses problèmes en face, tout en n'ayant pas encore assez d'expérience du zazen pour vraiment en ressentir les bienfaits.

Cependant, il est parfaitement normal qu'on ait du mal à s'y mettre, au départ, et c'est même une bonne chose. Vous aurez parfois l'impression que c'est plutôt ridicule de rester assis comme ça, les fesses sur son coussin, à ruminer lentement tout ce qu'on découvre en soi, et vous serez peut-être tentés de vous dire que ça ne peut qu'aggraver votre confusion. N'empêche que, pendant ce temps-là, vous en apprendrez long sur vous-mêmes — ce qui ne peut que vous faire du bien. Je ne saurais trop vous encourager à faire zazen en groupe, et à aller voir un bon maître, aussi souvent que vous le pourrez. Votre pratique deviendra alors une des plus grandes richesses de votre vie.

Peu importe le nom de la pratique qu'on adopte : qu'il s'agisse de *suivre sa respiration*, de *shikan-taza** ou de l'étude des *koans**, toutes ces techniques ont le même but : nous aider à répondre aux grandes questions de l'existence. Qui sommes-nous ? Qu'est-ce que notre vie ? D'où venons-nous ? Où allons-nous ? Faute de se poser ces questions-là, on ne peut pas donner à sa vie la pleine mesure de son potentiel humain. C'est pourquoi je tiens à évoquer pour commencer la pratique du zazen — la base de toute cette démarche spirituelle —, tout en sachant bien que le fait d'en parler n'équivaut pas à le faire. Ce que je vous propose ici n'est donc forcément qu'une piste, une indication, comme si on vous montrait la lune du doigt.

Faire zazen, c'est découvrir la réalité, la *nature-de-Bouddha**, Dieu, la véritable nature des choses, certains diraient : « l'esprit cosmique ». Le terme qui convient le mieux à la manière dont je souhaite vous en parler ici est celui de « l'instant ».

Il est dit dans le *Soutra du Diamant* : « Le passé est insaisissable, tout comme le présent et l'avenir, aussi. » Alors, nous tous qui sommes réunis ici ce soir, où nous trouvons-nous ? Dans le passé ? Non. Dans l'avenir ? Non. Eh bien, alors, sommes-nous dans le présent ? Non plus. On ne peut même pas dire qu'on soit dans le présent, car il n'existe rien qu'on puisse définir comme tel : il n'y a pas de petites frontières spéciales qui en délimitent la durée, dans le temps. Tout ce qu'on peut dire, à la rigueur, c'est que « nous sommes dans l'instant ». Or, l'instant n'est pas une chose mesurable, qu'on puisse définir ou délimiter, puisqu'on ne le voit même pas. Il est incommensurable, illimité, infini — exactement comme nous.

Eh bien, si tout cela se ramène à quelque chose d'aussi simple et élémentaire que l'instant, pourquoi en faire une telle affaire, me direz-vous. Certes, mais à vrai dire, autant il est facile de parler de *l'instant*, autant il est difficile d'en avoir une perception juste. Autrement nous ne serions pas là ce soir.

Laissez-moi donc vous raconter une petite anecdote qui illustrera bien mon propos. Il y a des années, j'étudiais le piano au conservatoire d'Oberlin où j'étais, paraît-il, un très bon sujet ; pas un interprète de génie, mais une très bonne pianiste. Et j'avais très envie de travailler avec un professeur qui était sans conteste le meilleur — le genre d'homme qui vous prend un étudiant normal et en fait un pianiste de tout premier ordre. Il se trouve qu'un jour, j'ai fini par avoir l'occasion de travailler avec *le* grand maître.

Quand j'allai le voir pour prendre ma leçon, je découvris qu'il se servait de deux pianos pour enseigner. Il ne me dit même pas bonjour ; il se contenta de s'asseoir à son piano et de jouer cinq notes, en me lançant : « Maintenant, à vous. » Il attendait de moi que je reproduise exactement ce qu'il venait de jouer. Je jouai les cinq notes — verdict : « Non. » Il les rejoua, et je les repris après lui. De nouveau : « Non ! » Et tout le reste de l'heure se passa ainsi. Et à chaque fois, c'était non.

Pendant les trois mois qui suivirent, j'ai dû jouer à peu près trois mesures, en gros une demi-minute de musique. Et pourtant, je m'étais estimée plutôt bonne pianiste ; j'avais d'ailleurs joué en soliste dans de petits orchestres symphoniques. Malgré tout, les choses continuèrent ainsi pendant trois mois, au cours desquels j'eus l'occasion de déverser des torrents de larmes. Néanmoins, cet homme-là était un pédagogue extraordinaire qui savait vraiment ce qu'enseigner veut dire : il n'avait de cesse d'amener son élève à comprendre, à *voir* ce qu'il cherchait à lui apprendre, et il y mettait une fougue et une détermination inébranlables. C'est ce qui faisait de lui un si bon professeur. Et puis, un beau jour, après trois mois d'un tel labeur acharné, il m'a simplement dit : « C'est bien. » Que s'était-il passé ? J'avais enfin appris à écouter, et, comme il disait lui-même, quand on sait écouter, on sait jouer.

Qu'était-il donc arrivé pendant ces trois mois ? J'avais bien toujours les mêmes oreilles qu'au départ — elles n'avaient pas changé. Il ne s'agissait pas non plus d'avoir surmonté des difficultés techniques particulières, car le morceau que j'avais travaillé n'était pas particulièrement difficile, sur ce plan-là. En fait, voilà ce qui s'était passé : pour la première fois de ma vie, j'avais appris à écouter... un comble, après tant d'années de piano ! J'avais appris une certaine qualité d'attention. Et c'est ce qui faisait de ce professeur un si grand maître : il apprenait à ses élèves à être attentifs. Une fois qu'on était passé par ses mains, on savait vraiment écouter : « Si on est capable de bien entendre, on est capable de bien jouer. » En ressortant de chez lui, on était devenu un excellent pianiste.

C'est cette même qualité d'attention qui est nécessaire pour pratiquer le zen. C'est ce qu'on appelle le *samadhi**, quand le sujet ne fait plus qu'un avec l'objet qu'il contemple. Cela dit, le genre d'attention qu'il me fallait développer dans l'histoire que je viens de vous raconter était relativement facile à acquérir, puisqu'il s'agissait de s'unir à un objet que j'aimais — la musique. C'est l'identification que réalisent l'artiste et le sportif de haut niveau, ou celui qui sait faire les meilleures passes sur un terrain de football ou de basket-ball : ce sont tous des gens qui ont acquis une certaine qualité d'attention. Ils ont appris à être attentifs.

Vue de loin, on pourrait dire que cette forme d'attention s'apparente un peu au samadhi — dans la mesure où il s'agit de concentration — mais, de là à la pratique du zen, il y a quand même un monde. Le zen, c'est savoir être pleinement attentif dans l'instant, être totalement présent à ce qui se passe à chaque instant — en soi et autour de soi. Et pourquoi n'y arrive-t-on pas spontanément, naturellement ? Parce que ce n'est pas toujours agréable d'être lucide et conscient de ce qui se passe. Comme c'est souvent pénible ou dérangeant, on préfère ne pas y faire attention — littéralement.

L'esprit humain est doué de la capacité de penser. Avec la pensée, on peut ruminer le passé et se projeter dans l'avenir : d'un côté on ressasse des souvenirs douloureux, de l'autre on n'arrête pas de rêver de lendemains qui chantent, imaginant sans cesse toutes sortes de choses formidables qui ne peuvent manquer de nous arriver. Et le présent dans tout cela ? Nous sommes tellement pris par nos pensées qu'elles finissent par filtrer tout ce qui nous arrive, si bien que la réalité vive du présent, de chaque instant de notre vécu, ne nous parvient plus que déformée et défraîchie. La pensée occulte le réel qui s'offre à nous à tout instant : « Je n'aime pas ça, je n'ai pas envie d'entendre ça ; je préfère laisser tomber et rêver tranquillement à ce qui va m'arriver, plus tard. »

On passe tellement de temps à cogiter dans tous les sens dans l'espoir de se concocter une petite version sympathique de la vie pour se sentir bien, tranquille et en sécurité, qu'on n'a jamais l'occasion de voir ce qui se passe vraiment là, dans l'instant. Nous n'en percevons qu'une version déformée, à travers le filtre de nos pensées. Faites donc un essai : demandez à dix personnes qui ont lu ce livre de vous en parler, et vous verrez que vous obtiendrez dix versions différentes. Chacun aura tendance à oublier les passages qui ne lui disaient rien, à en privilégier d'autres qui l'intéressaient, et même à faire l'impasse sur ce qui a pu le déranger. Et c'est pareil quand on va voir son maître zen : on n'entend que ce qu'on veut bien entendre. C'est pourquoi s'ouvrir à un maître, c'est écouter tout ce qu'il nous dit, et pas seulement ce qu'on a envie d'entendre, car lui, il n'est pas là juste pour nous faire plaisir. Ce n'est pas ça, son rôle.

Le zazen a essentiellement pour but de nous faire prendre un peu de recul par rapport au tourbillon de pensées qui sévit dans nos têtes, afin de nous faire vivre l'instant, tel qu'il se présente à nous. C'est cela, la pratique du zen. Elle nous aide à retrouver la capacité d'être dans l'instant, à le vivre dans toute son intensité. Et pour cela, il faut apprendre à ne plus se laisser entraîner dans la valse étourdissante des pensées, afin de ne plus toujours vivre en état de frénésie mentale. La pratique est un choix de tous les instants car, à chaque instant, on se retrouve à la croisée des chemins : on a toujours le choix de prendre la tangente pour repartir dans son petit monde imaginaire, ou de garder les yeux grands ouverts et de prendre la réalité comme elle vient. Il est vrai que, pendant une séance de zazen, la réalité de l'instant revêt souvent les traits de la fatigue, de l'ennui ou des jambes qui vous font mal. Mais ce qu'on apprend est d'une valeur inestimable, quand on arrive à rester assis là, malgré tout, en assumant tout l'inconfort — physique et mental — de la situation. Pendant qu'on fait zazen, on se ferme — délibérément — toutes les portes de sortie. Il n'y a plus d'échappatoire : si on a mal, on est confronté à sa douleur, si on s'ennuie, il faut faire face à ce terrible ennui. Il n'y a plus de faux-fuyant, nulle part où aller : il faut s'y coller. Et l'inconfort de la situation sert vraiment à quelque chose, croyez-moi.

Cela dit, il ne faudrait pas s'imaginer le zen comme un système de torture, bien au contraire, puisque sa pratique vise à nous aider à mieux vivre nos vies. Entendons-nous bien, cependant : pour mieux vivre, il faut d'abord cesser de rêver sa vie et apprendre à expérimenter l'instant présent tel qu'il vous arrive, quelle que soit la couleur de sa réalité : un bon ou un mauvais moment, une expérience agréable ou pénible, un mal de tête, une maladie ou un instant de bonheur — on vit pleinement tout ce qui se présente à soi, sans trier.

On reconnaît généralement ceux qui ont déjà une certaine expérience du zen à l'impression de stabilité et d'enracinement intérieur qui émane d'eux. Cela se sent tout de suite : ce sont des gens qui collent à la réalité de la vie et qui l'expérimentent de manière immédiate, à chaque instant, sans l'esquiver en se réfugiant dans des fantasmes. Et, quand les grandes tempêtes de la vie déferlent sur eux, ils sont mieux à même d'y faire face que les autres — car faire face, c'est justement leur pratique de tous les instants. Une fois qu'on est capable d'accepter les choses telles qu'elles sont, il n'y a plus rien qui puisse vraiment vous fâcher. Ou si jamais on se fâche un peu, ça ne dure pas...

Examinons maintenant plus en détail la technique même du zazen. Il s'agit de s'asseoir et d'observer ce qui se passe, en soi et autour de soi, à chaque instant. On se fait simplement le témoin de l'instant. Vous n'avez pas besoin de me croire sur parole, essayez-donc vous-mêmes. Par exemple, si vous avez l'impression de décrocher du présent, mettez-vous à écouter les bruits de la circulation en faisant bien attention pour essayer de tout entendre, sans que le moindre son ne vous échappe. Voilà, c'est tout : il suffit d'écouter, mais vraiment bien. Et même une technique aussi simple que celle-là peut valoir un koan, parce qu'elle met en jeu un vécu de l'instant. Alors, si vous voulez pratiquer le zen, vous avez du pain sur la planche, et un sacré beau pain quotidien : faire sortir votre vie du ghetto des fantasmes et la ramener dans les eaux vives de la réalité — l'immensité de ce qui est, à chaque instant.

Reconnaissons que la tâche n'est pas facile et qu'il faut beaucoup de courage pour la mener à bien. A terme, seuls les gens qui ont vraiment des tripes arrivent à tenir bon. Cependant, il faut aussi se rendre compte qu'on ne travaille pas seulement pour soi quand on pratique le zazen. Peut-être que si, au début, mais dès qu'on a trouvé un certain enracinement en soi et qu'on vit dans le réel, en prise directe sur l'essentiel, les bienfaits de cette évolution rejaillissent automatiquement sur les autres. Lorsque quelqu'un a trouvé son ancrage en lui-même, les autres le sentent tout de suite et en retirent une influence positive, même à leur insu.

En réalité, déjà nous ne faisons qu'un avec tout l'univers, mais tant que nous ne serons pas complètement éveillés à cette réalité, nous aurons besoin de travailler avec les outils que nous a donnés notre maître. Et il faut aussi un minimum de foi : avoir confiance dans la valeur de la voie qu'on va suivre. Quoique le zen ne soit pas qu'une simple affaire de foi : il ne s'agit pas d'une adhésion aveugle à des dogmes intangibles. C'est au contraire une démarche qui tient de la science expérimentale, car elle a été mise au point et éprouvée par des générations et des générations d'hommes et de femmes qui se sont réalisés grâce à ces techniques. C'est une méthode efficace et qui a fait ses preuves ; libre à chacun de s'en servir, s'il se sent suffisamment motivé pour fournir l'effort nécessaire.

Le Bouddha n'est autre que ce que vous êtes, fondamentalement, à chaque instant. Tenez, par exemple, là, maintenant, à l'instant même — quand vous entendez le bruit des voitures et ma voix, et que vous vous dites que vous avez mal aux jambes —, oui, là, tout de suite, il y a le bouddha*. Mais l'instant est insaisissable : dès qu'on essaie de le saisir, il a déjà changé. Etre pleinement ce que l'on est, dans l'instant, cela signifie par exemple, ne faire qu'un avec sa colère quand on la sent monter en soi. Cette colère-là ne fera jamais de mal aux autres parce qu'on la ressent, on la vit complètement, sans s'en dissocier et l'esquiver pour agir. On fait réellement l'expérience de sa colère, on la sent qui bouillonne en soi et qui vous noue l'estomac ; c'est une expérience intérieure, totale, intégrale, et en

Colère

tant que telle, elle n'a pas besoin de déborder en dehors de soi et d'aller blesser qui que ce soit. En revanche, la colère peut faire mal aux autres quand elle se cache derrière un sourire, tandis qu'on s'efforce de la refouler en soi, parce qu'on n'a pas le courage de la reconnaître comme telle et de faire face à ses sentiments.

Cela dit, ne vous attendez pas à vous découvrir noble et parfait dès que vous allez vous mettre à faire zazen. Lorsqu'on reste assis en silence et qu'on cesse de se laisser entraîner dans la valse des pensées, ne serait-ce que pour quelques instants, on devient le témoin de ce qui se passe en soi et cette présence désengagée est comme un miroir dans lequel tout se reflète, sans distorsion. Et alors on voit tout : on se voit tel qu'on est. On s'aperçoit de tout le mal qu'on se donne pour avoir l'air de quelqu'un de bien, pour être partout le premier, ou le dernier ; on prend conscience de sa colère, de ses angoisses, de son air de se prendre au sérieux, de sa soi-disant spiritualité. Alors que la vraie spiritualité, c'est tout simplement coller au vécu de chaque instant, faire face à tout ce qui vous arrive. Et, ne faire qu'un avec le bouddha — avec ce qu'on est réellement, en soi — c'est se transformer.

Shibayama Roshi disait un jour, au cours d'une sesshin : « Ce bouddha que vous avez tous tellement envie de voir est très timide. Il n'est pas facile de le faire sortir pour se montrer. » Pourquoi donc? Parce que ce fameux bouddha n'est autre que nous-mêmes, et que nous ne le verrons pas tant que nous continuerons à remuer tout le fatras qui nous encombre l'esprit. Il faut être prêt à se voir tel qu'on est, sans tricher. Qu'on soit capable de voir ce qui se passe en un instant donné, sans biaiser, et le bouddha se montrera. Mais, attention : les demi-mesures ne marchent pas, parce qu'un bouddha ne se donne pas à moitié. On ne peut pas espérer entrevoir un petit morceau de bouddha tout en continuant à tricher tranquillement. La pratique dont nous parlons ici n'a rien à voir avec les vagues projets des tièdes qui rêvent de devenir ceci ou cela, « un jour ». On plonge directement dans le grand bain, on va droit à l'essentiel. D'emblée, on se dit : « Je *suis* ce que je suis, à cet instant précis. Et c'est cela, être un Bouddha. »

Un jour, au zendo*, j'ai dit quelque chose qui a choqué pas mal de gens : « Pour pratiquer le zazen, il faut renoncer à ses espérances. » Et je peux vous assurer que rares sont ceux qui ont apprécié cette remarque. Pourtant, je ne faisais que souligner que nous avons intérêt à faire un sort à une vieille idée qui nous trotte tous dans la tête : à savoir qu'il doit bien exister un moyen d'arriver à se fabriquer la petite vie parfaite dont nous rêvons tous. Or, la vie est ce qu'elle est, et ce n'est qu'à partir du moment où nous renonçons à la manipuler qu'elle prend un tour plus positif.

Renoncer à ses espérances ne signifie pas renoncer à l'effort — ce n'est certainement pas ce que j'ai voulu dire. La pratique du zen est une tâche difficile, pas parce qu'elle vous stresse ou qu'elle vous fatigue, mais en ce sens qu'elle vous oblige à constamment réaffirmer vos choix et votre engagement. Cependant, si vous êtes capables de pratiquer à fond, régulièrement et dans la durée, en faisant beaucoup de sesshin et en travaillant dur sous la direction d'un maître, un jour viendra où, tout à coup, sans crier gare, « l'instant » se révélera à vous. Sans avertissement préalable. Ce sera votre première vision fugitive de l'instant. Mais cela peut prendre un an, deux ans ou dix ans...

Et ce ne sera qu'un début. Cette vision fugitive durera peut-être un dixième de seconde — un simple avant-goût de l'éveil à venir. Pour vivre éveillé, on doit savoir cultiver cette qualité de perception tout le temps, et il faut bien sûr des années et des années de travail pour parvenir à une telle stabilité.

Je ne voudrais pas avoir l'air de vous décourager. Certains se disent peut-être qu'ils n'ont plus assez de temps devant eux. En réalité, la question de temps ne se pose pas vraiment car chaque instant de pratique est déjà complet et parfait, en soi. Et plus on pratique et plus la vie devient enrichissante et épanouissante, pour nous et pour ceux qui nous entourent. Malgré tout, ne nous leurrons pas : la route est longue, et trop de gens ont tendance à s'imaginer qu'il leur suffira de quinze jours pour trouver l'éveil.

Nous sommes déjà tous bouddha[1], cela ne fait pas l'ombre d'un doute. D'ailleurs, comment pourrait-il en être autrement ? Nous sommes tous ici et maintenant*, et il n'y a pas d'autre manière d'être. L'important, c'est d'en prendre conscience, de se rendre compte de ce que *être* veut vraiment dire : s'ouvrir à l'état d'unité et d'harmonie qui est latent en nous, et tenter de l'exprimer dans nos vies. C'est cette prise de conscience qui nécessite tellement de travail et d'efforts de notre part car elle n'est pas facile : il faut avoir des tripes, une bonne dose de cœur au ventre. Il faut être prêt à prendre ses responsabilités face à soi-même et face aux autres.

Cependant, plus on pratique et plus nos qualités — et notre détermination — se renforcent. Bien sûr, ce n'est pas drôle de rester gentiment assis sur son petit coussin quand on a l'impression d'avoir les jambes en compote et le cerveau en ébullition — personne n'aime ça, et moi non plus. Mais, au fur et à mesure que nous apprenons à encaisser patiemment les petites difficultés de la pratique, une évolution se dessine en nous. Tout doucement, presque insensiblement, on se transforme à travers sa pratique et au contact du maître avec lequel on travaille — en voyant vivre et agir cet homme ou cette femme qui nous éclaire de ses conseils. Ce ne sont pas nos pensées ou nos idées qui nous feront évoluer et changer, c'est la dynamique de ce choix fondamental qu'on doit réaffirmer à chaque instant : choisir de vivre directement le réel au lieu de le fuir en cultivant les fantasmes de l'ego. C'est en renouvelant constamment ce choix, instant après instant, que nous transfigurerons nos vies.

1. Voir la rubrique *nature de bouddha* dans le glossaire (N.d.T.)

Il est vrai qu'au début, on n'y comprend pas grand-chose et qu'on a parfois l'impression de nager complètement. Je me souviens des premières fois où je suis allée écouter des maîtres ; je me demandais : « Mais qu'est-ce qu'ils racontent ? » Au départ, il faut avoir la foi et faire sa pratique, tout simplement. S'asseoir sur son petit coussin, jour après jour, et faire zazen. Faire face à toute la confusion qu'on découvre en soi. Savoir se montrer patient, très patient, et éprouver malgré tout un certain respect pour soi-même, parce qu'on a quand même le courage de pratiquer. Ce qui n'est pas facile : quiconque arrive à suivre entièrement une sesshin mériterait des félicitations. Attention, ne vous méprenez pas : je ne cherche pas à vous décourager, au contraire. Je pense qu'il faut être quelqu'un de formidable pour avoir envie de pratiquer le zen, mais que, néanmoins, il ne faut pas se leurrer sur l'ampleur de l'entreprise. Mieux vaut l'aborder en toute connaissance de cause, on sera d'autant plus prêt à s'ouvrir aux qualités qu'on porte en soi, pour les amener à leur plein épanouissement.

L'humanité en est encore à ses balbutiements, en matière de spiritualité. Nous sommes comme des bébés qui auraient devant eux des perspectives de croissance illimitées. Et, avec de la persévérance et de la patience, nous sommes capables de grandir suffisamment pour apporter une contribution valable au monde dans lequel nous vivons. Quiconque trouve en soi l'état d'harmonie et d'unité qui est en nous tous, et s'y abreuve, vit dans l'amour. L'amour, le vrai, pas sa caricature frelatée, façon Hollywood. L'amour authentique, dans toute sa force, celui qui est capable de soulever des montagnes. Celui dont nos vies et celles des autres ont tant besoin. Celui dont il faut inonder nos enfants, nos parents et nos amis. Alors, à nous de jouer !

Voilà, je vous ai un peu expliqué comment les choses se passaient. Libre à chacun de décider s'il veut ou non s'engager dans une telle démarche, quoique, à ce stade-là, on ait du mal à se rendre compte de ce que cela représente exactement. Je suppose que c'est un peu l'impression qu'ont certains d'entre vous, ce qui est d'ailleurs parfaitement normal : il faut des années pour vraiment comprendre le pourquoi et le comment de la pratique. En attendant, on doit se contenter de faire de son mieux : faire zazen tous les jours, régulièrement, participer à des sesshin de temps en temps. Nul n'est tenu à l'impossible, mais essayons tous de faire de notre mieux, car c'est l'essentiel qui est en jeu : donner à la vie humaine sa pleine dimension, sa vraie qualité. Et il n'y a rien qui compte plus !

Qui fait autorité?

Depuis des années que je discute avec toutes sortes de gens, je suis toujours étonnée de voir à quel point nous nous compliquons la vie. Nous nous faisons une montagne de tout — la vie, la pratique — même si, en réalité il n'y a *pas vraiment de* problèmes. Evidemment, c'est assez facile à dire, mais moins simple à reconnaître dans les faits. C'est pourquoi il ne serait pas inutile de se souvenir des dernières paroles du Bouddha : « Soyez votre propre lumière. » Le message était parfaitement simple et clair. Il n'a pas dit : « Allez donc voir tel ou tel maître à tel ou tel endroit », il a simplement conseillé à chacun de se laisser éclairer et guider par la lumière de l'intelligence essentielle qui nous habite tous.

J'aimerais évoquer ici le problème de « l'autorité », car c'est le principe qui régit la plupart de nos relations avec les autres. On se trouve constamment en position d'autorité ou de soumission par rapport à quelqu'un, tant au plan social que familial ; c'est la conséquence des rapports de force qui structurent la société et la famille. Mais, comme si cela ne suffisait pas, on a en plus une fâcheuse tendance à se chercher une *autorité* — un maître à penser, un *gourou* — qui nous dise ce qu'il faut faire. N'ayant pas confiance en soi et en la valeur de son propre jugement, on préfère remettre à un autre la responsabilité de ses décisions : on aimerait être pris en charge par quelqu'un qui puisse résoudre tous nos problèmes à notre place. Cela m'amuse toujours de voir comme les gens se précipitent chaque fois qu'un nouveau maître débarque quelque part ! Pour ma part, je dois avouer que je n'irais pas très loin pour en rencontrer un. Non pas parce que je me crois plus maligne que lui, ou parce que sa personnalité ne m'intéresse pas, mais pour une raison beaucoup plus fondamentale : qui peut en savoir plus sur moi que moi-même, qui peut mieux m'éclairer sur ce que je suis et sur ma propre vie que moi-même ? Il n'y a qu'une seule véritable autorité en la matière : c'est mon propre vécu.

Peut-être m'objecterez-vous que vous avez besoin d'un maître pour vous aider à sortir de vos souffrances et à résoudre vos problèmes, parce que vous vous sentez trop mal dans votre peau et que, de toute façon, vous ne comprenez plus rien à rien. Alors vous voudriez que quelqu'un voie clair à votre place et vous dise ce qu'il faut faire. Eh bien, non ! Vous faites complètement fausse route en cherchant un gourou-gâteau qui vous prenne en charge totalement, tout en vous laissant vous infantiliser et vous déresponsabiliser de plus en plus. Ce qu'il vous faut, c'est juste un guide pour vous montrer le chemin et pour vous apprendre à travailler sur vous-même ; surtout pour vous faire comprendre que la seule véritable autorité qui puisse régir votre vie, c'est vous-même. Personne ne peut vivre votre vie à votre place ; vous n'avez pas d'autre maître que vous-même et la pratique spirituelle vise justement à faire éclore la sagesse qui sommeille en vous et qui restera endormie tant que vous la chercherez ailleurs.

La vie est notre seul maître, la seule autorité digne de confiance. Tantôt cruel, tantôt d'une infinie bienveillance, ce maître hors pair ne se cache pas dans le secret des ermitages ou des monastères ; il est partout, dans chaque pulsation du quotidien. Pas la peine d'essayer de se fabriquer un cadre idéal : plus il y a de pagaille, et plus la vie foisonne d'enseignements. La vie telle qu'elle vous arrive avant qu'on ne se mêle de vouloir la trafiquer ou l'édulcorer : un vécu brut qui vous heurte de plein fouet, tout grouillant d'expériences. La vie sur le vif, celle que mène tout le monde, dans n'importe quel bureau, dans n'importe quelle famille. Nous sommes tous bien placés pour savoir à quel point la vie peut être chaotique et délirante dans ces endroits-là ! Eh bien, c'est là, au cœur même de ce chaos, que se trouve le maître, l'autorité.

Ce maître-là dispense l'enseignement le plus radical, le plus révolutionnaire qui soit, mais rares sont ceux qui ont des oreilles pour l'entendre, car il y a certaines vérités auxquelles on préfère rester sourd. La seule musique qu'on veuille bien écouter, c'est celle qui vous berce dans le sommeil de la passivité et qui vous conforte dans le train-train de la routine. Comme le petit oiseau dans son nid qui attend qu'on vienne lui donner la becquée, nous ouvrons un gosier docile pour qu'on y enfourne une sagesse prémâchée et prédigérée. On attend que la solution nous tombe toute cuite dans la bouche, du bec de papa ou maman, de notre maître, du Père Noël ou de tout autre démiurge auquel on croit. Ce que nous voulons, c'est La solution de tous nos problèmes, le remède à toutes nos souffrances — en un mot, la panacée. Mais attention, il y aurait intérêt à se réveiller si on ne veut pas mourir la bouche ouverte car, voyez-vous, ce n'est plus la peine d'attendre : le Père Noël est déjà passé. Déjà passé, mais comment ça, dites-vous ? En effet, la vie est là, depuis toujours, mais nous ne la voyons pas : nous avons pris les apparences — papa, maman, le Père Noël, le maître — pour la réalité — la vie, seule force nourricière capable de nous faire réellement grandir. La vie comme principe directeur de notre être ? Vous me direz que cela n'a rien de très encourageant, vu les sales tours qu'elle a tendance à vous jouer, cette chienne de vie, avec tout son cortège d'ennuis et les amères doses de solitude et de dépression qu'elle vous dispense allègrement. Mais cette vie qui nous effraie tant n'est pas la vraie vie ; ce n'est qu'une représentation mentale, une caricature de la vie brute telle qu'elle se présente à nous avant qu'on ne l'ait manipulée et déformée. Le maître, le fil conducteur apparaît dans l'expérience de l'instant présent, dans le vécu immédiat de tout ce qui nous arrive. Quand on sait faire face à chaque moment de son vécu, honnêtement, sans rien esquiver de ce que l'on pense ou de ce que l'on ressent, on expérimente la simplicité de la réalité, le *rien que ça*. Au cœur même de l'instant vécu, l'esprit paisible goûte aux joies ineffables du *samadhi**, il vibre au diapason du verbe divin. C'est cela, le zen authentique — acquérir la maîtrise de l'esprit —, qu'on lui donne ou non cette étiquette.

Ainsi, on attendait que nous tombe du ciel une panacée, alors que la réponse était déjà là depuis toujours, sous notre nez. Le principe directeur de notre vie s'inscrit dans les expériences qu'elle nous offre, et nous n'avons pas besoin de nous placer sous l'autorité d'une figure familiale, religieuse ou mythique, censée organiser notre vie à notre place. De toute façon, il y a déjà bien assez de rapports d'autorité comme cela dans nos vies, tant au travail qu'à la maison ou même entre amis. Pas la peine d'en rajouter! Une chose est essentielle, cependant : comprendre que c'est dans l'expérience de chaque instant que se révèle le maître. Si on vit *complètement* l'instant, si on est en phase avec lui, il ne reste plus de place pour une quelconque autorité extérieure. Où donc pourrait-elle aller se loger lorsqu'on ne fait qu'un avec ce qui se passe et qu'on épouse étroitement son vécu? Il n'y a place que pour l'attention vigilante, l'expérience immédiate; et c'est de là que jaillit l'autorité authentique, seule digne d'orienter nos actes.

Une dernière précision s'impose pour éviter tout malentendu. Quand on s'émancipe de la tutelle des autres, ce n'est pas pour tomber dans un autre excès en laissant l'ego établir sa mainmise sur notre vie. En effet, on peut être tenté de se dire que, dorénavant, on n'aura plus besoin d'écouter qui que ce soit, qu'on va se débrouiller tout seul, puisque de toute façon, personne d'autre ne sait mieux que nous ce qui nous convient. On peut vouloir s'inventer ses propres règles du jeu, son interprétation du zen. Mais, attention, ne nous leurrons pas sur notre soi-disant émancipation : si on ne reconquiert le pouvoir sur soi qu'exerçait les autres, que pour le donner à l'ego, l'esclave n'aura fait que changer de livrée et on ignorera toujours l'indicible saveur du vécu immédiat.

Le couloir de la peur

C'est dès le moment de la conception que notre vie connaît ses premières limitations à travers les facteurs génétiques qui définissent chaque individu : son sexe, sa prédisposition à telle ou telle maladie, ses faiblesses organiques particulières. Et toutes ces données s'additionnent pour former un certain tempérament. Toute femme qui a porté des enfants a pu se rendre compte des énormes différences de caractère qui se manifestent d'un bébé à l'autre. C'est d'ailleurs même vrai avant la naissance, mais nous nous bornerons ici à examiner ce qui se passe après. Aux yeux d'un adulte, un nouveau-né apparaît comme un être totalement ouvert et vierge de tout conditionnement. Les premières semaines qui suivent sa venue au monde ont un seul impératif : la survie. Ecoutez un bébé qui vient de naître : ses cris sont tellement impérieux, ils expriment une telle urgence que la vie de toute une famille peut s'en trouver bouleversée. Pour ma part, je ne connais rien d'aussi irrésistible : dès que j'entends crier un bébé, je suis obligée de faire tout ce que je peux pour qu'il ne pleure plus. Cela dit, le bébé est vite obligé d'apprendre que tout ne se passe pas toujours comme il le voudrait, malgré toute la véhémence qu'il peut mettre à s'en plaindre. Il ne tarde pas à comprendre que la vie n'est pas toujours une partie de plaisir. Je n'oublierai jamais le jour où j'ai accidentellement laissé tomber mon fils aîné sur la tête : un bébé de six semaines ! Je venais juste de le savonner et son petit corps glissant m'a échappé, moi qui me croyais si experte dans mon nouveau rôle de maman...

Très tôt, le petit enfant essaie de se protéger contre les différents dangers qu'il perçoit, et il se contracte sous l'effet de la peur qu'ils lui inspirent. Petit à petit, le jeune être si réceptif, si fluide et si malléable se recroqueville. Il sent l'espace se rétrécir autour de lui, il a l'impression d'être contraint à rentrer dans un boyau étroit : le couloir de la peur. Avec l'acquisition du langage, l'étau se referme un peu plus, et, à mesure que l'intelligence s'éveille et se développe, le processus s'accélère. Non seulement la moindre perception d'un danger s'inscrit dans chacune de nos cellules, mais en plus la mémoire rentre en jeu pour corréler chaque nouvelle menace à toutes celles qui avaient déjà été mémorisées. Le réseau défensif devient de plus en plus rigide et complexe.

Tout le monde sait comment s'installe un réflexe conditionné. Imaginons un scénario : quand j'étais petite fille, un rouquin baraqué, un grand costaud de cinq ans m'a arraché ma poupée des mains et j'ai eu très peur — cette peur m'a marquée, elle a laissé des traces qui ont amorcé un réflexe conditionné. Depuis ce jour-là, à chaque fois que je vois passer un rouquin, je me sens mal à l'aise, sans raison apparente. Peut-on dire pour autant que ce malaise soit la conséquence d'un conditionnement de mon comportement ? En réalité, non, car tout conditionnement finit par s'estomper avec le temps, même s'il a fait l'objet de fréquentes répétitions, au départ. C'est pourquoi on se trompe en voyant dans les vicissitudes de son passé la seule et unique cause de ses malheurs ou de son désarroi présents. En se croyant conditionné par son passé, on passe à côté du vrai problème. Il est certes indéniable que nos comportements actuels sont conditionnés par un certain acquit, mais il y a aussi un autre facteur qui rentre en ligne de compte. Se sentant menacé par son environnement, l'être totalement ouvert et flexible que nous étions dans notre prime enfance s'est replié sur lui-même pour se protéger, et ensuite, nous avons fait l'erreur de nous identifier à cette version recroquevillée et amoindrie de nous-même. A la vision initialement fluide du monde et de soi a succédé une image figée : celle d'un monde hostile et d'un soi rétréci par la peur et auquel on s'est dorénavant identifié. Peu importe qu'on ait alors choisi un schéma de soumission, de révolte ou d'indifférence par rapport au monde, le résultat est le même : l'émasculation du soi originel. Ce qui importe, en revanche, c'est qu'on ait cru que, pour survivre, il fallait à jamais endosser l'image d'un soi solidifié par son réflexe de peur initial.

Force est donc de constater que ce n'est pas tant notre conditionnement qui nous a contraints à rentrer dans le couloir de la peur, que l'image qu'on s'est faite de soi à partir du moment où ces réflexes s'étaient installés. Fort heureusement, cette image étant une construction mentale avec des répercussions perceptibles au niveau physique (les tensions et les blocages qui affectent notre corps), il est possible de la comprendre en faisant directement l'expérience de soi dans l'instant présent. A ce moment-là, on est son propre maître : le maître, le disciple et son sujet d'étude ne font plus qu'un. Si une certaine compréhension intellectuelle des différents éléments de notre conditionnement peut avoir son utilité, elle n'est pas indispensable. Ce qui l'est en revanche, c'est d'être conscient de son état actuel : des pensées qui m'habitent, et des tensions qui affectent mon corps, là, à la minute même où je m'expérimente telle que je suis, actuellement. En devenant conscient de ses pensées et de ses blocages physiques à travers zazen, on allume un flambeau de lucidité qui dissipe les ténèbres du couloir de la peur. Tout s'éclaire et le sinistre fantôme de notre fausse identification avec un soi rétréci s'évanouit progressivement, tandis qu'on retrouve de plus en plus sa véritable nature : un non-soi*, en communication ouverte et interactive avec la vie.

Quand on s'aperçoit que le couloir de la peur n'était qu'une illusion, on retrouve la conscience de ce vrai soi, si longtemps négligé et oublié.

Ceci me rappelle deux célèbres poèmes évoquant un miroir. A l'époque où le Cinquième Patriarche devait choisir son successeur — l'héritier de la tradition spirituelle dont il était le détenteur — les candidats avaient dû composer quelques vers sur le thème du miroir, afin de permettre au Patriarche de juger du degré de développement et de maturité spirituels de chacun. L'auteur d'un des poèmes était un moine, un des meilleurs disciples du Patriarche, l'autre était un inconnu qui devait en fait l'emporter pour devenir le Sixième Patriarche. Dans son poème, le moine avait comparé l'esprit à un miroir, la pratique spirituelle consistant à le nettoyer, à épousseter la poussière de nos pensées et de nos actions erronnées pour lui faire retrouver son brillant — c'est-à-dire purifier notre esprit. Le Cinquième Patriarche jugea que l'autre poème révélait une bien meilleure connaissance de l'esprit chez cet homme qu'il prit pour successeur : celui-ci avait écrit qu'il n'y a « jamais eu le moindre miroir, la moindre surface où la poussière puisse s'amonceler, la moindre poussière à enlever... ».

Quant à nous, on nous a légué un paradoxe : si c'est bien le poème du Sixième Patriarche qui cerne le mieux la réalité spirituelle, notre pratique doit néanmoins s'inspirer des vers du moine — celui qui fut écarté par le Cinquième Patriarche ! On est bel et bien obligé d'épousseter le miroir, d'être conscient de la nature de ses pensées et de ses actes. C'est en fait la seule manière d'arriver à se rendre compte que le couloir de la peur n'était qu'une illusion. Quel paradoxe direz-vous, que d'avoir à se donner tant de mal pour se défaire d'une simple illusion car, après tout, si une chose n'existe pas, il n'y a rien à faire pour la détruire ! Autant bombarder un mirage... Mais l'ennui, c'est qu'on ne s'en rend compte qu'après avoir longuement nettoyé le miroir.

Forts de cette constatation, il y a des gens qui

prétendent qu'il n'est pas nécessaire de faire quoi que ce soit — à quoi servirait d'épousseter un miroir inexistant? —, et que toute pratique est inutile si l'on garde une vision claire de la réalité spirituelle. Eh bien, c'est justement là que le bât blesse, car nous n'avons pas une vision claire des choses et c'est précisément pour cela que nous faisons tant de bévues, tant par rapport aux autres qu'à nous-même! Voilà pourquoi on a besoin de pratiquer et d'épousseter le miroir, encore et toujours, jusqu'à ce que nous nous soyons totalement pénétrés de la réalité des choses et qu'elle soit devenue un vécu de notre chair. C'est alors — et alors seulement — qu'on verra clairement qu'en réalité, il n'y avait rien à faire, que tout était déjà parfaitement pur, fluide, libre, ouvert et fécond, de toute éternité. Mais ne nous leurrons pas : il nous faudra une sacrée dose de travail sincère avant d'arriver à cette vision parfaitement lucide de la réalité des choses!

Loin de moi l'idée de vous donner une image pessimiste de la pratique spirituelle, dont je pense au contraire qu'elle est notre seul véritable espoir. Même si le parcours est parfois difficile et un peu décourageant, en réalité avons-nous vraiment le choix? Ou bien on subit le couloir de la peur en s'y laissant mourir d'atrophie et d'asphyxie progressives, ou bien on décide de le regarder bien en face : on l'expérimente sans rien esquiver et, petit à petit, on en comprend le caractère illusoire et on s'en libère. Alors. avons-nous vraiment le choix?

Pratiquer

Ce que la pratique n'est pas

Beaucoup de gens ayant des idées bien arrêtées sur ce qu'est la pratique du zazen, il me semble utile de commencer par expliquer ce qu'elle n'est pas, tout au moins à mon sens.

Tout d'abord, ce n'est pas un moyen de changer de personnalité, quoiqu'une pratique intelligente entraîne effectivement certaines transformations psychologiques, ce qui serait plutôt une bonne nouvelle. Mais je tiens cependant à souligner que la finalité du zazen n'est pas de provoquer l'évolution psychologique de ceux qui le pratiquent.

Il ne s'agit pas non plus d'acquérir une connaissance intellectuelle de la nature physique de la réalité, de l'univers et de son mode de fonctionnement, même si quelqu'un qui pratique sérieusement peut avoir certaines lueurs sur la question.

Pratiquer, ce n'est pas non plus chercher à nager dans la béatitude, à voir des auras de toutes les couleurs un peu partout, même s'il est vraisemblable qu'on ait ce genre d'expérience de temps à autre si on pratique depuis longtemps.

Il ne s'agit pas non plus d'acquérir des pouvoirs extra-sensoriels, même si certains y parviennent à des degrés divers. A ce propos, quand j'étais au Centre Zen de Los Angeles, j'avais parfois la faculté de voir ce qu'on allait servir pour le déjeuner, dans la pièce d'à-côté, et c'était bien pratique, je pouvais me dispenser d'y aller si ça ne me disait rien ! Ce n'est qu'un détail anecdotique, évidemment, mais à travers lequel je voudrais souligner que de tels phénomènes ne relèvent pas d'une finalité de la pratique ; ils n'en sont que des retombées.

Pratiquer, ce n'est pas rechercher le *joriki**, l'énergie, la force intérieure qui se construit à force de faire zazen régulièrement, pendant des années. Le *joriki* est un dérivé naturel du zazen — il vous est donné par surcroît avec la pratique, mais il n'en est pas l'objectif.

Il ne s'agit pas non plus de vouloir à tout prix se sentir bien dans sa peau et heureux, de cultiver un état ou un sentiment particulier. La pratique ne veut pas dire être toujours bien calme, bien gentil et bien posé, même si on a effectivement tendance à évoluer naturellement dans ce sens, au bout d'un certain temps.

La pratique n'est pas une assurance tous risques qui vous garantisse de ne plus jamais être malade et qui vous mette à l'abri de toutes les douleurs. Il est vrai que le zazen a souvent des effets bénéfiques sur la santé de ses adeptes, mais il arrive aussi qu'on traverse des périodes de terribles difficultés physiques, lors de pratiques intensives. Disons que, dans l'ensemble, la pratique agira plutôt positivement sur la santé, quoique ce ne soit pas là l'objet de cette démarche.

Pratiquer, ce n'est pas rechercher l'omniscience, vouloir devenir quelqu'un qui fasse autorité en tout. Il se peut effectivement qu'on parvienne à une vision un peu plus claire des choses, mais n'oublions pas que même les gens intelligents sont susceptibles de dire et de faire des bêtises ! Quoi qu'il en soit, l'omniscience n'est pas non plus le but de la manœuvre.

Pratiquer, ce n'est pas s'efforcer de devenir *spirituel* — tout au moins au sens où on l'entend généralement. La pratique authentique n'a rien à voir avec le fait de *devenir* ceci ou cela ; en se voulant *spirituel*, on se laisse séduire par un cliché qui peut même devenir un sérieux obstacle.

La pratique ne consiste pas à collectionner tout ce qu'on trouve de *bon* en soi et à éliminer tout ce qui nous paraît *mauvais* — de toute façon, un être ne se définit jamais en termes aussi simplistes. S'escrimer à devenir *bon*, ce n'est pas pratiquer au sens où nous l'entendons ici ; c'est tout au plus une sorte de gymnastique éthique.

La liste pourrait s'allonger presque indéfiniment car il y a autant d'idées fausses sur la pratique que de pratiquants ! Personne n'y échappe, même avec les meilleures intentions du monde, car ce que nous voulons tous, c'est changer, arriver à quelque chose — et c'est là notre erreur fondamentale. Cela dit, si l'on veut bien prendre conscience de ce désir qui nous anime et le regarder en face, on en percevra le caractère illusoire et fallacieux ; on comprendra que c'est ce désir même, cette envie dévorante de s'améliorer, d'arriver et de réussir, qui est une illusion. Et une illusion qui fait très mal car elle est responsable d'une bonne part de nos souffrances, de par le sentiment de frustration permanente qu'elle entretient en nous.

Imaginons que notre barque chargée d'espoirs, d'illusions et d'ambitions (arriver à quelque chose, devenir *spirituel*, être parfait, trouver l'éveil) chavire, qu'est-ce donc que la petite coquille vide qui reste sur les flots ? Que sommes-nous ? Que pouvons-nous faire de nos vies ? Et qu'est-ce *pratiquer* veut vraiment dire ?

Ce qu'est la pratique

La pratique est une chose très simple — ce qui n'exclut pas qu'elle puisse transformer notre vie. Je voudrais décrire pas à pas comment on s'y prend pour faire zazen. Libre à vous ensuite de voir si cela vous concerne ou non.

Jour après jour, nous n'arrêtons pas de nous activer, de nous presser, de voir toutes sortes de gens, et de faire toutes sortes de choses. Tant et si bien qu'on finit par ne plus savoir qui on est.

> A force de toujours *faire* on n'a plus l'occasion d'*être* — tout simplement — et de sentir ce qu'on est. Faire zazen, c'est essentiellement *simplifier* les choses.

En faisant zazen, on se donne un moment pendant lequel on va s'abstraire de toutes ses occupations habituelles, de tout ce qui sollicite normalement notre attention — le téléphone, la télévision, la radio, la musique, les amis, le chien qu'il faut sortir —, et on s'offre ce rare cadeau qu'est l'occasion de se retrouver en tête à tête avec soi-même. L'important, c'est moins la méditation que celui qui la pratique. La méditation n'est pas un état ou une activité visant à accomplir quelque chose, c'est simplement le moyen de se mettre en face de soi-même. Sans cet espace qu'on se donne, sans cette simplification, il est fort probable qu'on n'aura jamais l'occasion de se voir en face, dans la mesure où nous sommes bien trop habitués à regarder partout ailleurs qu'en nous-mêmes.

> Quand quelque chose va mal vers où notre regard se dirige-t-il ? Généralement vers ceux qu'on tient pour responsables de nos ennuis : les autres. Nous avons toujours les yeux tournés vers *l'extérieur*, et jamais vers l'*intérieur*.

L'important, c'est moins la méditation que celui qui la fait, quoique cela n'ait rien à voir avec de l'introspection. Alors de quoi s'agit-il ? D'abord, on s'assied, en adoptant une posture correcte*, aussi équilibrée et détendue que possible. Et on reste assis là, tout simplement. Mais que signifie « rester assis, tout simplement », me direz-vous ? Eh bien, c'est sans doute ce qu'il y a de plus difficile à faire, malgré les apparences. Normalement, il est préférable de garder les yeux ouverts pour méditer, mais pour l'instant, je vous suggère de les fermer et de *rester assis*, un petit moment. Que se passe-t-il ? Une foule de choses : comme par exemple un petit tressautement involontaire de votre épaule gauche, une douleur dans la jambe droite, une sensation de tiraillement dans le dos... A présent, prenez conscience de votre visage et explorez-en les sensations. Percevez-vous des tensions quelque part, autour de la bouche ou vers le front ? Déplacez ensuite votre attention vers le bas, sentez votre cou, puis voyagez à travers les épaules, le dos, la poitrine, le ventre, les bras et les jambes. Expérimentez chacune de vos sensations. Surtout, soyez conscient du va-et-vient régulier de votre respiration ;

sentez l'inspiration, puis l'expiration. Sentez bien ces mouvements de votre souffle, mais sans essayer de les contrôler, quoique vous soyez instinctivement tentés de le faire. La respiration peut varier considérablement d'un individu à l'autre ; les mouvements respiratoires peuvent venir principalement du haut de la poitrine, du milieu ou du bas, et ils peuvent être courts ou amples ; contentez-vous de le remarquer, mais surtout ne changez rien à votre façon de respirer. Faites simplement comme d'habitude et expérimentez toutes vos sensations, toutes vos perceptions, qu'elles proviennent de vous ou de votre environnement. Un bruit d'avion ou de voiture qui passent, le moteur d'un réfrigérateur qui se met en marche ou qui s'arrête, les bruits et les sensations du corps — remarquez tout, sans analyser ni commenter. Soyez chacune de ces sensations, tour à tour, à mesure qu'elles surviennent. C'est tout ce que vous avez à faire : expérimenter tout ce qui sollicite votre attention, être conscient de chaque sensation qui surgit. Voilà ; maintenant, vous pouvez rouvrir les yeux.

Si vous êtes capables de faire cela pendant trois minutes, c'est fantastique ! Normalement, on craque en moins d'une minute : on se remet à penser au lieu de sentir. En effet, nous ne sommes guère motivés pour vivre la réalité des choses en direct — ce qui était le but de la manœuvre à laquelle nous venons de nous livrer. « Mais alors, me direz-vous, ce n'est que ça, votre zazen ? Cela n'a rien d'extraordinaire, après tout ! Nous, ce qu'on aimerait, c'est trouver l'éveil, nous réaliser à travers la spiritualité. Vos histoires de voir la réalité en face, ça ne nous intéresse pas. » Il est vrai que nous ne sommes guère motivés par le réel car nous avons pris l'habitude de le stériliser au préalable, par la pensée. On préfère remuer toutes sortes d'idées et de préoccupations dans sa tête dans l'espoir — fallacieux — de trouver « LA » solution, de comprendre la vie. Et pendant qu'on s'emploie à essayer de tout bien combiner, le temps s'enfuit et on reste là à se demander ce qu'il faudrait en faire pour être heureux. Voilà pourquoi, quand on essaie de se mettre en face de l'instant, on a vite fait de l'oublier et de filer sur les vieux chemins de traverse : on pense à son copain ou à sa petite amie, à son gamin, à son boulot, à son patron, à ses soucis du moment — et le manège est reparti pour un tour! Non que ce soit un mal en soi de rêvasser, évidemment, mais pendant qu'on est perdu dans ses pensées, il y a autre chose qui se perd : la réalité. La vraie vie file pendant qu'on est occupé à la rêver.

Voilà comment nous laissons nos vies nous couler entre les doigts. Qui plus est, ce n'est pas un comportement rare chez l'être humain : c'est ce que nous faisons pratiquement tout le temps. Et pourquoi? Vous connaissez déjà la réponse : on cherche à se protéger, à faire un écran de pensées entre soi et la réalité quand celle-ci paraît difficile à vivre. Ce qui est grave, ce n'est pas tant de ressasser les pensées discursives que crée l'ego que de s'identifier à elles, car, ce faisant, on se coupe du flot naturel de la réalité. On cesse de voir le réel, occulté par la version revue et corrigée qu'on en fabrique dans sa tête. C'est pourquoi la première chose à faire, c'est d'apprendre à observer ses pensées pour les identifier et les répertorier. Ne vous contentez pas de les classer sous une rubrique fourre-tout intitulée *pensées* ou *soucis*. Donnez-leur une étiquette bien *définie*, classifiez-les de manière aussi précise que possible, comme par exemple : « Je viens de me dire que c'était une enquiquineuse; là, j'ai pensé qu'il n'était pas très sympa avec moi; je suis en train de constater que je rate toujours tout ce que je fais », et ainsi de suite. Il est très important d'identifier vos pensées avec un maximum de précision. S'il arrive cependant que tout se bouscule beaucoup trop vite dans votre tête pour que vous soyez capables d'isoler et de reconnaître quoi que ce soit, et que tout ait l'air d'un magma confus, classez simplement le tout à la rubrique « confusion ». Mais si vous continuez à scruter attentivement cette masse informe, vous ne tarderez pas à y repérer de nouveau des pensées identifiables.

Ce genre de pratique nous apprend à nous connaître, à voir comment nos vies fonctionnent et ce que nous en faisons. Si on s'aperçoit que tel ou tel type de pensée a tendance à revenir de manière récurrente, des centaines et des centaines de fois, on aura acquis une information neuve sur soi-même. Le contenu varie selon les individus : on peut avoir tendance à se remémorer le passé, à se projeter dans l'avenir, à songer à des événements ou à des personnes données. On peut être plus porté à faire de soi son principal objet de réflexion ou, au contraire, à formuler surtout des jugements critiques sur les autres. En tout cas, tant qu'on n'aura pas passé quatre ou cinq ans à identifier ses pensées, on ne saura pas vraiment qui on est ou ce qui se passe réellement en soi.

Mais qu'arrive-t-il, une fois qu'on a bien appris à reconnaître ses pensées et à les répertorier? Eh bien, elles se calment d'elles-mêmes, sans qu'on ait besoin de faire quoi que ce soit pour s'en débarrasser. Et on profite de cette accalmie pour ramener son attention encore et toujours sur son corps et sur sa respiration qu'on expérimente directement, sans passer par le filtre déformant des pensées. Je ne saurais trop insister sur le fait qu'il faut sans cesse recommencer, toujours ramener son attention sur le corps et sur le souffle, sans se lasser ni se décourager — pas trois fois, ni dix, ni cent, ni même mille fois, mais des milliers et des milliers de fois. C'est ainsi que vous ferez évoluer votre vie. Voilà pour ce qui est de la description de la partie théorique, ou technique, du zazen, qui est très simple, comme vous le voyez.

Maintenant, passons à l'application pratique de la théorie en l'illustrant par un cas concret. Supposons que vous travailliez dans une usine d'aéronautique. Un beau jour, vous apprenez que les contrats passés par le gouvernement vont arriver à expiration et qu'il y a de fortes chances pour qu'ils ne soient pas reconduits. Réaction : « Ah, ça y est ! Je vais perdre mon boulot et je n'aurai plus de quoi faire vivre ma famille ! Quelle tuile ! », vous dites-vous. Et puis vous n'arrêtez pas de ressasser cette idée-là et de retourner le problème dans tous les sens : « Que va-t-il m'arriver ? Qu'est-ce que je vais devenir ? » Et plus vous y pensez, et plus vous sentez l'angoisse monter en vous.

Comprenez-moi bien : je ne dis pas qu'il ne faut pas s'organiser et faire des projets — on est bien obligé d'en faire. Ce que je veux vous faire remarquer, c'est que l'angoisse n'arrange rien, au contraire. Quand on ne sait pas gérer ses pensées et qu'on les retourne dans tous les sens, elles finissent par produire des émotions qui nous déstabilisent encore un peu plus. En effet, on se sent mal quand on a l'esprit agité parce que le tourbillon des pensées engendre toutes sortes d'émotions contradictoires. Si cet état de déstabilisation émotionnelle se prolonge, on finit par tomber malade ou sombrer dans la dépression, faute de savoir assumer ce qui nous travaille, mentalement. Autrement dit, quand le mental ne sait pas regarder les choses en face, c'est le corps qui s'en charge et on attrape une bonne grippe ou des boutons partout, on fait une allergie carabinée ou un ulcère — à chacun son style. En tout cas, le corps fait office de soupape de sécurité en tombant malade quand le mental n'est pas conscient de ce qui le préoccupe. Certaines maladies peuvent donc être le signe d'un esprit qui n'est pas conscient de ce qui l'habite. Ne voyez pas là un jugement de valeur ou une critique, mais la constatation d'un état de choses auquel je ne fais d'ailleurs pas exception. Plus on se complaît dans ses préoccupations, et plus on se crée d'ennuis. A l'inverse, à force de pratiquer zazen, on a moins tendance à se créer des nœuds dans la tête.

Dites-vous bien une chose : il faudra bien que tout ce qui est en vous finisse par ressortir un jour, d'une manière ou d'une autre, même si vous avez temporairement occulté le problème.

La pratique de zazen prend en compte l'ensemble de nos difficultés, qu'elles soient extérieures à nous ou qu'elles nous touchent directement dans notre chair, comme la maladie. La technique est la même dans tous les cas : identifier les pensées que suscitent en nous ces problèmes et les expérimenter telles qu'elles nous affectent concrètement, physiquement, dans la posture du zazen.

Evidemment, c'est plus facile à dire qu'à faire ! Je ne connais personne qui soit capable d'entretenir une telle lucidité en permanence ; en revanche, il y a pas mal de gens qui y arrivent pendant une bonne partie du temps. La vie se transforme pour qui sait reconnaître tout ce qui survient à chaque instant, toutes les réactions que suscitent les sensations, venues de l'intérieur ou de l'extérieur de soi. On y gagne une grande force et une clarté de vision qui parfois confine à une expérience de l'état d'éveil, mais qui est simplement la marque d'un vécu immédiat, d'une expérience directe de la vie. Il n'y a pas de grand mystère là-dedans !

Sachez que pour un néophyte, le simple fait de rester tranquillement assis un quart d'heure sur son coussin à observer ce qui se passe en soi est déjà une réussite considérable. Tout effort doit se mesurer en fonction de notre niveau de départ. Prenons un exemple concret : imaginez que vous ayez peur de l'eau. Ce serait déjà une grande victoire sur vous-même que de vous mettre dedans. Plus tard, peut-être arriverez-vous même à vous mouiller le visage. Cependant, si vous êtes bon nageur, votre défi sera d'une autre nature : par exemple tenter d'améliorer votre style de crawl en recherchant l'angle exact que doit faire votre main avec l'eau pour la pénétrer le plus efficacement possible. Il ne s'agit pas de comparer ces deux sortes d'efforts ; l'important est que chacun fasse de son mieux, en fonction de son propre niveau. Dans l'esprit de la démarche zen, la pratique ne se mesure pas en termes de réussite ou d'échec. Il ne s'agit pas de devenir meilleur ou pire, mais d'*assumer pleinement* ce que l'on est à tel ou tel moment. Parfois, certains sortent de mes conférences en disant qu'ils n'y ont rien compris, et il n'y a aucun mal à cela : si nous nous contentons d'être entièrement ce que nous sommes, à tout moment, notre compréhension des choses s'approfondira d'elle-même, au fil des années.

Petit à petit, nous apprendrons qu'on ne peut se reposer sur rien dans la vie — à part une chose, et une seule. L'homme ou la femme de ma vie, serez-vous peut-être tenté de répondre. Mais, quel que soit l'amour que nous leur portons, nous ne pouvons pas nous en remettre complètement à eux dans la mesure où ils ne sont que des êtres humains, eux aussi, tout aussi faillibles et fragiles que nous-même. Ce qui ne veut pas dire qu'on ne puisse pas les aimer ni apprécier leur compagnie. Néanmoins, sachons qu'il n'existe personne au monde qui soit d'une fiabilité absolue. Alors, à qui ou à quoi peut-on se fier? A soi-même, dites-vous? C'est évidemment utile, mais même là, on ne peut pas être assuré d'une fiabilité absolue.

Il n'y a qu'une chose dont on puisse être sûr en toutes circonstances : la vie est toujours ce qu'elle est, et rien d'autre. Je m'explique : nous avons tous nos espérances, des projets qui nous tiennent à cœur, des envies que nous réalisons — vivre avec Untel ou Unetelle, décrocher un diplôme, avoir des enfants heureux et en bonne santé. Or, il est rare que notre vision idéalisée de la vie se réalise complètement, car on ne peut compter sur rien : il n'est pas du tout certain qu'on se marie avec l'être qui peuplait nos rêves, et en admettant même qu'on le fasse, il peut mourir demain et nous aussi. Même constatation pour le diplôme convoité ou les espoirs fondés sur nos enfants. Rien n'est jamais absolument sûr ni garanti — rien, sauf le fait que la réalité n'est jamais autre que ce qu'elle est, au-delà de tout ce qu'on peut vouloir y ajouter ou en retrancher. C'est la seule vérité indéniable, la seule donnée fiable de la vie, mais la seule que nous soyions incapable d'admettre. Pourquoi avons-nous tant de mal à accepter que les choses ne soient que ce qu'elles sont ? Etes-vous capable d'assumer la réalité de la vie telle qu'elle est ? Sauriez-vous l'accepter telle qu'elle se présenterait à vous si votre maison venait d'être démolie par un tremblement de terre, que vous ayez perdu toutes vos économies et que vous soyez sur le point de vous faire amputer d'un bras ?

Assumer le réel tel qu'il est, voilà le secret de la vie. Mais qui aime s'entendre dire cela ! Et pourtant, c'est à peu près la seule certitude que l'on puisse avoir : on peut se fier au réel parce qu'il est là — tangible, vécu. Si demain j'ai une crise cardiaque, ce sera un fait patent, une réalité indéniable, parce que vécue. La seule donnée fiable dans la vie, c'est le réel du vécu.

Si, au lieu d'expérimenter directement le réel, on s'investit dans ses pensées — en s'identifiant à elles —, on crée un *je* (comme disait Krishnamurti*) et c'est là que les ennuis commencent. Voilà pourquoi on apprend à reconnaître et à identifier ses pensées, afin de prendre ses distances par rapport à elles, de se désinvestir. En faisant zazen, on apprend à démonter le mécanisme d'élaboration et de solidification des pensées : nous percevons le monde extérieur sous la forme de simples données sensorielles que nous solidifions en nous identifiant à elles, leur conférant ainsi une réalité qu'elles n'ont pas. Et c'est de là que naît la notion d'ego et les émotions qu'il inspire. Désormais, l'ego et les émotions vont agir comme un filtre déformant sur toutes nos perceptions ; on n'est plus capable de voir la vie et les gens tels qu'ils sont. On est coupé du réel par un écran de pensées — alors qu'elles ne sont en vérité que de simples données sensorielles, des fragments d'énergie. Mais on a peur de les voir telles qu'elles sont.

Reconnaître une pensée et lui donner une étiquette, c'est prendre du recul par rapport à elle, donc ne plus s'identifier automatiquement à elle. En effet, ce n'est pas du tout la même chose de se dire : « Elle est vraiment impossible », et « Je suis en train de penser qu'elle est impossible. » Nous avons pour la plupart l'habitude de prendre nos pensées pour des réalités sur lesquelles nous basons des réactions impulsives, avec pour résultat une vie chaotique. En revanche, si on s'efforce de répertorier systématiquement toutes ses pensées, elles finissent par perdre leur charge émotionnelle ; il ne reste plus qu'un élément impersonnel, un fragment d'énergie auquel on n'a aucune raison de s'attacher. Voilà ce que le zazen vise à nous faire comprendre — pas seulement dans la tête, comme une théorie, mais dans notre être entier, dans nos tripes et dans nos cœurs. C'est bien joli, me direz-vous, mais comment vivre sans penser ? Rassurez-vous, il ne s'agit pas de supprimer la pensée qui est un élément indispensable au bon déroulement de la vie : nous avons besoin, tous besoin de ces pensées *utilitaires* grâce auxquelles on peut réaliser une recette de cuisine, construire une maison ou organiser ses vacances. En revanche, ce dont nous ferions mieux de nous dispenser, c'est de cette activité stérile et nocive que nous appelons *pensée* et qui n'est en réalité que le bouillon de culture des ratiocinations de l'ego. Il s'agit d'un simulacre de pensée, d'un parasite de la pensée, laquelle fonctionnerait beaucoup mieux sans ce brouillard de spéculations et d'émotions contradictoires.

> Pratiquer le zen ne veut pas dire rester passivement dans son coin à se contempler le nombril, au contraire.

En effet, une fois qu'on sait comment fonctionne son esprit et qu'on reconnaît les états émotionnels que déclenchent en nous les pensées, on est mieux à même d'interpréter ce qui nous arrive, et donc d'agir de manière appropriée — c'est-à-dire, le plus souvent, s'occuper de ce qui se trouve sous notre nez à ce moment-là. En nous rendant capables de plus de lucidité dans nos actes, le zen nous permet de vivre plus pleinement, de goûter la substantifique moëlle de la vie. Le zen va de pair avec l'action, pour autant qu'il s'agisse d'actes fondés sur la réalité et non sur les chimères d'une pensée qui n'est autre que l'expression de notre conditionnement. Une fois libéré de l'emprise de la pensée spéculative et des complications qu'elle secrète, on perçoit beaucoup plus clairement ce qu'il faut faire.

> Faire zazen, ce n'est pas troquer une forme de conditionnement pour une autre, comme s'il s'agissait de modifier le comportement d'un robot en le reprogrammant.

Le zazen vise au contraire à nous libérer de *toutes les formes* de conditionnement car celles-ci ne tiennent pas la route devant la réalité.

On ne cherche pas à se débarrasser d'une *mauvaise* programmation pour la remplacer par une *bonne*.

Les comportements préprogrammés ne résistent pas aux contraintes de la vie parce qu'ils reposent eux-mêmes sur une base très fragile — le *moi*. Le moi est une construction mentale, une entité imaginaire qui ne sait d'ailleurs pas très bien où elle en est. Le zen permet de se rendre compte du caractère illusoire du moi. La coquille peut faire illusion en donnant des apparences de réalité — elle a une existence relative en tant que création mentale — mais elle n'en est pas moins vide, c'est-à-dire dépourvue de toute réalité ontologique.

Il est toujours plus facile de parler du zen que de le pratiquer, même quand on en a déjà une certaine expérience! Et pourtant, si l'on fait zazen comme il faut, tout le reste vous sera donné par surcroît. Une bonne raison pour le pratiquer très consciencieusement, qu'on ait cinq mois, cinq ans ou vingt ans d'expérience derrière soi...

Le feu de l'attention

Dans les années 20, je devais avoir huit ou dix ans et nous habitions le New Jersey, où les hivers sont très froids. Nous avions une chaudière à charbon dans notre maison et je me rappelle que c'était un événement dans le voisinage quand on recevait une livraison et qu'un gros camion venait déverser bruyamment le charbon dans la réserve du sous-sol. Mon père m'avait expliqué qu'il y avait deux sortes de charbon : l'anthracite qui est dur et qui brûle très bien, en produisant très peu de déchets, et la lignite, une houille grasse qui fait beaucoup de saleté. Quand on brûlait de la lignite, la cave était toute couverte de suie et on en retrouvait même à l'étage, dans la salle de séjour — ce qui n'était pas fait pour enchanter ma mère, je m'en souviens! Le soir, avant de se coucher, mon père allait *couvrir* le feu pour la nuit (il m'avait aussi appris à le faire) : c'est-à-dire qu'il le recouvrait d'une mince couche de charbon et qu'il fermait presque l'entrée d'air de la chaudière pour réduire l'arrivée d'oxygène afin d'entretenir une combustion lente. Quand on se réveillait le matin, la maison s'était refroidie et il fallait ouvrir grand la trappe de ventilation pour faire entrer un maximum d'oxygène et que le feu reparte.

Mais quel rapport y a-t-il entre cette histoire et la pratique du zen, me direz-vous? J'y viens. Le zazen a pour but de mettre fin à cette obsession de soi qui nous tient lieu d'identité, au moyen de ce qu'on appelle parfois *la purification de l'esprit*. Purifier l'esprit ne veut pas dire se forcer à devenir un saint ou autre chose que ce que l'on est. Il s'agit tout simplement de se débarrasser des scories qui nous empêchent de bien fonctionner, et voilà où intervient notre métaphore du chauffage. Une chaudière chauffe mieux quand elle brûle de l'anthracite que de la houille grasse qui l'engorge de suie. De même avons-nous besoin du feu clair de l'attention pour ne pas nous laisser engorger par la houille grasse des pensées. On retrouve cette analogie du feu purificateur dans la plupart des religions ; ainsi la Bible compare-t-elle le Christ au feu qui raffine le minerai brut pour en extraire du métal pur. Quand on pratique le zazen en sesshin, c'est un peu comme si on s'asseyait au beau milieu d'un creuset. Comme le faisait un jour remarquer Eido Roshi : « Ce zendo n'est pas un havre de paix, c'est le haut-fourneau dans lequel se consument les fallacieuses constructions de l'ego. » Il est clair qu'un zendo n'est pas une cour de récréation ou un night-club ; c'est le lieu où l'on apprend à brûler les scories qui nous engorgent l'esprit, à les consumer dans le feu de *l'attention* — cet outil si simple que nous possédons tous et dont nous nous servons si peu.

L'attention est une flamme vive, un sabre acéré. C'est un formidable outil dont le zen nous apprend à mobiliser toute la puissance, pas seulement quand on s'assied pour faire zazen, mais à chaque instant de notre vie. Nous n'utilisons guère notre attention et c'est bien dommage car il suffit de brandir ce sabre enflammé — ne serait-ce que pendant quelques instants — pour élaguer beaucoup de branches mortes et consumer bon nombre de scories. Alors le paysage s'éclaircit : en faisant zazen on perçoit le monde de fantasmes dans lequel nous enferme le va-et-vient incessant de nos pensées. Et plus on en prend clairement conscience, et plus on devient capable d'être attentif à la réalité. C'est logique : plus l'esprit se dégage de ses projections et plus il est disponible à la perception du réel. Comme le disait Huang Po, un des grands maîtres du bouddhisme chinois : « La pratique n'a qu'un but : nous libérer de l'emprise de la pensée spéculative. Si vous, disciples de la Voie, vous n'êtes pas capables d'échapper à cette mainmise, ne serait-ce qu'un instant, vous n'arriverez jamais à rien, même si vous pratiquez pendant des siècles et des siècles. » Or, on se « libère de l'emprise de la pensée spéculative » quand, à force d'observation attentive, on se rend compte que ses pensées n'ont pas de réalité intrinsèque. Une fois qu'on reconnaît cette irréalité foncière de nos pensées, elles perdent de leur ascendant sur nous : on les voit, mais elles ne nous affectent plus ; on est capable de rester calme et de ne plus se laisser influencer par elles. On n'en devient pas quelqu'un de froid ou d'indifférent pour autant ; simplement, on cesse d'être le jouet de ses pensées et de ses émotions, et donc des circonstances.

Malheureusement, nous n'en sommes pas là, pour la plupart d'entre nous. Nous n'avons aucun recul par rapport à ce qui se passe en nous, et nous réagissons impulsivement aux pensées et aux émotions qui nous agitent à notre insu. C'est pourquoi il est important de se rappeler que les sesshin servent précisément à aviver le feu de l'attention afin qu'il puisse consumer les scories qui déforment notre perception de la réalité — les pensées —, pour que nous cessions d'être le jouet des circonstances. Tant que nous n'aurons pas conquis cet espace de liberté intérieure, nous aurons besoin de continuer à pratiquer zazen tous les jours, régulièrement, pour faire le ménage dans nos corps et dans nos têtes. Sinon nous ne pourrons pas comprendre comment chaque moment de notre vie s'intègre à notre pratique du zen — qu'on soit en train de laver sa voiture ou de discuter avec son chef de service.

C'est à ce propos que Maître Rinzaï disait : « Il est impossible de liquider son karma* antérieur autrement qu'en expérimentant chacune des circonstances de sa·

vie. Habillez-vous quand c'est l'heure de se vêtir, marchez quand c'est le moment de se promener. Mais n'entretenez jamais le moindre espoir de "trouver l'éveil". » Quand quelqu'un m'a demandé un jour si je pensais que j'arriverais à trouver le parfait éveil, je lui ai répondu que j'espérais bien qu'une telle pensée ne m'effleure jamais. Il n'y a pas de moment ou de lieu « spécial », particulièrement propice à l'éveil. Pour reprendre les propos de Huang Po : « Surtout gardez-vous bien de faire la moindre différence entre l'absolu et le monde phénoménal. » L'éveil n'est pas un ailleurs ; il est là à tout moment, que vous gariez votre voiture, que vous soyez en train de vous habiller ou de vous promener. L'ennui, c'est que si l'on carbure à la houille grasse des pensées, on ne s'en rend même pas compte. La chaudière de l'esprit est tellement engorgée de scories qu'elle est incapable de brûler ce que la vie lui apporte et de nourrir notre être de ce feu. Cet engorgement est dû à une accumulation excessive de pensées et d'émotions qui se solidifient lorsque l'attention ne vient pas les dissoudre, et qui donnent une coloration émotionnelle à tout ce qui nous arrive. Imaginez-vous dans des situations difficiles ou délicates : votre patron manifeste des exigences déraisonnables à votre égard, vous cherchez du travail mais les seuls emplois disponibles vous déplaisent, votre enfant a des difficultés scolaires... Comment allez-vous faire face à la situation : donnerez-vous dans le style *houille grasse* en vous laissant engorger par la suie des pensées, au point que vous n'y verrez plus clair du tout et que vous finirez par agir n'importe comment ? Ou bien essayerez-vous d'émuler le mode de combustion « propre » de l'anthracite en vous servant du feu de l'attention pour trouver une réponse lucide à la situation ? Si vous ne voyez pas de différence entre ces deux types de comportement, c'est que vous avez perdu votre temps et le mien — celui que vous et moi avons passé en sesshin. Si l'on se laisse obséder par son désir d'atteindre l'état de Bouddha — l'éveil de l'esprit —, on risque de perdre de vue l'essentiel : à savoir que l'éveil *est* déjà là. Ce puissant trésor de lucidité et d'intelligence est constamment présent en nous et peut être mobilisé à tout moment pour inspirer notre conduite, comme par exemple les rapports qu'on peut avoir avec son patron, avec ses enfants, ses amis, l'homme ou la femme de sa vie, avec n'importe qui. L'important, c'est de comprendre qu'il est inutile de chercher la vérité ou l'absolu ailleurs ou dans autre chose que dans notre vie. Avec notre mauvaise habitude de carburer au passé ou à l'avenir, on passe à côté de la seule réalité vivante : le présent, porteur d'éveil. La bouddhéité ne se trouve nulle part ailleurs que dans l'instant présent.

Quand on veut faire repartir la chaudière à plein régime, après avoir *couvert* le feu pour la nuit, on ouvre en grand l'arrivée d'air. Eh bien, nous fonctionnons aussi un peu comme cela : quand l'esprit se calme, on respire plus profondément et il y a davantage d'oxygène qui vient irriguer notre organisme. La flamme de l'attention s'avive et sa clarté permet de passer tout naturellement à l'action — des actes éclairés par ce surcroît de lucidité. Plutôt que de se torturer les méninges à essayer de décider de ce que l'on doit faire, mieux vaut laisser décanter toutes ses pensées ; l'esprit désencombré recouvre sa lucidité intrinsèque dans l'espace retrouvé. On saura alors tout naturellement comment agir. Récapitulons : on observe ses pensées au lieu de se laisser emporter par elles, l'esprit se calme, la respiration s'approfondit et l'attention brûle d'une flamme plus vive, capable de tout consumer sans laisser de scories. Le feu s'intensifie au point que même l'idée du moi part en flammes, et avec elle la barrière qui sépare le soi de l'autre.

Tant qu'on utilise mal son esprit, on carbure à la houille grasse des pensées et on a la tête encombrée d'idées, de fantasmes, d'opinions, d'espoirs ou de craintes, de jugements, d'analyses et autres vaines spéculations. Comment espérer s'y retrouver dans un tel embrouillamini et dégager une ligne de conduite cohérente? Et pourtant, c'est toujours le réflexe qui nous vient quand les choses vont mal : on s'assied et on se met à ruminer ses pensées et à cogiter tous azimuts, jusqu'à ce que la tête vous tourne et qu'on se sente encore plus perdu qu'au départ! Visiblement, ce n'est pas la bonne solution. Ce qu'il faut, c'est observer les *pensées,* ces porteuses de charges émotives explosives qui sont en fait une aberration de la pensée. Les observer et les reconnaître pour s'en distancier, faire de l'espace. Quand le corps et l'esprit se calment, le feu de l'attention brûle plus fort, et c'est alors que peut jaillir la pensée vraiment digne de ce nom : une pensée lucide, capable de prendre des décisions adéquates. Une pensée créatrice, aussi : l'art naît de ce même feu.

Au lieu de cela, nous passons tout notre temps à cogiter. En fait, nous adorons spéculer et imaginer toutes sortes de choses ; nous voulons tout savoir, tout comprendre, percer les grands secrets de l'univers. Et pendant qu'on est si occupé à faire et à refaire le monde sans arrêt, le feu se meurt, faute d'oxygène. Après, on se demande pourquoi on est malade, physiquement ou mentalement! A force de surcharger le feu avec de mauvais combustibles, plus rien ne brûle et nous étouffons sous un amoncellement de scories qui polluent tout : en nous et autour de nous. C'est précisément pour cela qu'il est important de faire zazen tous les jours, car seule une pratique quotidienne permet d'entretenir le feu. Ne serait-ce même que dix minutes ; c'est mieux que rien. Cependant, si le zazen quotidien suffit à préserver un feu modeste, seule la pratique des sesshin est capable d'allumer en nous les grands brasiers qui consument tout. D'où son importance capitale pour ceux qui sont vraiment motivés.

Je vous invite donc à continuer cette sesshin et sachez qu'avant la fin, vous aurez l'occasion de faire face à toute la gamme de vos émotions, des plus viles aux plus sublimes : vous verrez défiler la colère, la jalousie, l'ennui, la béatitude, et bien d'autres encore. Profitez-en pour bien observer vos réactions : prenez-vous en flagrant délit d'autocommisération, voyez comment vous vous accrochez à ce que vous dites détester — vos problèmes, vos soi-disant drames insolubles. La vérité, c'est que nous sommes tous très attachés à nos chers problèmes et que nous nous y complaisons à l'infini. D'un côté, on déclare qu'on aimerait tant pouvoir s'affranchir de ses problèmes — c'est ce que me disent beaucoup de gens qui viennent me voir —, et de l'autre on préfère rester à mariner dans son petit jus, car là, au moins, on peut continuer à se prendre pour le nombril du monde. Moi et mes problèmes ! Nous adorons nous plaindre et nous vautrer dans le tragique, en prenant l'univers à témoin de notre malheur et de notre solitude : « Personne ne m'aime », gémit-on. Et pendant que nous brûlons ainsi allègrement de la bonne houille bien grasse à longueur de temps, nous nous engorgeons de plus en plus, sans même voir que nous nous empoisonnons progressivement. Pour éviter cela, redoublez donc d'ardeur dans votre pratique !

Ce n'est pas en brûlant les étapes qu'on trouve l'éveil

Un de mes passages préférés du *Shoyo Roku* dit ceci : « Sur l'arbre desséché, une fleur s'épanouit. » De même la sagesse* et la compassion* fleurissent-elles chez celui qui a su laisser mourir en lui l'insatiable faim du désir. C'est cela, l'état de bouddha. Il me semble que rares sont ceux qui, tout au long de l'histoire de l'humanité, ont pu y parvenir complètement. Or, nous avons souvent tendance à mettre dans le même sac ceux qui possèdent certaines qualités telles qu'une perception affinée et une grande énergie créatrice, dues à un éveil relatif, partiel, et contingent (puisque découlant d'expériences ponctuelles), et l'état de bouddha qui correspond, lui, à un éveil total, absolu, à une réalité irréversible. C'est pourquoi j'aimerais examiner avec vous l'itinéraire qui mène à l'état de bouddha, en le parcourant à l'envers.

Partons de l'hypothèse que, pour un être totalement éveillé (si tant est que cela soit possible), il n'existe plus de limites. Il n'y aurait plus rien dans l'univers avec lequel un tel être ne puisse s'identifier complètement et déclarer : *Nama Dai Bosa*, « Unis dans le grand éveil. » Nous n'en sommes pas encore là, évidemment, mais nous pouvons nous efforcer de travailler dans ce sens. En revanche, chez un bouddha de telles paroles expriment une réalité puisque un être totalement éveillé ne fait réellement plus qu'un avec tout ce qui peuple l'univers, sans aucune limite ni exclusive.

Avant de parvenir à l'éveil total, il faut d'abord être passé par une phase d'intégration personnelle. Une intégration qui reste cependant partielle, puisqu'il subsiste encore des blocages et des limitations, à ce stade-là. Néanmoins, on a déjà réalisé une bonne intégration du physique et du mental — chose aussi rare que merveilleuse. Pour la plupart, nous en sommes à l'un des stades qui précèdent cette intégration ; ce qui veut dire que nous n'avons pas encore la pleine jouissance de notre corps, nous ne sommes pas libres d'en disposer à notre guise, tant qu'il y subsiste des tensions. Ainsi ne dit-on pas que l'on *est* son corps mais que l'on *en a* un. Ce niveau est lui-même précédé d'un stade dans lequel on se dissocie totalement de son corps en s'imaginant que l'on ne serait que son mental. Avant cela, au premier stade, on n'est même pas capable d'assumer l'intégralité de son mental dont on oblitère certains aspects.

Ce premier niveau correspond à un tel rétrécissement de la réalité que quelqu'un qui se trouve dans cet état-là est incapable d'assumer la nouveauté, ne serait-ce que la plus minime : tout ce qui est nouveau lui fait peur. Or, n'oublions pas que notre aptitude à voir et à comprendre les choses dépend de notre degré d'ouverture, et ce serait courir à la catastrophe que de vouloir assimiler des réalités auxquelles nous ne sommes pas préparés. C'est d'ailleurs l'un des risques éventuels de la pratique. Tant que l'on reste prisonnier de sa réalité rétrécie, la lumière nous parvient sous la forme d'une toute petite tache de lumière filtrée par des œillères. Qu'on les arrache soudain, temporairement, et l'éclat du soleil vous explose en pleine figure comme une grande boule de feu : le choc est tel qu'on risque d'y perdre la raison — ce qui, malheureusement, arrive parfois.

J'ai eu l'occasion de voir des sesshin dans lesquelles on n'arrêtait pas de pousser les gens, à grand renfort de cris et de hurlements : « Allez-y donc ! Vous devez *y* arriver, il faut *mourir* à soi-même ! » Généralement, les participants pleurent toute la nuit — ce qui ne pose pas de problèmes pour les rares individus qui sont prêts pour ce genre d'expérience et capables d'assumer un tel degré de pression. L'ennui, c'est que la plupart des gens ne sont pas du tout prêts pour cela mais, comme ils sont pleins de bonne volonté, ils se donnent un mal de chien pour se concentrer et essayer de brûler des étapes pour arriver à avoir une « expérience. » Pendant un fugitif instant, ils goûteront à la réalité des choses et de soi. Eh bien, c'est formidable me direz-vous. Justement non, pas forcément : autant une telle expérience est ce qu'il y a de plus beau au monde pour ceux qui y sont prêts — car ils la pressentaient déjà de tout leur être et ils y étaient préparés —, autant elle peut être dangereuse et nocive pour ceux qui ne sont pas mûrs. Non seulement ça ne leur fera pas de bien, mais peut-être même du mal.

Un maître peut décider, en connaissance de cause, de donner à un de ses disciples un exercice qui l'oblige à se concentrer intensément, en restreignant délibérément le champ d'action de son attention, par exemple en lui donnant un koan comme *Mu*[1]. En revanche, si quelqu'un n'a pas la maturité émotionnelle requise pour se lancer dans une telle entreprise, mieux vaut adopter une autre technique de pratique pour ne pas prendre de risques inconsidérés. Il faut savoir y aller doucement, délicatement, car ce n'est pas nécessairement une bonne chose que de goûter trop tôt à l'éveil. En effet, une telle expérience consiste à prendre conscience du fait que l'on n'est rien (non-soi)* et que l'univers n'est que changement. Cette prise de conscience nous met tout à coup en face de cette énorme énergie pure qu'est l'être. Si une telle rencontre engendre un formidable sentiment de libération chez celui ou celle qui y était prêt, elle peut totalement déstabiliser quelqu'un qui ne l'était pas. Cette expérience vous propulse si loin d'un seul coup

1. *Mu* est un koan qui est souvent donné aux néophytes pour les aider à développer une meilleure concentration. Littéralement, *Mu* signifie *non* ou *rien*, mais cette traduction n'est qu'un très pâle reflet de la signification que revêt ce terme dans la pratique du zen.

qu'il faut ensuite des années de pratique, même à ceux qui étaient mûrs pour ça, pour assimiler et intégrer ce qu'ils n'ont fait qu'entrevoir en un instant fulgurant. On ne peut pas sauter les différentes étapes de maturation qui sont indispensables pour asseoir une réalisation stable : l'expérience n'est qu'un « flash » dont la pratique doit faire petit à petit un vécu permanent.

Il faut reconnaître que, parmi les gens qui enseignent la méditation, il y en a certains qui sont très forts pour tout ce qui touche aux expériences relatives à un stade de pratique avancée, mais qui n'ont guère acquis la base solide qu'on se forge normalement au cours des étapes antérieures de la pratique. Ce n'est pas le fait qu'ils aient une perception relativement claire des choses qui est en cause, mais plutôt la qualité de cette perception : la vision spirituelle n'est vraiment fiable que lorsqu'elle s'enracine dans des bases solides, sinon elle risque d'induire en erreur, au lieu de promouvoir la paix et l'harmonie.

Vous vous imaginez peut-être que faire l'expérience d'un instant d'éveil passager, c'est un peu comme si une énorme part de gâteau d'anniversaire vous tombait du ciel. « Super! J'en veux! » Mais méfiez-vous, ce gâteau-là n'est pas de la tarte! On a parfois comparé cette expérience à un diamant à la pointe acérée — c'est beau, mais cela peut faire très mal si l'on ne sait pas le manier. Cette expérience est d'une force et d'une richesse telles qu'elle peut vous démolir si vous n'avez pas une base suffisamment solide. Quand j'en vois certains qui enseignent la méditation et qui sont prêts à pousser n'importe qui à une pratique hyperintensive, je pense que c'est dangereux. Ils ont beau dire qu'ils se fient à leur intuition, ils ne tiennent pas compte des différences très importantes qu'on rencontre chez les aspirants à la pratique : différences de formation, de maturité, de sensibilité et d'aptitudes. Il y a de ça des années, je me souviens que j'avais demandé à une grande pianiste comment je pouvais améliorer mon interprétation d'un passage qui me donnait beaucoup de fil à retordre. A quoi elle m'avait répondu : « Oh, c'est très simple. Faites donc comme ça », et elle m'avait rejoué le passage en question à sa manière. Bien sûr que c'était évident et facile pour elle, mais c'était resté tout aussi difficile pour moi.

Ce que je vous demande, en fait, c'est d'être un peu patients. Je vois pas mal de gens qui font zazen depuis bon nombre d'années et qui, tout en ayant une perception assez fine des choses et beaucoup d'énergie créatrice, sont complètement déséquilibrés et déboussolés parce que leur développement ne s'est pas fait de manière harmonieuse. Et il faut bien reconnaître que ce n'est pas facile de tout harmoniser en soi. En effet, c'est en restant assis sur son coussin qu'on se rend compte à quel point nous sommes des êtres compliqués. Rien d'étonnant, alors, à ce que certaines zones de turbulences que nous allons découvrir en nous nécessitent éventuellement l'aide d'autres disciplines, en dehors du zen. Le zen n'est pas une panacée. Si on se lance trop vite dans une pratique trop intensive, on risque de se déséquilibrer ; il faut savoir ralentir à temps. Il n'est pas bon de voir trop de choses, trop rapidement.

En fait, à quoi bon parler de l'éveil ? Quand quelqu'un est prêt et que sa soif de comprendre est suffisamment forte, la marche à suivre devient évidente, tant pour soi que pour son maître. En attendant, il faut savoir travailler sur soi avec beaucoup de patience et assumer tous les désirs qui nous habitent encore — envies de sensations neuves, de sécurité ou de pouvoir. Personne n'est au-dessus de ça, à commencer par moi. C'est pourquoi je vous invite à examiner d'un peu plus près la nature des raisons qui vous poussent à chercher l'éveil spirituel, en prenant bien la mesure de l'énorme dose de persévérance et d'intelligence nécessaire à une telle entreprise.

Si nous savons pratiquer patiemment, notre vie deviendra plus harmonieuse et remplie d'une énergie créatrice bénéfique à tout notre entourage. Une telle énergie se développe à chaque fois que l'on sait ramener son mental sur l'instant présent ; lentement mais sûrement, elle s'amplifie à chaque fois que l'on prend conscience des divagations incessantes auxquelles se livre notre esprit. Et c'est cette prise de conscience qui apaise le corps et le mental, et qui est source d'une véritable lucidité. Ces qualités-là sont tellement éclatantes qu'on les reconnaît du premier coup d'œil chez ceux qui les possèdent, comme vous avez sans doute déjà eu l'occasion de vous en rendre compte vous-même.

En pratiquant bien toute sa vie, il est sûr qu'on fera un bon bout de chemin sur la voie spirituelle, avec parfois même la grâce de quelques moments d'éveil pour illuminer notre cheminement. Parfait ! Mais ne sous-estimons pas pour autant la somme de travail qu'il faudra pour dissiper les illusions qui déforment notre perception des choses et qui compliquent notre itinéraire. Prenez la célèbre fable illustrée du *dressage du buffle*, par exemple ; elle décrit les dix étapes de la progression vers l'éveil[1]. Or, il y a des gens qui s'attendent à sauter directement de un à dix, sans se rendre compte qu'ils risquent de retomber très vite à leur niveau initial. Les progrès ne sont pas forcément toujours stables et définitifs : on peut fort bien goûter à des états de conscience du dixième niveau pendant une heure ou deux, pour ensuite retomber au deuxième stade. Vous pouvez jouir d'un mental clair et paisible pendant une retraite, mais attendez seulement qu'il arrive quelqu'un qui vous critique, et vous pourrez juger de la stabilité de votre expérience !

« Sur l'arbre desséché, une fleur s'épanouit, » dit le *Shoyo Roku ;* la même idée se retrouve dans la Bible : « Tu ne renaîtras pas avant d'être déjà mort à toi-

1. La fable illustrée du dressage du buffle : une description traditionnelle en dix tableaux des étapes de la pratique qui mène de l'ignorance à l'éveil de l'esprit, à travers la métaphore d'un homme qui apprivoise progressivement un buffle sauvage.

même. » La pratique est effectivement un processus de mort lente à soi-même : petit à petit, on cesse de s'identifier à tout ce à quoi on était attaché — les gens, les idées, les choses. Tant que l'on reste attaché à quelque chose, on n'est pas encore vraiment mort à soi-même. Nous puisons souvent le sens de notre identité dans notre famille, ou auprès de celui ou de celle avec qui nous vivons. Cesser de s'identifier à ses liens affectifs ne veut pas dire ne plus aimer ces êtres qui nous sont chers, mais prendre conscience de notre besoin de s'accrocher à eux pour avoir soi-même l'impression d'exister. Or, en pratiquant zazen, ce besoin s'amenuisera, libérant parallèlement une plus grande capacité d'amour vrai pour les autres. Le besoin chasse l'amour et, tant qu'on veut quelque chose pour soi, on n'est pas mort à soi-même, quelle que soit la forme que prenne ce désir : quêter l'approbation des autres, avoir soif de réussite et de pouvoir, s'attacher à projeter une certaine image de soi, vouloir toujours agir à sa guise, et ainsi de suite. Tant que de tels désirs nous animeront, nous ne serons pas morts à nous-mêmes. Si, dans la meilleure hypothèse, nous sommes conscients de ces pulsions, nous pourrons au moins éviter de passer à l'acte systématiquement. En revanche, ces désirs et ces pulsions finissent par ne même plus se manifester, chez celui qui est déjà mort à lui-même. C'est dans ce sens-là qu'on pourrait dire qu'un être pleinement éveillé n'a plus rien d'humain, dans la mesure où il est au-delà de l'humain et de ses désirs, mais je dois dire que je n'ai encore rencontré personne qui corresponde à ces critères, bien que j'aie eu plusieurs fois dans ma vie l'occasion de côtoyer des êtres exceptionnels. Alors, sachons nous contenter de ce que nous sommes et retroussons nos manches. N'oubliez pas que la perfection est déjà présente à l'état latent dans notre être, tel qu'il est actuellement.

Moins on s'identifie à certains aspects spécifiques de la réalité, et mieux on peut l'embrasser dans son intégralité. C'est-à-dire inclure au lieu d'exclure, intégrer de plus en plus d'êtres et de choses à sa vie. C'est dans cet esprit-là que l'on prend le vœu Bodhisattva*. Plus la pratique nous mûrit et plus nous devenons capables d'aider les autres, sans exclusive et avec un véritable sens du service. Et c'est cela, la vraie finalité de la pratique du zen. On fait zazen, certes, mais on travaille aussi sur tous les aspects de sa vie, sachant que l'on doit s'assumer tel que l'on est, maintenant. Il n'y a rien d'autre à faire. Tout le reste n'est que fantasmes de l'ego.

Le prix de la pratique

Lorsque notre vie ne nous satisfait pas ou qu'elle nous semble pénible, nous nous inventons toutes sortes de portes de sortie très ingénieuses. Mais ces mécanismes de fuite, souvent fort subtils, reposent tous sur la même vision dualiste des choses : d'un côté, il y a *moi*, et de l'autre, *le monde et la vie, extérieurs à moi*. Tant que l'on envisagera les choses sous cet angle, on consacrera l'essentiel de son énergie à essayer de trouver quelque chose ou quelqu'un pour gérer notre vie à notre place : un homme ou une femme qu'on aime, un maître, une religion, un centre spirituel — n'importe quoi, du moment que nos difficultés sont prises en charge. Evidemment, cette démarche dualiste est un leurre absolu puisqu'on s'imagine qu'on peut se réaliser sans avoir à sacrifier quoi que ce soit — sans en payer le prix. C'est une illusion que nous partageons tous, à des degrés divers, et qui en réalité nous fait beaucoup souffrir.

La pratique de zazen va petit à petit saper cette illusion jusqu'au jour où l'on sera bien obligé de se rendre à l'évidence (ô rage, ô désespoir !) : chacun de *nous* doit payer le prix de sa liberté et personne ne peut le faire à notre place. J'ai reçu le plus grand choc de ma vie, le jour où j'ai compris cette vérité-là ! Eh oui, j'avais enfin compris que *moi* seule pouvais payer le prix de ma réalisation, que rien ni personne ne pouvait se substituer à moi. Tant que vous n'aurez pas digéré cette réalité incontournable, vous continuerez à éprouver une grande réticence vis-à-vis de la pratique spirituelle. Et même une fois que vous aurez encaissé la vérité, il ne sera pas facile d'en garder une conscience aussi aiguë qu'au premier jour. Si bien que vous aurez encore un peu de mal à vous mettre au zazen, quoique nettement moins qu'avant.

Comment nous y prenons-nous pour essayer de nous défiler et ne pas payer le prix de notre liberté? Notre technique favorite consiste en un refus systématique de la souffrance que peut apporter la vie. Nous revendiquons le droit de ne pas souffrir et nous fuyons la souffrance comme la peste, par tous les moyens : on fait semblant de ne pas la voir, on tente de se persuader qu'il ne se passe rien, tout en faisant tout son possible pour se faire prendre en charge par quelqu'un d'autre : son mari ou sa femme, son copain ou sa copine, ses amis, voire ses enfants. Bref, ces autres dont on attend qu'ils gèrent nos problèmes à notre place. Ce refus systématique de tout ce qui nous est désagréable crée une très forte entrave à la pratique spirituelle : « Non, je ne vais pas faire zazen ce matin, je n'en ai pas envie. » Ou bien : « Je n'irai pas à la sesshin, je n'aime pas ce qui remonte en moi à ce moment-là. » Ou encore : « Pas question de retenir ma langue quand je suis en colère! Et pourquoi devrais-je m'y contraindre? » Nous ferions — et nous faisons — n'importe quoi pour passer à côté de la souffrance : on préfère perdre son intégrité morale plutôt que d'avoir à souffrir un peu pour la défendre, on est prêt à mettre fin à des rapports qui ne répondent plus à la vision idyllique qu'on s'en était faite au départ. Et c'est toujours la même idée qui se cache derrière toutes ces fuites : les autres sont là pour nous servir, c'est à eux de nous prendre en charge.

En réalité, il n'y a personne au monde qui puisse vivre votre vie à votre place, et donc assumer les peines et les douleurs que l'existence apporte immanquablement. Assumer, c'est le prix à payer pour grandir, pour mûrir, et bien que ce soit parfaitement évident, on refuse de s'en rendre compte. Or, notre pratique spirituelle ne deviendra authentique que quand nous aurons accepté d'ouvrir les yeux sur notre refus de payer. Qui plus est, et c'est bien dommage pour nous, à force de biaiser tout le temps, nous nous privons de cette fabuleuse richesse qu'est la réalité de la vie et de ce que nous sommes. Nous nous accrochons aux autres dans l'espoir qu'ils nous soulagent de notre fardeau ; nous essayons de les dominer, de les manipuler, de les amener insensiblement à nous prendre en charge. Mais, qu'on ne se fasse pas trop d'illusions : on n'a jamais rien sans rien. Est-ce que vous avez déjà vu de vraies pierres précieuses distribuées gratuitement en cadeau publicitaire ? De même, le merveilleux joyau qu'est la paix de l'esprit ne vous sera pas donné pour rien : il faudra le gagner, le conquérir, à force de pratique régulière et sans faiblesse.

Pour gagner ce diamant, il ne suffit pas d'être attentif au soi-disant *côté spirituel* de sa vie, mais à tous ses aspects. On paie le prix du diamant en abordant chaque moment de sa vie avec la même qualité d'attention, en remplissant les obligations que l'on a envers les autres et en apprenant à les servir.

Il ne s'agit pas de se créer une nouvelle collection d'images idéales de soi, mais de faire en sorte que chacun de ses actes et chacune de ses paroles insuffle à sa vie une intégrité et une plénitude authentiques, parce que vécues. Si vous voulez voir ça par le petit bout de la lorgnette, vous me direz que la note est trop salée, que le prix à payer est exorbitant. Mais, avec un peu de lucidité, vous vous rendrez compte que, non seulement cela ne vous coûte pas, mais qu'au contraire, c'est un privilège. Un privilège qu'on apprécie de plus en plus à mesure que la pratique se développe.

Progressivement, nous allons découvrir que notre souffrance et celle des autres ne font pas partie de deux mondes séparés et étanches. Il est impossible d'isoler sa pratique ou sa souffrance de celles des autres : celui qui s'ouvre vraiment à sa propre vie — qui l'assume complètement —, s'ouvre automatiquement à *la vie dans son entier*. A mesure que nous payons notre écot à travers une pratique attentive, l'illusion d'une existence séparée — moi d'un côté et les autres, de l'autre — se dissipe graduellement. On comprend alors qu'en suivant une pratique spirituelle, ce n'est pas seulement le prix de sa propre liberté qu'on paie : on n'achète pas le diamant uniquement pour soi mais pour tout le monde. Tant que l'on continue à raisonner en termes de « moi, les autres et ce que j'attends d'eux », on se raccroche à l'idée qu'on existe à part et indépendamment des autres : ce qui signifie en réalité qu'on n'a pas encore commencé à payer le prix du diamant. Payer son écot : concrètement, cela veut dire être prêt à payer de sa personne selon ce que la vie exige de vous. Il peut s'agir de *donner* de son temps, de l'argent ou des objets, comme de savoir *refuser* ces mêmes choses si c'est l'attitude la plus bénéfique pour les autres à ce moment-là. L'essentiel est d'apprendre à discerner ce qu'on attend de nous, au lieu de donner d'emblée ce que *nous* avons envie de donner. Et il n'est certes pas toujours facile de faire la différence... Quelle pratique et quelles exigences! me direz-vous, mais c'est le prix à payer pour trouver le diamant.

> Ne croyez pas que votre pratique se limite au temps que vous passez à faire zazen, gentiment assis sur votre petit coussin, même si ces moments-là sont indispensables et d'une importance cruciale. L'apprentissage spirituel est un travail à plein temps : c'est vingt-quatre heures sur vingt-quatre qu'on doit être prête à payer le prix du diamant.

Vous verrez que, plus vous ferez d'efforts dans ce sens,

et plus vous apprécierez la valeur de ce joyau qu'est votre vie. Alors que si vous restiez à mariner dans l'idée que votre vie n'est qu'un nid de problèmes et un cortège de douleurs, ou si, à l'inverse, vous passiez votre temps à essayer de fuir ces soi-disant problèmes, vous passeriez complètement à côté de ce diamant qui resterait à jamais caché, invisible à vos yeux.

Cependant, même si le joyau paraît caché et qu'on ne le voit pas au départ, n'oublions pas qu'il est toujours là, à notre portée : notre vie sert justement à le découvrir. Mais nous ne le découvrirons que lorsque nous serons prêts à y mettre le prix. Alors, êtes-vous prêts?

Le fruit de la pratique

Nous sommes constamment à la recherche du bonheur, ce qui pour la plupart d'entre nous signifie éliminer les expériences malheureuses de la vie pour les remplacer par des moments heureux. Cependant, cette quête pourrait aussi s'envisager sous une autre forme : tenter de passer d'un quotidien de luttes incessantes à une vie de joyeuse acceptation. Or, il ne s'agit pas du tout de la même finalité dans les deux cas : chercher à remplacer le mal-être par du bien-être est une chose — c'est dans cette perspective que s'inscrivent bon nombre de systèmes de thérapie qui visent à remplacer un moi malheureux par un moi heureux —, et vouloir substituer la joie à un état de lutte permanente en est une autre, et fort *différente*. Cette démarche est celle du zen (et peut-être aussi de quelques autres disciplines ou thérapies) et elle est conçue pour nous aider à passer du soi malheureux — la lutte — au non-soi*, qui est la joie à l'état pur.

Dès que l'on postule l'existence d'un *soi*, toutes les expériences du sujet seront nécessairement égocentriques — centrées sur ce moi. Le moi, étant le centre de toutes nos préoccupations, nous oppose à tout ce qui nous est extérieur. Nous sommes constamment en état d'alerte et d'autodéfense : nous avons vite fait de nous hérisser ou de nous fâcher si les choses ne vont pas comme nous le souhaitons — cette résistance est interprétée par le moi comme une agression de la part de son environnement. Mais ce n'est pas tout, l'égocentrisme a aussi une autre conséquence : à force de toujours tourner en rond dans son petit univers restreint, on est incapable d'une vision globale et lucide des choses, d'où un état de confusion permanent. Voilà malheureusement comment vivent la plupart d'entre nous.

Bien que n'ayant aucune expérience de ce que pourrait être le contraire du moi — le non-soi —, essayons d'imaginer ce que serait la vie vécue à travers un non-soi. D'abord, entendons-nous bien : être en état de non-soi ne signifie pas disparaître de la face de la terre et cesser d'exister. Cela désigne simplement un recentrage : on n'est plus centré sur soi, ou sur les autres, on est centré, tout court. Mais sur quoi, me direz-vous ? On n'est plus centré sur le particulier — certaines choses ou certains êtres — mais sur l'universel. On embrasse toutes choses, mais sans attachement particulier pour quoi que ce soit, si bien que les caractéristiques typiques du moi n'ont pas l'occasion de se développer. En l'absence d'affirmation du *moi*, il n'y a plus d'autre ni de monde extérieur susceptibles de représenter une menace pour vous. On n'a plus de territoire à défendre et donc plus de raison d'être tout le temps soucieux et angoissé, d'être toujours à cran et de se fâcher pour un rien ; et surtout, la vie émerge enfin du brouillard de la confusion. C'est pourquoi vivre en *non-soi*, c'est demeurer dans la joie. Une joie qui rejaillit sur tout le monde, d'ailleurs : comme le non-soi ne s'oppose à rien ni à personne, il a des effets bienfaisants sur tout.

Si le non-soi est une perspective inspirante que nous devons garder en tête pour guider et nourrir notre évolution spirituelle, il faut bien reconnaître que, pour la plupart d'entre nous, la pratique devra suivre une approche très graduelle qui produira une érosion progressive du moi. Et la première étape du voyage consiste à cheminer du mal-être jusqu'au bien-être. Dans quel sens faut-il l'entendre ? Il est impossible de sauter directement d'un état de douleur et de confusion — quand on se sent si mal dans sa peau qu'on ne supporte rien, ni soi, ni les autres, ni les situations du quotidien —, à un état de non-soi. C'est pourquoi le premier stade de la pratique du zen est destiné à amorcer ce virage, et c'est le travail qu'on accomplit pendant ses premières années de zazen. A ce stade-là, il peut être indiqué pour certaines personnes de suivre parallèlement une forme de thérapie intelligente, mais ne généralisons pas : chacun est un cas particulier. En tout cas, l'essentiel est de retenir qu'on ne peut pas se dispenser de cette première étape et que ce serait une erreur grossière que d'essayer de la sauter : il est indispensable de passer d'un état de mal-être relatif à un état de bien-être relatif.

Pourquoi ai-je parlé de bien-être *relatif*? Même si l'on a l'impression d'avoir trouvé une forme de vie plus *heureuse*, ce *bonheur* n'est pas un état définitif. Il reste très précaire tant que notre vie reste basée sur la notion d'un soi. Et d'où vient cette précarité? Du fait que le fragile édifice de notre vie repose sur les sables mouvants d'une idée fausse : l'idée que nous *sommes* un moi. Tout le monde y croit dur comme fer et, pour erronée qu'elle soit, cette conviction n'en est pas moins solidement ancrée au cœur de chacun d'entre nous. C'est pourquoi toute forme de pratique spirituelle qui s'attaque à cette croyance nous est d'un abord difficile : elle nous met mal à l'aise.

La seule solution réellement satisfaisante, à terme, est d'emprunter la voie qui nous amènera à comprendre que notre véritable nature est le non-soi — bouddha —, et à la réaliser pleinement. C'est cela, la finalité de zazen. En nous aidant à explorer la question de notre véritable nature — soi ou non-soi — la pratique du zen va complètement transformer l'orientation et les valeurs de notre vie, ainsi que la tonalité de notre vécu. Examinons les différentes étapes de cette pratique.

J'ai déjà évoqué le premier stade, qui consiste à nous faire passer d'un état de mal-être relatif à un état de bonheur relatif. Ce bien-être est tout à fait précaire, puisque susceptible d'être remis en question à chaque instant, mais il n'en est pas moins indispensable. Il faut en effet avoir un minimum de stabilité et se sentir au moins un petit peu bien dans sa peau pour pouvoir s'engager sérieusement dans une pratique spirituelle. Ce premier problème réglé, on peut passer au stade suivant : le zazen va nous permettre d'analyser et de passer au crible, sans relâche et avec un maximum de lucidité, toutes nos caractéristiques physiques et mentales. Ainsi verrons-nous émerger certains schémas : ayant appris à reconnaître ses désirs, ses envies et ses pulsions égoïstes, on finira par se rendre compte que ces schémas récurrents, ces réflexes de désir ne sont ni plus ni moins que ce que nous avons coutume d'appeler le « moi ». Et, à mesure que nous progresserons dans notre pratique, nous en viendrons à comprendre l'impermanence* et la vacuité* de ces schémas. A tel point que nous serons capables de nous en dessaisir. Nous n'aurons même pas à nous forcer pour les laisser tomber, ils se détacheront d'eux-mêmes petit à petit, comme une feuille morte tombe d'un arbre en automne, tout naturellement. Si ces vieux schémas peuvent se dissoudre ainsi tous seuls, c'est parce que leur irréalité foncière apparaît clairement à la lumière de la conscience lucide — un feu éblouissant qui vous fait tout de suite reconnaître le vrai du faux. Et le meilleur moyen d'aviver la lumière de la conscience, en la rendant toujours plus alerte et lucide, et de faire zazen intelligemment, jour après jour, et en sesshin. Avec la disparition graduelle des vieux schémas égocentriques, le non-soi — déjà présent — se révélera progressivement à nous, en nous remplissant d'une paix et d'une joie toujours plus grandes.

Bien sûr, il est facile de décrire un tel processus, mais c'est tout autre chose de le vivre. Il y a de quoi être plutôt effrayé, déprimé, voire découragé devant une remise en question aussi radicale : c'est notre *moi*, ou tout au moins ce qu'on avait toujours considéré comme tel, qui se voit soudain battu en brèche. Et s'il est merveilleusement inspirant d'entendre parler de la fin de l'ego et du non-soi, cela peut être une expérience terriblement difficile à vivre, car comment ne pas avoir peur quand on voit soudain basculer entièrement toutes ses références habituelles...

Malgré tout, ceux qui sauront se montrer patients et résolus dans leur pratique en récolteront sûrement les fruits : ils connaîtront de plus en plus de joie et de paix, et ils seront capables de mener une vie riche de bienfaits pour les autres, parce qu'inspirée par la compassion. Parallèlement, leur vulnérabilité aux aléas des circonstances diminuera, lentement mais sûrement. Ce qui ne signifie pas pour autant qu'une telle évolution soit exempte de problèmes, car il y en aura forcément — c'est le lot de la condition humaine. Il se peut même qu'on ait l'impression de se retrouver encore plus mal loti qu'avant, en voyant tout ce qui refait surface en soi : tant de choses jusque-là réprimées ou occultées. Cependant, on aura tout de même l'impression de sortir de la confusion et de mieux comprendre les choses, ce qui nous permettra d'éprouver une certaine satisfaction.

Il faut s'armer d'énormément de patience, de persévérance et de courage pour continuer sa pratique spirituelle dans les moments d'extrêmes difficultés. Car seule une pratique décidée est capable de battre en brèche nos vieilles habitudes de vie, ces anciens réflexes qui nous poussent à poursuivre le bonheur à tout prix, à tout faire pour satisfaire nos désirs et à nous plier à n'importe quelle bassesse pour éviter de souffrir — physiquement ou moralement. C'est dans nos tripes, et pas dans nos têtes, qu'il faut comprendre l'essentiel : ce n'est pas en courant après le bonheur qu'on goûtera à la joie, mais en expérimentant la vie telle qu'elle se présente à nous, en toutes circonstances. En *étant* sa vie. Il faut vivre sa vie pleinement, sans biaiser, sans rien esquiver ; pas pour satisfaire ses propres envies mais en réponse aux sollicitations que la vie elle-même nous présente. Pas en évitant la douleur mais en l'expérimentant directement et totalement, en *étant* la douleur. Vous pensez que c'est trop demander, que c'est trop difficile ? Au contraire, vous aurez sûrement moins de mal à vivre qu'avant.

> Nous sommes tous des êtres à deux dimensions — physique et psychologique — dans la mesure où nous ne pouvons expérimenter le monde qu'à travers un corps et un mental. Ce qui veut dire que nos expériences sont toujours teintées de sensations et de sentiments : pensées, espoirs, craintes, blessures et colères, pour n'en citer que quelques-uns. Cependant, ce n'est pas en nous enferrant dans la dimension psychosomatique de notre être que nous allons trouver le chemin de notre liberté, mais en cultivant le non-attachement, en pratiquant le non-soi. Ce n'est qu'à la fin de notre cheminement spirituel que nous comprendrons enfin.
>
> En réalité, il n'y a pas de chemin, pas de voie, pas de solution, car, dès le départ, notre propre nature *est* déjà ce chemin, ici et maintenant*. Il n'y pas de voie et notre pratique consiste justement à suivre cette absence de voie, à la suivre sans fin et sans espoir de récompense. Car il n'y a pas besoin de récompense : le non-soi est déjà tout, complètement parfait depuis l'origine des temps sans commencement.

Sentir

Un supplément d'espace intérieur

A quatre-vingt-quinze ans, Genpo Roshi, un des plus grands maîtres zen de notre temps, avait coutume de parler de « la porte sans porte » et il insistait beaucoup sur le fait que, en réalité, il n'y avait *aucune* porte à franchir pour se réaliser. Cependant, ajoutait-il, en ce qui concerne la pratique, nous avons quand même une porte à passer : celle de l'orgueil. Personne n'échappe à l'orgueil, et il est certain que, depuis ce matin, nous avons tous dû l'éprouver à plus ou moins haute dose, sous une forme ou sous une autre. Or, on ne peut franchir la porte qui n'en est pas vraiment une sans être d'abord passé par le portillon de l'orgueil.

La colère est fille de l'orgueil. La colère, ici, est à entendre au sens large : à savoir toute la gamme des émotions qui gravitent autour de ce sentiment, comme l'irritation, la frustration, le ressentiment, la jalousie, et ainsi de suite. Si j'insiste beaucoup sur la colère et sur les moyens d'y faire face, c'est parce qu'en apprenant à l'assumer, on se rapproche de la *porte sans porte*.

Vous savez tous ce que c'est que prendre du recul, dans la vie de tous les jours. Par exemple, j'ai déjà regardé Laura en train de composer un très beau bouquet : elle passe d'abord un certain temps à disposer les fleurs dans un vase, par petites touches successives, puis, à un moment donné, elle s'arrête ; elle recule et elle regarde ce qu'elle a fait, pour juger du résultat. C'est la même chose si vous faites une robe : une fois le tissu coupé, assemblé et cousu, vous devrez vous lever pour vous regarder dans la glace et constater le résultat. Est-ce que la robe tombe bien, aux épaules ? L'ourlet est-il à la bonne longueur ? La robe vous va-t-elle ? Vous avantage-t-elle ? Il a fallu que vous preniez du recul pour pouvoir vous en rendre compte.

De même, nous avons besoin de prendre du recul pour voir où nous en sommes, pour remettre les choses en perspective. Et c'est justement le rôle du zen : il sert à développer notre capacité à prendre du recul et à observer. Prenons un exemple concret : une scène de ménage. D'abord, je vous ferai remarquer que, dès qu'il y a querelle, l'orgueil est toujours de la partie. Maintenant, supposons que je sois mariée et qu'une scène de ménage éclate entre mon mari et moi, car il vient de faire une chose qui ne me plaît pas du tout : disons qu'il a dépensé toutes nos économies pour acheter une voiture neuve, alors qu'à mon avis, la nôtre était encore tout à fait convenable. Je pense — en fait, *Je sais* pertinemment — que j'ai raison ; j'en suis convaincue. Si bien que je vois rouge ; je suis furieuse et j'ai envie d'hurler. Que faire, alors que je suis toute bouillonnante de colère ? Eh bien, à mon avis, la première chose à faire est d'essayer de prendre un peu ses distances par rapport à la situation, en en disant et en en faisant aussi peu que possible. Ce désengagement me donnera suffisamment de recul pour que j'aie le temps de me souvenir de mes priorités : essayer de « faire de l'espace », en l'occurrence. C'est la seule attitude qui permette de sortir de la logique conflictuelle habituelle, car elle s'inscrit dans une tout autre optique : celle d'une démarche spirituelle.

A présent, démontons le mécanisme d'une telle pratique et examinons-le pas à pas, tout en sachant que, pour la plupart, nous serons incapables d'y arriver — au départ —, dans le feu de l'action. Vous pouvez toujours essayer, cependant — essayer de prendre un peu de recul, d'en dire et d'en faire un minimum, pour calmer le jeu et se désengager de la situation. Ensuite, quand vous serez à nouveau seul, asseyez-vous, calmement, et observez posément ce qui se passe en vous. Par « observer » j'entends se faire le spectateur attentif du feuilleton qui est en train de se dérouler dans votre tête : il m'a dit ceci, il a fait cela, et moi je pourrais lui répondre ça et faire ceci ou cela... Rendez-vous compte que toutes ces pensées ne décrivent pas la réalité de la situation mais seulement votre version des faits, l'idée que vous vous en faites. Alors, essayez d'identifier chacune de ces pensées qui vous trottent dans la tête — si vous en êtes capable, car ce n'est pas facile quand on est en colère ! Pourquoi donc est-ce si difficile ? Parce que la colère crée un énorme obstacle à la pratique : quand on est furieux, la pratique est bien *la dernière chose* dont on ait envie d'entendre parler ! On aime tellement mieux se sentir dans son bon droit et se dire qu'on a *raison* — en d'autres termes, conforter son petit orgueil. (« Ne cherchez pas la Vérité, contentez-vous de ne pas vous accrocher à vos propres opinions ! ») Et c'est justement pour cela que la première chose à faire, en cas de dispute, est de calmer le jeu, de prendre du recul, d'en dire aussi peu que possible. Il est probable qu'il vous faudra des semaines d'effort acharné pour arriver à modifier vos réflexes : pour vous souvenir, même sous le coup de la colère, que vous n'êtes pas là pour *avoir raison*, mais pour *faire de l'espace*. Prendre du recul et observer. Identifier les pensées au fur et à mesure qu'elles apparaissent : « il ne devrait pas faire ça » — enregistré ; « je ne peux pas supporter qu'il me fasse un coup pareil ! » — enregistré ; « il me le paiera » — enregistré. En reconnaissant ainsi chaque pensée au passage, on la dépassionne. On quitte sa position d'acteur pour devenir spectateur du feuilleton. On dédramatise.

Lorsque nous serons vraiment capables de prendre du recul et d'observer ce qui se passe — et je répète que c'est très difficile sous le coup de la colère —, petit à petit, au lieu de prendre nos pensées pour des réalités, nous saurons les reconnaître pour ce qu'elles sont : rien que des pensées, d'irréelles créations mentales. Je suis parfois obligée de m'y reprendre à dix fois, vingt fois ou même trente fois avant de réussir à voir mes pensées comme telles ; après quoi elles se calment d'elles-mêmes. Et que se passe-t-il alors ? J'expérimente pleinement ce que l'on pourrait appeler les retombées de la colère, à savoir les répercussions physiques de cette violente émotion. Je ressens les tensions et les contractures provoquées par la colère, sans chercher à les esquiver ; je les éprouve directement, intégralement. Je ne fais plus qu'un avec ces sensations, et cette non-dualité de mon expérience m'amène insensiblement à un état de calme et de lucidité (samadhi*) dans lequel on *sait* spontanément ce qu'on doit faire, dans quel sens il faut agir. Dans le sens qui convient le mieux à tout le monde — à soi et à l'autre. C'est ainsi qu'en faisant de l'espace en soi, on arrive à goûter à *l'unité* de l'expérience — à ce moment de vécu direct où la séparation dualiste se dissout.

On pourrait disserter et gloser à perte de vue sur *l'unité*, mais peut-être vaudrait-il mieux d'abord comprendre ce qui nous sépare des autres. Comment se creuse le fossé entre les êtres ? C'est en réalité l'orgueil, source de la colère, qui nous sépare des autres. Et le meilleur remède est d'expérimenter concrètement, physiquement, ces fauteurs de trouble que sont les émotions, en les observant au moyen de l'attention lucide que produit zazen. En apprenant à ressentir les effets physiques de la colère, on crée de l'espace en soi.

Grâce à ce supplément d'espace intérieur, notre seuil de tolérance à la vie s'élève sensiblement, et l'on arrive à supporter beaucoup plus de choses qu'avant, sans exploser ou sans se sentir complètement débordé. Nous partons d'un espace minimal que nous allons nous efforcer de faire grandir, de plus en plus. Cette expansion se poursuivra jusqu'au jour où l'on retrouvera l'espace illimité de notre nature initiale, avant qu'elle n'ait été tronquée par l'ego. Cet immense espace, tout d'intelligence et de compassion, est ce qu'on appelle l'état d'éveil absolu « la bouddhéité ». Tout au long de notre vie, nous allons chercher à faire reculer les limites de notre espace intérieur et, à chaque fois qu'on se heurtera à une résistance, ce sera le signe d'un blocage à éliminer pour libérer l'espace. Et comment découvre-t-on ces blocages ? Dès que quelque chose ou quelqu'un nous énerve ou nous met en colère, cela veut dire qu'on a touché à l'une des limites de notre ouverture actuelle. Il n'y a pas de secret... Et pas de meilleure mesure du progrès de notre pratique spirituelle, puisqu'il est lié au degré de développement de notre espace intérieur.

> Faire de l'espace en soi est essentiellement une pratique qui joue au niveau spirituel car il ne s'agit pas de *faire* quoi que ce soit de matériel ou de concret. L'espace intérieur n'est pas une chose, pas plus que la conscience ; et l'observateur qui regarde ce qui se passe n'est pas non plus un objet ou une personne. Cependant, cet observateur doit être autre que mon corps et mon mental puisqu'il est capable de les observer pendant que sévit la colère. Alors, quel est cet autre *Je* qui observe ce qui se passe ? Il me montre que je suis autre chose que ma colère, autre chose de plus grand, de plus vaste. Et c'est cette conviction qui va me permettre de faire de l'espace en moi, de grandir. L'important, c'est donc la capacité à observer ce qui se passe en soi, et c'est cette aptitude qu'il faut cultiver et développer. *L'objet* de l'observation est toujours secondaire. Ce n'est pas la colère — ou tout autre émotion — en soi qui a de l'importance, mais l'aptitude à l'observer.

Il faut cependant savoir se montrer charitable envers soi quand on pratique ce genre d'exercice ; savoir reconnaître ses limites, savoir qu'il y a des moments où l'on est incapable de soutenir son effort. Personne ne peut se dépasser tout le temps et il n'y a rien de mal à ça. Mieux vaut faire ce que l'on se sent capable de faire.

A mesure que se développe notre capacité à observer ce qui se passe en nous, et à l'expérimenter, deux forces vont croître en nous, simultanément : la sagesse et la compassion*. La sagesse, au sens de l'aptitude à voir la vie telle qu'elle est (et non pas telle que j'aimerais qu'elle soit), et la compassion, comme étant l'acte qui jaillit spontanément de la sagesse. En effet, comment éprouver une véritable compassion envers les autres si, dès le départ, nos rapports avec eux sont entachés d'orgueil et de colère ? C'est impossible, autant essayer de mélanger l'eau et le feu. La compassion a besoin d'un supplément d'espace intérieur pour fleurir.

La pratique spirituelle bouleverse profondément le vieux traintrain de nos habitudes passées, ce qui a des répercussions différentes sur chacun, en fonction de son conditionnement antérieur et de son histoire personnelle. Chez certains, les changements s'opèrent progressivement, en douceur, alors que d'autres subissent de grands bouleversements sous la poussée d'énormes vagues d'émotions dont la violence les déborde complètement. Un peu comme si un océan emprisonné derrière un barrage s'effondrait tout d'un coup. La première impression de peur laisserait vite place à un grand soulagement, car l'eau libérée de sa prison de béton pourrait enfin se retrouver telle qu'en elle-même : couler librement pour rejoindre les courants et les mouvements naturels du vaste océan auquel elle appartient.

Cela dit, j'estime qu'il est important que ce processus ne se déroule pas trop vite et, s'il s'accélère trop, mieux vaut le ralentir un peu. Si le barrage commence à céder de lui-même, ce n'est pas la peine de trop précipiter son effondrement. Les situations de crise ne sont jamais désirables et autant faire l'économie des larmes et des grincements de dents, si c'est possible, en ralentissant le mouvement. Cependant, si tout doit s'effondrer d'un seul coup, on ne peut que laisser les choses se faire. Je tiens néanmoins à souligner qu'il n'est pas nécessaire que le barrage lâche tout d'un coup ; c'est une éventualité mais pas une nécessité. Nous sommes tous très différents et chacun évoluera donc à sa manière. Simplement, je pense que, plus on a connu une enfance difficile et répressive, et plus on aura intérêt à aller doucement, sans précipiter le mouvement. Cela dit, il arrive toujours un moment où le barrage doit finalement sauter, même pour ceux qui ont eu une vie relativement protégée.

Pour conclure, laissez-moi vous rappeler qu'il est toujours utile de se munir d'une bonne dose d'humour. En réalité, il ne s'agit pas tant de se débarrasser de nos tendances névrotiques que de prendre conscience de leur invraisemblable bizarrerie : elles sont tellement incongrues qu'elles en deviennent drôles. On peut apprendre à voir le comique un peu surréaliste de la situation, comme on peut apprécier le côté drôle de la vie, et notamment de la vie en société. D'ailleurs, tout le monde est un peu dingue, sur cette planète, à commencer par nous, bien entendu. Sauf que nous avons tendance à ne pas le voir — c'est ça, l'orgueil ! Évidemment, je suis une exception : je ne suis pas dingue, moi ! Après tout, je suis celle qui enseigne, non !

Ouvrir la boîte de Pandore

S'il est certain que la pratique spirituelle influe sur le quotidien, avec des effets de plus en plus évidents au fil du temps, on se fait cependant pas mal d'illusions sur la nature de cette influence. En effet, on a tendance à s'imaginer que la pratique va vous faciliter la vie et qu'on va se sentir mieux dans sa peau, plus calme et plus lucide. Or, rien n'est plus loin de la vérité ! Tenez, ce matin, pendant que je buvais mon café, je me suis soudain souvenue de deux contes de fées et, si je vous en parle, c'est parce que je crois que ce n'est jamais par hasard que quelque chose vous trotte dans la tête. Il y a toujours une raison. En l'occurrence, les contes sont une forme d'expression qui véhicule certaines grandes vérités concernant la nature humaine, et c'est ce qui fait qu'ils existent depuis si longtemps.

La première histoire qui m'est venue à l'esprit était celle de la princesse et du petit pois. Il y a bien longtemps, on avait coutume de mettre les princesses à l'épreuve pour prouver leur authenticité. On faisait coucher la jeune fille sur une énorme pile de matelas — trente matelas entassés l'un sur l'autre — et, si c'était une vraie princesse, elle se devait d'être incommodée par le petit pois qu'on avait glissé sous le premier matelas, tout en-dessous de la pile. Je crois qu'on peut transposer cela au plan spirituel en disant que la pratique nous rend semblable à ces princesses délicates, en faisant de nous des êtres beaucoup plus sensibles qu'avant. Elle nous fait apercevoir des aspects de nous-mêmes et des autres auxquels nous étions auparavant totalement aveugles. Notre sensibilité s'aiguise, quelquefois à l'excès, comme chez les pur-sang trop nerveux qui s'emballent pour un rien.

Le deuxième conte auquel j'ai repensé ce matin était l'histoire de la boîte de Pandore. Souvenez-vous : quelqu'un, qui était dévoré de curiosité à l'idée de ce que pouvait bien contenir cette mystérieuse cassette, ne put résister à l'envie de l'ouvrir. Aussitôt, toutes les forces maléfiques qu'elle contenait s'en échappèrent, semant un terrible chaos dans leur sillage. Eh bien, il arrive que la pratique nous fasse le même effet, comme si elle nous faisait exploser la boîte de Pandore en pleine figure.

Je crois que tout être humain ressent un sentiment d'isolement et de séparation par rapport au reste du monde, comme s'il était entouré d'un mur. Chacun est enfermé dans sa petite tour d'ivoire. Le mur peut être plus ou moins tangible ou évident, selon les cas, mais il n'en existe pas moins. Et il restera là tant qu'on se sentira en décalage par rapport à la vie — séparé. Je suis sûre que, pour un être complètement éveillé, tous les murs sont tombés, mais je dois dire que je n'ai encore rencontré personne qui m'ait donné le sentiment d'y être parvenu totalement. Cela dit, plus on pratique et plus le mur se fait mince et transparent.

Ce mur nous rend insensibles à ce qui se passe en nous et autour de nous : par exemple, on ne se rend même pas compte des idées noires ou des angoisses qui nous tournent dans la tête. On n'est que le jouet inconscient de ses pensées et de ses émotions. Cependant, sous l'effet de la pratique, le mur se lézarde et des brèches apparaissent, comme certains d'entre vous sont bien placés pour le savoir. Disons qu'avant de pratiquer, tout se passe comme si on couvrait une arrivée d'eau avec des planches. Une fois que la pratique a aiguisé notre conscience et notre sensibilité, c'est comme s'il y avait une voie d'eau dans le bois. Il est sûr qu'on ne peut pas rester assis sans bouger sur son coussin, ne serait-ce qu'une demi-heure, sans apprendre quelque chose. Et si cette demi-heure se répète quotidiennement, jour après jour, on en apprend de plus en plus. On n'arrête plus d'apprendre, qu'on le veuille ou non.

Il peut même arriver qu'un morceau de planche se détache et alors, l'eau a vite fait de se précipiter dans la brèche. Evidemment, si nous nous sommes abrités derrière une palissade, c'est parce que nous préférions ignorer certaines zones de nous-mêmes. Et quand soudain il y a une brèche et que de l'eau s'y engouffre, c'est un peu comme si la boîte de Pandore s'ouvrait. L'idéal, du point de vue de la pratique, serait de ne pas laisser la boîte s'ouvrir trop brutalement, tout d'un coup. Mais, dans la mesure où l'on ne maîtrise pas bien le rythme de ses bouleversements intérieurs, il est toujours possible d'être pris au dépourvu : d'où certaines surprises désagréables, voire des dégâts. Imaginez que, tout à coup, le couvercle de la boîte vole en éclats et expose au grand jour tout ce que vous aviez toujours essayé de vous dissimuler. Il faut bien reconnaître que cela ne risque guère de contribuer à votre bien-être ! Vous vous sentirez même sûrement bien plus mal dans votre peau qu'avant.

Métaphoriquement, la boîte de Pandore contient tout un réservoir de sentiments et de pensées à forte charge émotionnelle : toute la gamme des émotions que nous engendrons en poursuivant des buts essentiellement égocentriques. Même en pratiquant correctement, vous aurez parfois l'impression que la boîte est sur le point d'exploser. Cela n'arrive pas forcément à tout le monde, mais c'est en tout cas vrai pour certains qui se sentiront tout à coup balayés par un ouragan d'émotions d'une violence folle. Malheureusement, la plupart des gens n'ont plus du tout envie de persister à faire zazen quand ils se retrouvent dans cet état-là ; ce qui est bien dommage, car c'est en persévérant malgré tout — qu'on en ait envie ou pas — qu'on arrive à résoudre une telle crise dans les meilleures conditions. Je dois dire que, pour ma part, ce processus s'est fait presque insensiblement ; probablement grâce à la pratique très intensive de zazen que j'ai poursuivie à ce moment-là, seule et en sesshin.

Au fur et à mesure que ce centre zen évolue, je vois se transformer la vie de la plupart de ceux qui le fréquentent régulièrement. Ce n'est pas pour autant qu'ils échappent à l'ouverture de la boîte de Pandore car c'est un phénomène incontournable : les grands changements sont toujours enfantés dans la douleur. Certains traversent alors une période d'épreuves particulièrement pénibles. La boîte à malice déborde et révèle toutes sortes de choses désagréables : comme, par exemple, quand on voit soudain remonter à la surface la colère qui nous habitait depuis toujours à notre insu! Surtout, abstenez-vous de la laisser retomber sur les autres! En tout cas, nos belles illusions volent en éclat : tout n'est pas toujours rose quand on pratique et qu'on se rend compte que tout n'est pas qu'amour et paix en soi. Tout cela est parfaitement normal, au demeurant : il faut bien que la boîte à malice s'ouvre un jour. Ce n'est ni bien ni mal en soi, c'est comme ça, tout simplement. Une nécessité. C'est une étape indispensable pour qui veut vraiment aller au fond des choses et repartir sur des bases saines. En fait, ces épreuves sont très bien comme elles sont ; il n'y a rien à jeter, tout est utile, si l'on sait s'en servir à bon escient. L'essentiel est de savoir continuer à pratiquer dans les moments de crise.

Certes, la pratique spirituelle n'est pas chose facile, mais c'est la seule force *capable* de réellement transformer notre vie. En revanche, ce serait un leurre de s'imaginer que ces changements se feront sans qu'on y mette le prix. C'est pourquoi il vaut mieux ne pas s'engager à la légère : ne pratiquez que si vous êtes absolument convaincus qu'il n'y a rien d'autre de valable pour vous. Essayez peut-être d'abord de vous investir un peu plus dans vos activités actuelles, que vous soyez passionné de surf, de physique ou de musique. Et si vous sentez que cela vous satisfait, eh bien, restez-en là. Ne vous lancez dans la pratique spirituelle que si elle vous semble une véritable nécessité intérieure, une « ardente obligation ». Car il faut une sacrée dose de vrai courage pour arriver à une pratique authentique : vous devez être prêt à assumer tous les terribles secrets qui vont jaillir de la boîte, révélant au grand jour certains aspects de vous-même que vous auriez préféré continuer à ignorer tranquillement.

Vouloir pratiquer le zen, c'est d'abord aspirer à une certaine forme de vie. Exprimé en termes traditionnels, cela signifie une vie dans laquelle nos vœux[1] — nos engagements spirituels — prennent le pas sur nos préférences personnelles. Au lieu de vivre uniquement pour nous-même, nous nous engageons à vivre dans une perspective beaucoup plus universelle qui privilégie le bien-être des autres plutôt que le sien propre. Cependant, si vous en êtes actuellement à un stade de votre vie dans lequel seuls vous importent *vos propres* sentiments et *vos propres* envies, la pratique sera bien trop dure pour vous. Ce qui n'est ni bien, ni mal en soi : c'est un stade de votre évolution, et mieux vaut le reconnaître et attendre un petit peu avant de vous engager dans le zen. Du point de vue de celle qui enseigne, je dois dire que, si je peux, certes, encourager les gens et soutenir leur effort de pratique, je ne peux cependant pas créer artificiellement en eux la résolution initiale, la force de motivation sans laquelle ils ne pourront rien faire de vraiment valable et durable.

Alors, si la boîte s'ouvre, qu'allez-vous faire? Comme certains d'entre vous en sont à ce stade plutôt inconfortable de la pratique, j'aimerais vous signaler quelques repères importants : d'abord, il est parfaitement normal de passer par une telle phase, une fois

1. Vœux : voir le glossaire explicatif, à la rubrique *Vœu du bodhisattva (N.d.T).*

qu'on s'est engagé dans la voie spirituelle ; c'est même une nécessité. Ensuite, ça ne va pas durer éternellement, rassurez-vous. Et enfin, c'est plus que jamais le moment de pratiquer intensivement — en particulier en sesshin — afin de mieux comprendre votre pratique et d'acquérir plus de patience. Quand vous aurez fait zazen depuis une vingtaine ou une trentaine d'années, votre participation à des sesshin aura peut-être une importance moins cruciale que pour des pratiquants moins expérimentés. Ce qui n'empêche qu'elle peut être capitale à certaines époques de votre vie, et qu'à ce moment-là, il faut savoir s'y donner autant que possible, compte tenu de ses obligations familiales et professionnelles. Ce qui suppose aussi que vous ayez ensuite la force morale de continuer à pratiquer intensivement dans la durée, et pas seulement de manière ponctuelle, le temps d'une sesshin. Je tiens cependant à insister sur un point : surtout, ne vous culpabilisez pas si vous n'avez pas encore envie de vous lancer dans une pratique aussi intensive que ce que je viens de décrire ; il n'y a pas de « *mal* » à ça. Peut-être avez-vous besoin de vous frotter encore un peu à la vie et au hasard des circonstances, et d'en glaner les leçons, avant de vous sentir prêt à vous engager à fond dans la pratique spirituelle.

Si nous avons tant de mal à supporter l'ouverture de la fameuse boîte de Pandore, c'est parce que, tout à coup, elle nous lance en pleine figure un sentiment qui se dissimulait en nous sans que nous en ayons conscience : une énorme colère envers la vie. Et il faut bien que ce volcan-là entre en éruption, un jour ou l'autre. Cette rage est l'expression de l'ego, furieux de voir que la vie ne va pas comme il le voudrait : « Cette vie-là ne me convient pas ! Elle ne m'apporte pas ce que j'en attends. Elle ne pourrait pas me sourire un peu plus, non ? » C'est le dépit qu'on éprouve quand la vie, les gens ou les circonstances, ne répondent pas à nos attentes.

Vous êtes peut-être en plein dedans, en ce moment : la boîte est en train de vous sauter à la figure.

Alors, j'aimerais que vous partagiez votre expérience avec le groupe, en expliquant ce qui, dans votre pratique, vous aide le plus pour faire face à ces moments difficiles. En effet, un *pratiquant de base*, qui en est justement à ce stade-là, aura vraisemblablement plus de *tuyaux* utiles à communiquer aux autres que moi, dans la mesure où je me souviens assez mal de cette période-là de ma vie. Certes, je mesure bien la difficulté du combat qui se livre à ce moment-là, mais le souvenir concret de ces batailles s'estompe de plus en plus. Et c'est justement ce qui fait l'intérêt du *sangha*[1] : s'agissant d'un groupe de personnes qui ont les mêmes références et les mêmes objectifs de pratique, elles n'ont pas à se cacher leurs difficultés et leurs épreuves. Elles peuvent au contraire s'aider mutuellement en partageant leurs expériences car, il n'y a rien de plus pénible que de s'imaginer qu'on est *le seul ou la seule* à rencontrer tel ou tel problème. Qu'on est un cas isolé et seul à souffrir, pendant que tout se passe bien pour les autres — ce qui n'est évidemment pas le cas, bien entendu.

1. SANGHA : terme sanscrit qui signifie *la communauté, le groupe*. Consulter le glossaire pour une explication plus complète (N.d.T.).

« Ne vous mettez pas en colère! »

Lorsque je donne un enseignement, j'essaie de parler de la réalité de la vie — la mienne, la vôtre — plutôt que des illusions que nous entretenons à cet égard. Mais c'est un sujet très difficile à exprimer avec des mots, et d'ailleurs, je ne suis jamais satisfaite de mes conférences sur le *dharma*[1], car je trouve qu'on n'arrive jamais à dire exactement la vérité. Je crains toujours d'exagérer dans un sens ou dans un autre, ou d'utiliser des termes qui risquent d'être mal interprétés et de semer une certaine confusion chez ceux qui m'écoutent. Mais après tout, cela fait partie de notre apprentissage spirituel. Peut-être qu'une causerie sur le dharma n'est pas seulement l'occasion de comprendre quelque chose, intellectuellement, mais aussi d'éprouver un choc, de se sentir légèrement déstabilisé : c'est même tout à fait ce qu'il nous faut, parfois. Je vais prendre un exemple. Imaginez que je vous dise que, finalement, chacun fait de son mieux, là où il se trouve ; que, partout dans le monde, les gens font ce qu'ils peuvent. Eh bien, il y en a peut-être parmi vous que le mot *mieux* risque de caresser à rebrousse poils. Même problème si je dis : « Toute chose est déjà parfaite, telle qu'elle est. » Eh, dites donc, m'objecterez-vous : c'est très joli, votre histoire de *perfection* et de

1. DHARMA : terme sanscrit qui sert à désigner les enseignements du Bouddah, la voie bouddhique. Consulter le glossaire pour plus ample explication (N.d.T.).

faire de son mieux, mais est-ce que, par hasard, vous chercheriez à dire que les gens qui font des horreurs font quand même de leur mieux ? Et voilà comment le simple fait d'avoir choisi tel ou tel mot plutôt qu'un autre a suffi à tout embrouiller ! Et c'est comme ça tout le temps, qu'on discute de sujets quotidiens ou spirituels.

Si notre vie est si confuse et embrouillée, c'est parce que nous mélangeons deux choses : la réalité, d'une part, et l'idée que nous nous en faisons, de l'autre (les concepts sont certes nécessaires, mais à leur place). Or, un enseignement du dharma a déjà plutôt tendance à bouleverser nos idées reçues et nos conceptions habituelles. Et si vous ajoutez à cela des mots qui risquent de hérisser certains, alors tout le monde risque de nager dans la confusion la plus totale — ce qui est très bien, finalement ! Une bonne remise en question est un excellent prélude au réveil... Eh bien, aujourd'hui, je me propose d'épaissir encore un peu plus la confusion qui règne déjà : je commencerai par vous raconter une petite histoire, ensuite je vous entraînerai sur plusieurs chemins de traverse, et enfin nous verrons à quoi tout cela nous aura menés.

Vous avez peut-être remarqué qu'ici, dans ce centre, il est rare que nous évoquions les *préceptes** ou *l'octuple sentier**, pour la bonne et simple raison que les gens ont généralement tendance à mal interpréter ces termes. Ils envisagent les préceptes comme des interdictions formelles, alors qu'il ne s'agit pas du tout de cela. Cependant, le sujet dont je voudrais vous parler aujourd'hui se présente sous la forme d'un précepte : « Ne vous mettez pas en colère. » Ne craignez rien, je n'ai pas l'intention de manier l'injonction tout au long de cette causerie, je tenais simplement à vous en signaler le sujet !

Imaginez que vous soyez allé vous promener en barque sur un lac, un jour de brume. Vous êtes là, en train de ramer bien tranquillement quand, tout à coup, une autre barque surgit de la brume. Elle arrive droit sur vous. Et *crac* ! C'est la collision ! Vous êtes furieux : qu'est-ce que c'est que ce crétin ! Moi qui venais juste de repeindre mon bateau, et il faut justement que cet imbécile vienne se jeter dedans ! Quand, soudain, vous vous apercevez que la barque est vide : il n'y a personne dedans. Qu'advient-il alors de votre colère ? Eh bien, elle retombe, tout simplement. Bon, vous dites-vous, me voilà quitte pour repeindre mon bateau, c'est tout. Mais imaginez-vous un peu qu'il y ait eu quelqu'un dans l'autre barque, qu'auriez-vous fait ? Vous voyez déjà le tableau d'ici... En réalité, cette petite histoire illustre bien la nature de notre rapport au monde : la vie est une suite de rencontres avec des gens et des événements, et à chaque fois, c'est un peu comme si une barque vide nous rentrait dedans. Sauf que nous ne le voyons pas sous cet angle ; nous avons l'impression qu'il y a vraiment des gens dans la barque et qu'ils nous agressent. Mais, qu'est-ce qu'elle raconte là, vous dites-vous peut-être, avec ses histoires de vie qui serait comme une collision avec des barques vides ?

Eh bien, je ne vais pas répondre tout de suite et je vais vous laisser sur votre faim pendant quelques instants, le temps de faire une digression. Les gens me demandent souvent : « Mais qu'est-ce que ça va m'apporter de pratiquer le zen ? Qu'est-ce que cela peut bien changer à ma vie ? » A vrai dire, c'est un sacré boulot que de pratiquer le zen ! C'est difficile et contraignant, puisqu'il paraît qu'on doit faire zazen tous les jours. Alors, que peut-on espérer y trouver, en contrepartie ? On s'imagine souvent qu'on va faire des tas de progrès et devenir quelqu'un de bien mieux, grâce au zazen ; que, par exemple, on sera capable d'être moins soupe au lait et plus gentil, vis-à-vis des autres. A vrai dire, on se fait des illusions, car ce n'est pas tout à fait aussi simple, comme vont vous le montrer les anecdotes suivantes.

D'abord, il faut que je vous raconte la saga de la cuvette à vaisselle... Cela se passe chez moi, où j'habite avec ma fille, Elizabeth. Il se trouve que je passe maintenant le plus clair de mon temps à la maison, depuis que je suis retraitée. Eh bien, lorsque j'ai fini de faire la vaisselle et de rincer l'évier, j'ai pour habitude d'y mettre la fameuse cuvette à vaisselle, en attente de la tasse à thé ou à café que je pourrai y déposer plus tard, plutôt que de la laisser traîner dans un coin de la cuisine avant de la laver. Voilà, c'est comme ça que j'aime mettre ma cuvette à vaisselle, et c'est forcément la meilleure méthode, n'est-ce pas, puisque c'est la mienne. Sauf que, lorsque c'est Elizabeth qui fait la vaisselle, elle a une technique différente : une fois qu'elle a rincé la cuvette, elle la retourne à l'envers pour la laisser égoutter. A midi, je suis seule et j'ai toute la maison à moi, mais je sais qu'Elizabeth rentre à cinq heures. Et c'est alors que je me dis : « Eh bien, tu es une femme ou une souris ? Et cette cuvette à vaisselle, comment tu vas la mettre ? A ta façon, ou comme Elizabeth préfère ? » Et qu'est-ce que je fais, au bout du compte ? En général, quand vient le moment de déposer la fameuse cuvette, je n'y pense déjà plus et je la mets n'importe comment, selon l'inspiration du moment...

Tenez, encore une anecdote à propos d'Elizabeth. C'est une fille formidable et nous vivons ensemble, bien qu'étant complètement aux antipodes l'une de l'autre. Moi, j'adore faire le vide dans les placards et jeter tout ce qui ne sert plus à rien. Alors qu'Elizabeth a toutes ses affaires en double ou en triple exemplaire, et qu'elle ne veut pas entendre parler de jeter quoi que ce soit. Le résultat, c'est que nous ne trouvons jamais rien dans nos affaires, ni l'une ni l'autre : moi, parce que j'ai sans doute déjà jeté ce que je cherchais, et Elizabeth, parce qu'elle a tellement de choses qu'elle ne s'y retrouve plus du tout !

Enfin, laissez-moi vous raconter une dernière anecdote, avant d'en arriver là où je voulais vous amener depuis le début. Il s'agit de ce qui se passe quand nous décidons d'aller au cinéma ensemble, Elizabeth et moi.

Elle commence par me dire que j'ai des goûts impossibles en matière de films ; à quoi je lui rétorque : « Ma parole, tu as sans doute déjà oublié ce navet que nous avons dû ingurgiter, l'autre fois, parce que *toi*, tu avais envie d'aller le voir. Tu ne t'en souviens pas, non ? » Et c'est toujours la même chanson ; on discute, on ergote à l'infini... pour finir par aller voir n'importe quoi — le premier film venu.

Pourquoi vous ai-je donc raconté toutes ces petites anecdotes domestiques ? Pour vous montrer que la pratique ne nous empêche pas de garder nos petites manies. En réalité, peu m'importe la cuvette à vaisselle et, ni ma fille ni moi n'attachons une telle importance à tel ou tel film. Et pourtant, cela ne nous empêche pas, à chaque fois, de discuter à perte de vue pour des vétilles, des petits détails sans importance. Parce que toutes ces palabres, ces discussions et ces empoignades affectueuses sont le *sel* de la vie : c'est une forme d'échange qui met un peu de piquant dans la monotonie du quotidien. Vous voyez ? C'est un vécu brut, et c'est justement ce qui fait son charme : il est parfait tel quel, sans rien y changer. Le plus extraordinaire, avec la vie, c'est de pouvoir la vivre telle qu'elle se présente à nous.

Maintenant, vous pourrez m'objecter que c'est bien joli, tout cela, mais que ce n'est valable que pour des points de détail comme ceux que je viens d'évoquer, et pas pour des choses importantes, comme la peine ou l'angoisse, par exemple. Or, je considère justement qu'on peut adopter la même attitude. Supposez que vous perdiez un être cher, par exemple, vous aurez toujours l'extraordinaire ressource que vous offrira la vie : celle de vivre à fond votre peine, d'être complètement en accord avec ce que vous ressentez à ce moment-là. De vivre ce sentiment à votre façon, comme *vous* le sentez, vous, et pas votre voisin. La pratique spirituelle n'est pas autre chose que cela : savoir assumer, accepter de vivre chaque événement de la vie tel qu'il se présente à vous. Cela dit, le terme *accepter* n'est même pas tout à fait exact. En réalité, la vie est la plupart du temps plutôt comique, voire dérisoire — à témoin mes petites anecdotes de tout à l'heure. Seulement, nous ne sommes pas toujours capables de voir le côté amusant des choses et, souvent, nous préférerions que l'autre — ou la situation — soient différents de ce qu'ils sont : un peu plus comme ci, un peu moins comme ça, en tout cas, qu'ils correspondent mieux à ce qu'on en attend. Il faut bien reconnaître que la vie n'a pas l'air très drôle lorsqu'on traverse de grandes crises, et je ne cherche pas à dire qu'il faut en rire. N'empêche que, même dans ces moments-là, la vie n'est jamais que ce qu'elle est. Telle quelle. Ce qui, en soi, est déjà parfait.

Je voudrais évoquer encore un point, avant d'en arriver à nos conclusions. Mûrir, en matière de pratique spirituelle, c'est savoir assumer sa vie, telle qu'elle se présente à vous. Cela ne signifie pas que vous allez perdre vos petites manies ou que vous cesserez d'avoir la moindre préférence personnelle — ne vous en faites pas, ce ne sera pas le cas ! Mais de toute façon, l'essentiel est ailleurs, puisqu'il s'agit d'*assumer*.

> Le but même de la pratique spirituelle est de faire reculer ce que j'appellerai notre seuil de tolérance, de façon à pouvoir assumer la vie de mieux en mieux. Au départ, on a souvent un seuil de tolérance très faible : il n'y a pas tellement de choses qu'on soit prêt à assumer. Et puis, au fur et à mesure que l'on progresse spirituellement, ce seuil de tolérance recule de plus en plus — on est capable d'assumer de plus en plus de choses —, sans pourtant disparaître complètement. Tant que nous vivrons, il y aura toujours un point-limite à partir duquel nous décrocherons de la réalité, faute de pouvoir faire face, assumer.

Au fur et à mesure que notre pratique s'affine, nous

prenons conscience de notre incapacité à faire face à la vie et de l'incroyable cruauté de certains de nos actes puisqu'il y a tant et tant de choses que nous refusons d'assumer. C'est très douloureux, quand on pratique depuis un certain temps déjà, de prendre conscience de toutes ses faiblesses et de ses innombrables manquements : on découvre des aspects de la vie qu'on s'était toujours appliqué à négliger, d'autres auxquels, au contraire, on se raccroche comme un fou au lieu de les laisser couler au fil du temps. On voit tout ce qu'on déteste, tout ce qu'on ne peut pas supporter, et c'est très pénible. Ce qu'on ne remarque pas toujours, cependant, c'est que parallèlement, sous l'effet de la pratique, il y a aussi quelques belles plantes qui se sont mises à pousser dans le jardin secret de notre être : un certain sentiment de *compassion* par rapport aux gens et aux choses — du simple fait d'apprécier que la vie est ce qu'elle est, que les gens sont ce qu'il sont. Elizabeth est ce qu'elle est, et c'est ce qui fait tout son charme. Il ne s'agit pas de la vouloir autre, différente, mais de reconnaître qu'elle est très bien comme ça, et de l'apprécier en tant que telle. Même chose pour moi, pour vous, pour nous tous. Et petit à petit, vous verrez grandir en vous cet espace de tolérance, cette zone d'acceptation. Cependant, vous vous heurterez chaque fois à une limite : le seuil de tolérance au-delà duquel vous ne pouvez plus accepter la vie — les gens, les choses, les événements comme étant très bien comme ils sont. Ce point, à partir duquel vous devenez aveugle à la perfection des choses, vous indique les limites actuelles de votre maturité spirituelle. Et tout au long de votre vie, la pratique fera reculer ces limites mais il en restera toujours, même ténues. Voilà pourquoi nous faisons zazen : nous apprenons à voir défiler nos pensées et nos sentiments. A les laisser aller, venir et disparaître sans s'y accrocher. Mais allez donc vous en souvenir à l'instant précis où vous vous sentez propulsé au-delà de votre seuil de tolérance! Ce n'est pas si simple...

Les petites histoires, les petites manies qui tissent la trame du quotidien ne me gênent pas tellement. En fait, *j'aime bien ça*, je trouve cela drôle. Comme ces sempiternelles chamailleries avec ma fille : « Comment, Maman, après toutes ces années, tu ne mets toujours pas ta ceinture de sécurité ! » « Non, je n'y arrive pas. » En fait, ce sont toutes ces petites choses qui font le charme de la vie avec les autres, qui lui donnent du piquant et des couleurs. Et le seuil de tolérance dans tout cela, me direz-vous ? Eh bien, évidemment, il rentre en ligne de compte : pratiquer, c'est justement être conscient de cette limite à notre ouverture aux autres et à la vie, c'est vouloir l'atténuer graduellement, tout en sachant bien qu'il y a aussi une partie de nous qui aimerait mieux ne rien faire dans ce sens. Nous n'avons pas la prétention de devenir de grands saints mais des êtres humains dignes de ce nom, sans pour autant cesser d'être des personnes bien concrètes et bien réelles : chacun avec les petits travers et les manies qui le caractérisent, mais prêt à tolérer la même chose chez les autres. Et quand on s'aperçoit qu'on ne supporte plus ceci ou cela, c'est le signal : on a atteint son seuil de tolérance et c'est le moment de redoubler d'efforts dans sa pratique. Je suis bien placée pour en parler, croyez-moi ; je viens de passer un cap comme celui-là, la semaine dernière, et ça n'a pas été facile ! Et pourtant, je m'en suis sortie en faisant zazen et ça ira jusqu'au prochain cap — qui ne saurait tarder. Ce sera la prochaine étape de ma pratique.

Plus on s'ouvre à la vie, telle qu'elle est, et moins on peut l'esquiver. Il est sûr que la fuite est souvent tentante et nous essayons tous de trouver des faux-fuyants le plus longtemps possible. Cependant, on ne peut pas fuir la réalité indéfiniment et il arrive toujours un moment où l'on est bien obligé de faire face. Sachez que, plus vous aurez de pratique derrière vous, et plus vous aurez du mal à *esquiver* la réalité. Ce que je tenais à vous dire, c'est que finalement, c'est très simple, la pratique : ça n'a rien d'exotique ou d'acrobatique. Il s'agit simplement d'*apprécier* : apprécier votre vie et votre pratique, et apprécier les autres — tout en restant conscient de votre seuil de tolérance. Tout le monde en a un, et cela ne servirait à rien de le nier : en refusant de le voir, vous ne feriez que figer votre évolution et tarir les richesses d'une vie toujours changeante. Mais ne nous faisons pas trop d'illusions : même quand on le sait, on n'est pas toujours capable de s'en empêcher...

***Question :** D'après ce que j'ai lu sur le zen, j'en ai retiré l'impression qu'on devenait un simple spectateur de la vie.*

Joko : Non, pas du tout. On n'est pas du tout spectateur. Le zen est un *agir* par excellence.

***Question :** J'ai l'impression qu'il y a un rapport entre cet agir et le seuil de tolérance. Une fois atteint ce seuil, il semblerait que nos actes ne soient pas aussi éclairés qu'ils auraient pu l'être...*

Joko : Revenons un peu à notre histoire de barque. Quand on s'occupe d'enfants, il est facile de voir que, même s'ils vous donnent un grand coup de pied dans les tibias, leurs actes s'apparentent à l'exemple de la collision avec une barque vide. Vous êtes d'accord là-dessus ? Alors, on se contente d'encaisser. « Tous les êtres qui peuplent le monde sont mes enfants » ; je crois que c'est le Bouddha qui a dit cela. La pratique sert à faire constamment reculer le seuil de tolérance jusqu'à ce que nous sachions traiter tous les autres comme s'ils étaient nos propres enfants. Je pense que c'est dans ce sens-là que peut s'interpréter votre remarque.

***Question :** Poussons l'exemple un peu plus loin et imagi-*

nons que l'enfant dont nous venons de parler ne s'apprête pas à vous décocher un coup de pied mais à mettre le feu à la maison.

Joko : Eh bien, vous l'en empêchez, évidemment ! En lui confisquant les allumettes, par exemple. Cela dit, ce n'est pas par hasard que ce gosse a fait cela : il devait y avoir une raison. Alors, essayez de l'aider à tirer la leçon de sa bêtise.

Question : *Mais on l'empêche quand même d'agir ; alors est-ce que ça ne revient pas au même que de prendre cela pour une attaque personnelle ?*

Joko : A vrai dire, si nous voulons être sincère, avouons que nous avons de toute façon *plutôt* tendance à prendre les actes de nos enfants pour des attaques personnelles. C'est vrai, non ? Malgré tout, il suffit de réfléchir une seconde pour reprendre ses esprits et réagir dans un sens favorable au bien de l'enfant. N'importe quel parent en est capable, pourvu qu'il sache ne pas se sentir menacé dans son ego par la conduite de son enfant, car alors là, la barque ne serait plus vide. Cela arrive à tout le monde, de temps en temps. Nous autres, parents, nous avons trop souvent tendance à vouloir que nos enfants soient parfaits, à en faire des modèles qui nous placent, nous, au-dessus de toute critique. Mais n'oublions pas que ce ne sont que des enfants et qu'ils ne sont pas plus parfaits que nous.

Question : *Je voulais vous poser une question sur l'injonction que vous avez mentionnée tout à l'heure : « Ne vous mettez pas en colère. » Vous nous avez dit que quand on sentait la colère monter, il fallait la laisser venir, l'expérimenter et la laisser repartir. Mais comment peut-on laisser retomber sa colère si l'on a déjà de vieux réflexes de colère, acquis depuis longtemps ?*

Joko : Vous y arriverez justement en expérimentant votre colère, physiquement, plutôt qu'en la déversant sur l'autre, verbalement. Certes, vous n'êtes pas en mesure d'obliger la colère à vous quitter, mais vous n'êtes pas non plus forcé de la faire retomber sur les autres.

Question : *Je voudrais revenir à l'exemple de la barque. Si on la voyait nous foncer dessus avec quelqu'un à bord, on réagirait sans doute en lui criant de faire attention et de s'arrêter, pour ne pas nous rentrer dedans. S'il n'y avait personne dans le bateau, je suppose qu'on se contenterait de prendre sa rame pour le repousser et l'empêcher de nous rentrer dedans.*

Joko : Oui, c'est ça. On ferait ce qui s'impose à ce moment-là.

Question : *Je n'en suis pas si sûr que ça, parce que, souvent, on crie de toute façon, que le bateau soit plein ou non ! On injurie l'univers entier ou n'importe quoi, mais on a besoin de s'en prendre à quelqu'un ou à quelque chose.*

Joko : Eh oui, c'est un peu comme mon histoire de cuvette à vaisselle. Cela dit, on peut pousser un bon petit coup de gueule, dans le feu de l'action ; ce qui ne veut pas dire pour autant qu'on doive continuer à jurer et à pester pendant les quinze kilomètres suivants.

Question : *Mais, même s'il n'y a personne dans la barque, nous arrivons quand même à nous imaginer que l'univers entier doit nous en vouloir. On finit par mettre un passager fictif dans la barque vide.*

Joko : En effet, c'est tout à fait ça. Et pourtant, en réalité, la barque est *toujours* vide. Et seule la pratique peut vous le faire comprendre. Pas parce que vous vous direz : « Il ne faut pas que je me mette en colère », mais simplement parce que quelque chose aura changé en vous : vous n'aurez plus besoin de laisser éclater votre colère sur l'autre. On ne sait peut-être pas pourquoi, mais on ne réagit plus pareil.

***Question :** Quand on sent que la moutarde vous monte au nez, est-ce le signe qu'on a atteint son seuil de tolérance?*

Joko : Oui, et c'est pour cela que cette causerie s'intitule « *Ne vous mettez pas en colère.* » Cependant, soulignons encore une fois qu'il ne s'agit pas d'une interdiction de se mettre en colère — ce qui n'aurait aucun sens de toute façon. Au lieu de chercher à réprimer sa colère, on apprend à l'assumer à travers sa pratique.

***Question :** Bon, eh bien, je suppose que cela veut dire que j'ai encore du pain sur la planche! Qu'il y ait un problème ou une catastrophe, ma première réaction est toujours de me dire : « Et pourtant, je ne méritais pas ça — ou bien, mon ami ne méritait pas ça. Comment est-ce qu'un truc pareil peut bien nous arriver? » Ça me paraît tellement injuste que j'éprouve toujours le besoin de râler contre le sort.*

Joko : Bon, c'est vrai que vous touchez là à un point difficile. C'est dur, c'est même très dur. Raison de plus pour pratiquer d'arrache-pied!

***Question :** J'avoue que je n'y comprend pas grand-chose lorsque j'entends parler* d'éveil soudain. *S'il s'agit d'une expérience instantanée, ponctuelle, comment se fait-il qu'il existe un* état d'éveil?

Joko : Attention, je n'ai jamais dit qu'il *existait* un état d'éveil ! Mais, pour revenir à votre question, une expérience de l'éveil signifie que, tout à coup, pendant un instant, on voit la réalité telle qu'elle est, indépendamment de toutes les idées qu'on a pu s'en faire. Pendant un court instant, on est en prise directe sur l'universel. L'ennui, c'est que la plupart du temps, les gens s'accrochent à ces instants de perfection : c'était tellement merveilleux qu'il s'en font un monument bien solide auquel ils s'agrippent si fort que cela devient un terrible obstacle à leur pratique. Car nous ne sommes pas là pour nous complaire dans des expériences, si agréables soient-elles, mais pour apprendre à vivre — vraiment, pleinement. Et si vos expériences ont quelque chose à vous apporter, cela se fera en vous, automatiquement, sans que vous ayez à vous en mêler. Mieux vaut travailler sur nos blocages actuels, car, pour la plupart, nous vivons constamment avec l'impression que les barques qui nous accostent sont pleines de gens. Il est très rare qu'on se rende compte qu'elles sont vides. Voilà pourquoi il est important de baser notre pratique sur ce que nous sommes en ce moment, sur nos capacités actuelles : *là* où se trouve actuellement notre seuil de tolérance. Souvenez-vous de ces deux poèmes que je vous ai cités un jour, et qui faisaient partie des vers soumis au Cinquième Patriarche par les candidats à sa succession. Le premier poème comparait la pratique du zen à l'époussetage d'un miroir qu'on essuierait régulièrement pour qu'il reste toujours propre et brillant, tandis que l'autre déclarait qu'il n'y avait jamais eu le moindre miroir, dès le départ, et donc rien à épousseter. Etant donné que le deuxième poème fut reconnu comme étant l'interprétation la plus exacte de la démarche spirituelle — qui valut du reste à son auteur de devenir le Sixième Patriarche — on est souvent tenté d'en déduire que la première définition était bonne à jeter aux oubliettes. Or, rien n'est plus faux ! Et c'est là que réside le grand paradoxe d'une pratique qui consiste, justement, à nettoyer le miroir et à le faire reluire jusqu'à ce qu'on se rende compte qu'en vérité, il n'y avait rien à faire, dès le départ, puisqu'on découvre alors la perfection intrinsèque de toute chose, telle qu'elle est en elle-même. Mais l'étape du nettoyage et du polissage n'en demeure pas moins indispensable, et, seule une pratique diligente et rigoureuse nous permettra de retrouver l'état de perfection de la réalité, telle qu'elle était déjà dès le départ, mais telle qu'on était incapable de la voir.

Question : *Alors, est-ce que ça veut dire que c'est une bonne chose que de se sentir en colère ?*

Joko : Si vous en tirez les leçons qui conviennent, oui. Mais, entendons-nous bien : je n'ai pas dit un seul instant qu'il s'agissait de laisser éclater sa colère sur les autres, ce qui est tout à fait autre chose. Cela nous arrive parfois mais ce n'est guère productif. Ce n'est pas dans le bruit et dans la fureur qu'on expérimente vraiment sa colère, mais dans le calme le plus total.

Question : *Je suppose que la confusion vient du fait que, tantôt vous dites : « Ne vous mettez pas en colère », et tantôt vous paraissez dire : « Soyez en colère ! »*

Joko : Attention, mettons bien les choses au point ! Ce que je dis, c'est que si vous êtes en colère, eh bien, expérimentez cette colère qui vous habite, puisqu'elle est la réalité de ce que vous êtes à ce moment-là. C'est bien mieux que de faire semblant d'ignorer la colère qui est en soi et d'essayer de la réprimer en se répétant qu'on ne doit pas se mettre en colère ; car, si vous faites cela, vous n'aurez jamais l'occasion d'appréhender la réalité brute de la colère. Alors qu'en assumant sa colère et en l'expérimentant directement, on en ressent en même temps la vacuité, et on touche à l'autre versant de la colère, qui est la compassion.

Une fausse peur

Les êtres humains sont doués d'une faculté de pensée qui les distingue des autres créatures : nous ne fonctionnons pas de la même manière qu'un chat ou un chien, qu'un cheval ou même un dauphin. Mais la pensée est un redoutable privilège qui complique singulièrement la vie de ceux qui ne maîtrisent pas ce pouvoir à double tranchant — ce qui est le cas de la plupart d'entre nous. C'est ainsi, par exemple, que, faute de savoir faire bon usage de notre mental, nous avons tendance à nous créer de faux problèmes, et en particulier une fausse peur dont je voudrais vous parler maintenant.

Je parle de *fausse peur* dans la mesure où il ne s'agit pas de la peur ordinaire, d'une frayeur inspirée par des causes réelles et bien concrètes, comme quand on est sous l'effet d'une menace physique. Cette fausse peur est la conséquence de la distorsion fondamentale de notre perception du monde : dès l'instant où l'on se prend pour un *moi*, une entité indépendante des autres, toute la vie se met à graviter autour de ce moi qui devient le centre de toutes nos préoccupations, comme le reflète bien sa situation privilégiée de sujet dans nos phrases. Tout tourne autour de ce fameux *je* : on s'inquiète de ce qui lui est arrivé ou de ce qui pourrait lui advenir, on cherche à analyser les événements pour tenter de les contrôler un peu plus à son avantage. Ce processus entretient une grande débauche d'activité mentale, un flot incessant de pensées qui jugent et qui évaluent sans arrêt les autres et les événements, en fonction du « moi » et de ses intérêts.

En d'autres termes, nous tentons sans cesse de manipuler la réalité pour la faire mieux cadrer avec les désirs du *moi*, et cette tentative toujours répétée s'accompagne d'une peur sous-jacente. Une peur sourde, une sorte d'angoisse permanente : celle de ne pas arriver à nos fins. C'est une fausse peur dans la mesure où elle s'enracine dans une idée fausse : celle d'un *moi* autonome, en tant que sujet indépendant de l'objet qu'il perçoit. Et cette fausse peur nous empêche de réagir aux événements du quotidien avec intelligence et à-propos, dans la mesure où les jeux sont faussés dès le départ par notre attitude défensive. Qui plus est, ce mode de pensée égocentrique secrète son propre système de valeurs : seuls les personnes et les événements susceptibles de conforter la position du *moi* nous paraissent dignes d'intérêt. Parallèlement, on s'emploie à développer toutes sortes de stratégies de défense du moi, comme ce slogan hérité de la psychologie de bazar qui fait rage en Californie du Sud et qui exhorte à *s'aimer soi-même*. Mais, que se cache-t-il donc derrière ce jargon à la mode : qui doit aimer qui ? Quel est ce sentiment qu'un *moi* fictif serait censé se porter à lui-même ? Il s'agit en réalité d'une peur omniprésente : la crainte de voir le sacro-saint petit *moi* menacé ou même dérangé en quoi que ce soit. Alors on s'empresse de le protéger par tous les moyens possibles et imaginables, comme par exemple sous couvert — respectable — de psychologie ou de thérapie. Et toute notre vie se passe à jouer à ce petit jeu dérisoire : défendre et conforter une illusion — celle d'un *moi* qui serait indépendant des autres et du monde qu'il perçoit.

Mais, me direz-vous, peut-être ce petit jeu cesse-t-il, une fois qu'on a compris ce qui se passait ? Eh bien, non — ce n'est pas si facile que ça. Allez donc conseiller à quelqu'un qui en a un bon petit coup dans le nez de dessoûler illico, il n'en redeviendra pas instantanément sobre et lucide pour autant. C'est pareil ; nous sommes tellement aveuglés par nos illusions que tout se passe comme si nous étions en état d'ébriété permanente. Et la manière forte, vous me direz ? Si, au lieu de s'écouter, on se donnait un bon coup de pied aux fesses, en s'interdisant dorénavant d'avoir un tel comportement ? Eh bien, ça ne servirait strictement à rien car ce n'est pas la solution. Pour s'en sortir, il faut aborder le problème sous un tout autre angle, le prendre par surprise, en quelque sorte. La première chose à faire, c'est de prendre conscience de son ébriété, de l'illusion dans laquelle on vit et que l'on entretient en permanence. Les textes des anciens maîtres nous recommandent d'illuminer l'esprit à l'aide de la lumière de l'attention. Etre attentif pour voir — lucidement — ce qui se passe réellement en soi. Ce qui est tout à fait différent de la gymnastique effrénée à laquelle nous nous livrons habituellement, dans l'espoir de mieux manipuler la réalité dans un sens qui arrange notre cher moi et qui lui assure son petit confort. Pour acquérir cette qualité d'attention qui rend lucide, on pratique ce qui s'appelle *shikan* : s'asseoir (en position de zazen), tout simplement, et expérimenter tout ce qui se présente à l'esprit. Et c'est là que, grâce à la lucidité d'un mental attentif, on est capable de reconnaître le caractère illusoire des myriades de constructions égocentriques avec lesquelles nous fabriquons nos vies.

Faire zazen, pratiquer *shikan**, c'est simplement s'asseoir et se donner la liberté de ressentir des perceptions brutes, immédiates, telles qu'elle se présentent à nous avant qu'on ne les trafique et ne les édulcore. C'est par déformation égocentrique que nous disons : « J'entends les oiseaux chanter. » Dans la réalité de la perception immédiate, il y a *juste un acte : entendre les oiseaux*. La vie est toujours là, grouillante de richesse — noire ou rose, terrible ou merveilleuse — mais ce qui gâche toujours tout, c'est l'irruption d'un trouble-fête —

le fameux moi — qui prétend se superposer à la réalité pour l'orchestrer à sa façon.

> Les oiseaux chantent, les voitures passent dans la rue, le corps est habité de sensations diverses, le cœur bat — le miracle de la vie continue, d'instant en instant. Et pendant ce temps-là, nous sommes tellement occupés à rêver notre version de la vie et à conforter notre précieux moi et ses ramifications, que nous passons complètement à côté de la réalité, la vraie vie qui coule sans nous, tout autour de nous. Voilà pourquoi il est si important de commencer par s'asseoir tranquillement, et de se faire le spectateur de ce que l'on est.

Avez-vous l'impression qu'il règne la confusion la plus totale en vous ? Eh bien, ne cherchez pas à l'esquiver, ressentez-la bien à fond, goûtez-la pleinement, appréciez-la. C'est le seul moyen d'acquérir la lucidité nécessaire pour démystifier vos rêves et vos illusions. Et que reste-t-il quand le voile s'est levé sur la réalité des choses ?

Faire table rase de l'espoir

J'ai appris il y a quelques jours le suicide d'un ami, un homme que je n'avais pas revu depuis une douzaine d'années. A vrai dire, la nouvelle ne m'a pas tellement surprise — car, à l'époque, le suicide était déjà son unique sujet de conversation — mais elle m'a peinée. Non pas parce que la mort me semble une tragédie : c'est notre sort commun, à tous. C'est un fait et une réalité universels, plus qu'une tragédie. Mais parce que je trouve très triste qu'on ait pu vivre toute une vie sans l'apprécier. Ce n'est peut-être pas tragique, mais c'est pour le moins dommage. Bien dommage.

Vous ne vous en rendez peut-être pas compte, mais la vie humaine est une occasion très précieuse[1]. Il est dit dans les textes sacrés qu'il y a autant de chances d'avoir une existence humaine que d'être *le* grain de sable que quelqu'un ramasserait au hasard parmi une infinité d'autres grains de sable, sur une plage. Et, bien que cette chance soit si rare, nous faisons la bêtise de ne pas l'apprécier à sa juste valeur. Mon àmi en était un exemple extrême, bien sûr, mais nous faisons tous plus ou moins la même erreur, à des degrés divers, en n'appréciant pas suffisamment l'extraordinaire chance que nous avons, du simple fait d'être en vie.

1. Un des grands thèmes du bouddhisme est la rareté de l'existence humaine et l'extraordinaire chance qu'elle représente — la possibilité de réaliser pleinement son potentiel d'éveil (N.d.T).

Voilà pourquoi, aujourd'hui, j'ai envie de vous parler de ce que c'est que de vivre en faisant table rase de l'espoir. Oh ! là là ! dites-vous, voilà qui promet d'être sinistre ! Eh bien, pas du tout, en réalité. Ceux qui savent ne rien attendre de la vie — ne rien projeter sur elle pour l'infléchir à leur manière — mènent une vie autrement plus paisible, plus gaie, et plus pleine de compassion que la nôtre. Alors que nous nous donnons tant de mal pour essayer d'assurer le bien-être et la pérennité d'un corps et d'un mental qu'on identifie comme étant son *moi*. Si bien que nous attendons toujours quelque chose : la santé, le succès, l'éveil spirituel — tout ce que vous pouvez imaginer. Il n'y a pas de limites puisque l'espoir est une projection dans l'avenir à partir d'une évaluation du passé.

Or, quiconque a passé quelque temps à faire zazen, assis sur son coussin, sait bien que le passé et l'avenir n'existent nulle part ailleurs que dans nos têtes. Il n'y a que le *soi* de l'instant présent. Mais nous sommes si occupés à essayer de dénicher un mystérieux soi caché, un grand super-soi qui pourrait prendre en charge notre petit moi, que nous ne voyons pas ce que nous avons sous le nez : nous participons déjà de ce soi de l'instant, qui englobe tout. Rien n'en est exclu ; tout ce qui nous entoure en fait aussi partie. Alors, que cherchons-nous donc ?

Un de mes étudiants m'a récemment prêté un livre qui présente un texte de Dogen Zenji, un recueil de réflexions, intitulé le *Tenzo Kyokun*. Dogen Zenji y expose la haute idée qu'il se faisait des qualités requises pour être un bon *tenzo*, un chef-cuisinier, et on y découvre les règles de vie d'un tenzo, telles que lui les envisageait.

Aux yeux de Dogen Zenji, on devrait choisir comme tenzo le plus mûr — spirituellement — et le plus précis, le plus soigneux de tous les résidents du monastère, car, d'après lui, si sa pratique n'est pas à la hauteur de ses responsabilités de tenzo, c'est l'ensemble de la communauté qui en pâtira. Cependant, il est clair qu'en énonçant les règles de travail et les qualités spécifiques d'un tenzo, Dogen Zenji ne pensait pas seulement au cuisinier du monastère. Ses propos s'adressent évidemment aussi à tous les adeptes du zen, à tous les aspirants bhodisattvas*, et ils sont donc d'une lecture tout à fait pertinente et intéressante pour nous.

Et que croyez-vous qu'on trouve dans cette description de la vie d'un tenzo spirituellement éveillé ? Le récit de visions mystiques extraordinaires, d'états d'extase profonde ? Eh bien, non, pas du tout. En revanche, vous y trouverez des instructions très précises sur la manière de trier le riz pour en éliminer les grains de terre qui auraient pu s'y glisser. Tout cela est expliqué avec un grand luxe de détails. De même, c'est avec un soin méticuleux que Dogen Zenji envisage l'agencement de la cuisine. Rien n'est laissé au hasard : tout est prévu, jusqu'à l'endroit et à la manière d'accrocher les louches.

J'aimerais vous lire un paragraphe de ce texte pour vous donner une idée de sa saveur très particulière : « Quand vous aurez lavé le riz, ne jetez pas l'eau de rinçage n'importe comment. Dans l'ancien temps, on la filtrait à travers un sac de toile avant de la jeter. Ensuite, mettez le riz lavé dans la marmite et vérifiez qu'il n'y a rien dedans — au cas où une souris y serait accidentellement tombée. Si quelqu'un venait à passer par la cuisine pendant que le riz cuit, ne le laissez sous aucun prétexte mettre son doigt ou son nez dans la marmite. »

Qu'est-ce que Dogen Zenji nous enseigne à travers ces instructions qui ne sont évidemment pas exclusivement destinées au tenzo ? Cherchons le message qui nous concerne tous. A un moment donné, Dogen Zenji reprend à son compte une anecdote traditionnelle très connue et qui est un parfait exemple de la mentalité zen : si vous la comprenez, vous aurez compris ce qu'est la pratique du zen. Il raconte comment, quand il était jeune, il est parti en Chine pour aller pratiquer et étudier le zen dans des monastères. Un jour de juin, par un après-midi brûlant, il voit le vieux tenzo du monastère où il séjournait à ce moment-là en train de travailler dehors, en plein soleil, devant la cuisine. L'homme étale des champignons sur une natte de paille pour les faire sécher au soleil.

> Il s'appuyait sur un bâton de bambou pour marcher mais ne portait pas de chapeau. Le soleil tapait si fort que les dalles du chemin vous brûlaient les pieds. L'homme travaillait dur et il était tout ruisselant de sueur. Je ne pus pas m'empêcher de penser que sa tâche était au-dessus de ses forces. Il avait le dos aussi courbé qu'un arc bandé et ses sourcils longs et fournis étaient aussi blancs que le plumage d'une grue.
>
> M'approchant de lui, je le questionnai sur son âge et il me répondit qu'il avait soixante-huit ans. Je lui demandai alors pourquoi il ne se faisait jamais aider dans son travail.
>
> A quoi il répliqua : « Les autres, ce n'est pas moi. »
>
> « Vous avez raison », lui dit-je. « Je vois bien que votre travail est le bouddha-dharma* en action, mais pourquoi vous donnez-vous tant de peine à besogner ainsi sous ce soleil de plomb ? »
>
> « Si je ne le fais pas maintenant, quand pourrai-je le faire », me répondit-il.
>
> Je n'avais plus rien à ajouter. Tout en cheminant sur le sentier, je sentis que je commençais à comprendre au plus profond de mon être le sens du rôle d'un tenzo.

Examinons donc un peu la réplique du vieux tenzo : « Les autres, ce n'est pas moi. » Ce qu'il veut dire, c'est que sa vie n'appartient à nul autre qu'à lui-même : personne ne peut la vivre à sa place. Personne ne peut sentir les choses, ou servir les autres, à sa place. Sa vie, son travail, ses souffrances et ses joies sont des valeurs absolues. Si j'avais mal au pied, vous ne pourriez pas sentir ma douleur, pas plus que moi, je ne serais capable de ressentir la vôtre. C'est impossible. Vous ne pouvez pas avaler à ma place, ou dormir à ma place.

> Nous sommes donc totalement enchaînés à notre propre expérience, mais — encore un paradoxe —, c'est en assumant complètement ce que l'on est, en acceptant sa vie telle qu'elle est, avec ses joies, ses peines et ses responsabilités, qu'on devient libre. Libre parce que libéré de ses espoirs et de ses craintes, de sa soif d'autre chose que ce qui est.

Malheureusement, *nous* avons tendance à vivre de chimères : on entretient toujours le vain espoir de trouver quelque chose ou quelqu'un qui *nous* facilite la vie et qui nous rende heureux. Si bien que nous passons notre temps à manipuler les événements dans ce sens, alors que c'est au contraire en assumant tout ce que la vie nous apporte que l'on trouve la joie de vivre — la vraie. Il suffit de faire ce que l'on doit faire, selon les nécessités du moment. En fait, il ne s'agit même pas de *devoir* faire : on voit qu'il y a quelque chose à faire, et on le fait. C'est tout. Aussi simple que ça.

Dogen Zenji évoque aussi « le soi qui trouve tout naturellement sa place dans le soi ». Qu'entend-il par cette formule qui peut paraître un peu hermétique? Il veut dire que vous seuls pouvez éprouver vos peines et vos joies. Vivre, c'est expérimenter ce qui surgit à chaque instant en vous et autour de vous. Et, quand une sensation ou une impression se perd parce que vous n'êtes pas capable de la recevoir à cet instant-là, c'est comme une petite mort : vous n'avez pas vécu — pas senti — ce moment-là. Pour la plupart, nous ne sommes, hélas, pas capables de vivre aussi intensément chaque moment de notre existence, mais nous pouvons au moins essayer de ne pas en perdre quatre-vingt-dix pour cent.

« Si je ne le fais pas maintenant, quand pourrai-je le faire ? » Je suis le seul à pouvoir prendre ma vie en mains du matin au soir ; seul à recevoir toutes les expériences qu'elle suscite sans cesse, instant après instant. Et c'est ce contact permanent avec notre vécu que Dogen Zenji veut mettre en évidence en décrivant la journée d'un tenzo. Il souligne l'importance de l'attention vigilante qu'il faut apporter à la moindre chose que l'on fait, que l'on dit ou que l'on pense. Savoir garder la même qualité d'attention à tout moment : ne pas se contenter de laver le riz n'importe comment, mais très soigneusement, grain par grain. Ne pas jeter l'eau n'importe comment, non plus. Faire attention à tout : à chaque bouchée de nourriture que j'ai dans la bouche, à chaque mot que je dis ou que vous dites, à chaque rencontre, à chaque seconde qui passe. Etre là, complètement là, totalement présent à ce que vous faites, en parfaite coïncidence avec l'instant. Au lieu de vivre toujours une vie tronquée, où vous n'êtes qu'à moitié là : le corps en train de psalmodier des prières ou de faire la vaisselle, pendant que l'esprit galope ailleurs.

Je me souviens très bien qu'il fut un temps où je pouvais passer des heures à rêvasser, quelquefois pendant quatre ou cinq heures d'affilée... Et maintenant, c'est toujours avec beaucoup de tristesse que je constate qu'il y a tellement de gens qui gaspillent leur vie à fantasmer et à rêver, au lieu de la vivre. Souvent, par exemple, un homme ou une femme rêvent du partenaire idéal, et ils fantasment tellement sur leurs idéaux qu'ils finissent par passer complètement à côté de celui ou de celle qui partage leur vie. Perdus dans un monde de rêves et d'espoirs, ils ne voient pas l'être en chair et en os qui vit à côté d'eux. Peut-être pas l'Apollon ou la Vénus de leurs rêves, mais une vraie personne, avec toutes les richesses, les surprises et les défis qu'elle peut offrir. Et le message de Dogen Zenji, c'est que la pratique n'est pas une affaire de rêves mais de réalités.

Laissez-moi vous dire, une fois encore, que faire zazen, c'*est* déjà être en état d'éveil. Il n'y a rien à ajouter ou à soustraire à ce que l'on observe en soi, à chaque instant. Comme quand le vieux tenzo étalait des champignons ou des algues pour les faire sécher au soleil : quelle vie pleine que de faire à manger pour les autres. A vrai dire, chacun d'entre nous contribue constamment à *nourrir* les autres, et ce de toutes sortes de façons : en faisant des maths ou de la physique, aussi bien qu'en tapant à la machine ou en s'occupant de ses enfants. Mais savons-nous apprécier la valeur de notre travail, de notre contribution à la vie humaine ? Ou bien sommes-nous toujours en train d'espérer *autre chose*, en nous imaginant qu'il doit y avoir *plus* ou mieux, ailleurs, quelque part ? C'est malheureusement ce que nous faisons tous, je le crains. A force d'espérer sans cesse, on finit [illegible] l'ombre : on gaspille sa vie à la rê[illegible]r sombrer dans l'angoisse et le dé[illegible] s'écrouler les châteaux en Espa[illegible]

[illegible] étudiants m'a raconté une excel[illegible]ssait dans un village balayé par u[illegible]ait là un homme qui avait grimp[illegible]n, en attendant les secours. Quan[illegible] l'équipe de sauvetage, il y avait [illegible] toit, Les sauveteurs, qui euren[illegible]her de la maison, crièrent à l'hom[illegible] monter dans le bateau. A quoi c[illegible]pliquer : « Non, non. C'est Dieu [illegible]ours. » En attendant, des eaux [illegible]le plus en plus et l'homme dut g[illegible]t sur son toit. Bravant le coura[illegible]ne autre équipe de secouristes [illegible]on et les sauveteurs firent une n[illegible] convaincre l'homme de monte[illegible]mme s'obstinait toujours à répéte[illegible]'il était sûr qu'Il viendrait le sau[illegible]nt, l'eau finit par recouvrir le toit et l'homme se jucha sur le faîte ; il n'y avait plus que sa tête qui dépassait des eaux. Un hélicoptère arriva à la rescousse, juste au-dessus de lui. On lui lança une échelle de corde en l'incitant à monter au plus vite. Mais l'homme ne voulait rien savoir : il attendait toujours que Dieu vienne le sauver... Tant et si bien qu'il finit par disparaître sous les eaux et à périr noyé. Arrivé au ciel, il alla se plaindre à Dieu en lui reprochant de n'avoir rien fait pour le sauver. A quoi Dieu répliqua : « Mais bien sûr que si ! Je t'ai envoyé deux barques et un hélicoptère. »

Nous sommes tellement occupés à courir comme des fous après ce que nous appelons *la vérité* que nous ne nous rendons même pas compte qu'elle est déjà là, à chaque seconde, dans chacun des actes de notre vie. A force de nourrir de vaines espérances en cherchant un ailleurs meilleur et des lendemains qui chantent, on ne voit plus ce qu'il y a sous son nez et on n'apprécie plus sa vie.

Comment « faire table rase de l'espoir » dans le contexte de la pratique de zazen, et en particulier pendant les sesshin ? La réponse est simple : ne rien faire d'autre que zazen. S'asseoir en position de méditation, observer et expérimenter tout ce qui se passe, sans s'accrocher à rien. Bien sûr que vous verrez encore défiler des rêves et des fantasmes, mais vous apprendrez à en reconnaître le caractère dérisoire et illusoire, et donc à ne pas vous laisser emporter par eux. Concentrez-vous sur la seule chose qui soit bien réelle : l'expérience de votre corps, de votre souffle et de tout ce qui vous entoure.

Cela dit, il faut bien reconnaître qu'aucun de nous n'a très envie de renoncer à ses espérances et, à franchement parler, ce sera de toute façon un travail de longue haleine. Nous n'y arriverons pas tout d'un coup, mais petit à petit, progressivement : il y aura des moments privilégiés — quelques minutes, puis quelques heures — pendant lesquels on se sentira en prise directe sur la vie, telle qu'elle est. Des instants où l'on coulera avec le flot naturel des choses, devenant ainsi plus proche de la seule réalité qui soit : notre vie.

> Qu'avons-nous à *gagner* à nous investir dans une telle pratique ? La réponse est *rien*, évidemment. Mais nous y trouverons la vie, notre vie, bien sûr ; quoique, cela, nous l'ayons déjà... L'essentiel, c'est de ne pas passer à côté de la vie, d'apprécier sa vie et sa pratique, sans rien espérer. La vie est *d'ores et déjà* le *nirvana**. Où donc croyez-vous le trouver, si ce n'est ici et maintenant ?

N'oublions pas le vieux tenzo : si nous pratiquons aussi bien que lui étalait ses champignons ou ses algues, nous trouverons nous aussi ce rien du tout qu'on n'a pas besoin d'espérer.

L'amour

L'amour est un mot qu'on ne rencontre pas souvent dans les textes bouddhiques qui lui préfèrent le terme de « compassion ». Dans l'optique du bouddhisme, la compassion — un amour universel et sans exclusive — n'est pas une simple émotion sujette aux fluctuations de nos humeurs et de nos préjugés. Aucun rapport avec notre cliché habituel de *l'amour* romantique qui est souvent fort loin de ce qu'est réellement l'amour. Il me semble donc utile d'examiner ensemble ce qu'est l'amour et de voir comment on le fait grandir en soi par la pratique du bouddhisme, justement conçue pour développer simultanément en nous la sagesse et la compassion.*

Menzan Zenji (1683-1769) était l'un des plus brillants théoriciens du Soto zen* et nous lui devons une explication particulièrement claire de ce qu'est la pratique du zen. Tous les maîtres n'ont pas su présenter la chose avec une telle clarté : parfois, en lisant les textes anciens, on ne voit vraiment pas le rapport qu'il peut y avoir entre pratiquer le zen et aller acheter son pain chez le boulanger. Menzan Zenji, lui, est très clair là-dessus : « Une fois que vous aurez assimilé la réalité du zen en profondeur, grâce à votre pratique, les blocages créés par la pensée-affect[1] se dissoudront d'eux-mêmes. » Il

1. Pensée-affect : dans un mental dominé par le *moi*, la pensée a toujours une coloration affective, une charge passionnelle — l'affect —, due à l'égocentrisme, puisque tout ce qui est pensé ou senti ne l'est

ajoute, cependant : « Si, *au lieu de comprendre l'aptitude de la pensée-affect à disparaître d'elle-même*, vous croyez avoir éliminé la pensée illusoire, la pensée-affect continuera à resurgir, comme si vous aviez arraché une mauvaise herbe, ou coupé une branche d'arbre, sans en même temps en enlever la racine. » Il n'est pas rare de se méprendre sur le sens de la pratique et de croire qu'il s'agit d'éliminer les pensées illusoires. Certes, les pensées sont bien des illusions, mais, comme le souligne très justement Menzan Zenji, on n'aura pas appris grand-chose si l'on se contente de les supprimer au lieu de comprendre le mécanisme qui les sous-tend : « l'aptitude de la pensée-affect à disparaître d'elle-même. » Nombreux sont ceux qui ont déjà goûté à de brèves expériences d'éveil mais, tant qu'ils n'auront pas compris le mécanisme de la disparition spontanée de la pensée-affect, le fruit amer de cette pensée à forte charge affective restera leur pain quotidien. « La pensée-affect est la racine de l'erreur ; c'est un attachement acharné à une vision unilatérale (égocentrique) des choses qui découle du conditionnement de nos perceptions, » précise encore Menzan Zenji.

L'essentiel de la pratique qui se fait dans ce centre zen vise justement à comprendre le mécanisme de la disparition spontanée de la pensée-affect. On commence d'abord par apprendre à reconnaître à quoi on a affaire : les pensées égocentriques et à forte charge effective qui nous occupent l'esprit la plupart du temps. Celles dont l'absence, explique Menzan Zenji, n'est autre que l'état d'éveil, le satori.* Nous sommes tous pris dans les rets de la pensée-affect, mais chacun à un degré différent : ce n'est pas du tout la même chose d'être prisonnier de ses pensées pendant les quatre-vingt quinze pour cent ou les cinq pour cent de son temps.

qu'en fonction du « moi ». Menzan Zenji se sert de cette formule lapidaire pour désigner la pensée dualiste qui déforme la réalité parce qu'elle est entachée d'affectivité — ce qui lui donne son caractère illusoire (N.d.T).

Tout le tissu de nos vies est fait de rapports : avec les choses, les paysages, les animaux et les gens. Nous nous cantonnerons aujourd'hui à l'aspect humain de nos rapports, puisque ce sont ceux qui semblent nous poser le plus de problèmes. A moins que vous n'ayez passé les vingt dernières années seul dans une grotte, vous entretenez sans doute des rapports proches avec au moins une personne. Or, dans tout rapport entre deux êtres, il y a toujours une part d'amour vrai et une part de faux amour, et l'on est d'autant plus capable d'amour vrai que l'on sait mieux maîtriser le faux amour. Et c'est sur un terrain de pensées à forte charge affective — espoirs, attentes — que le pseudo-amour fleurit et s'épanouit le mieux, nourri par tout notre conditionnement. Prisonnier des pensées-affects dont on ne perçoit pas la vacuité, on conçoit son rapport à autrui comme un moyen de favoriser son bien-être personnel. Alors, tant que l'autre vous apporte ce que vous attendez de lui, tout va bien — on s'adore. Mais il suffit de partager quelque temps l'intimité d'une ou de plusieurs autres personnes pour que l'état de grâce tourne à l'aigre. Au fil des mois, le rêve s'abîme sous l'effet des contraintes du quotidien, et on a de plus en plus de mal à reconnaître en l'autre le prince charmant, l'élue de son cœur, l'ami ou l'enfant adoré des premiers jours. Dans le même temps, c'est aussi l'image idéale qu'on se faisait de soi au départ qui s'effrite. Pourtant, on aimerait bien conserver cette vision idéalisée de soi : par exemple, on se plaisait bien dans le rôle de la mère de famille au grand cœur, patiente, compréhensive et pleine de sagesse. Le seul ennui, c'est que vos enfants ne vous voyaient pas forcément comme ça... Et voilà comment les pensées à forte charge affective sèment la pagaille dans nos vies.

C'est surtout dans le domaine des rapports amoureux que la pensée-affect fait le plus de dégâts. J'attends de mon partenaire qu'il me renvoie une image de moi qui soit conforme à ma version idéalisée. Le jour où il cesse de le faire — ce qui ne saurait manquer —, je m'indigne : « Mais qu'est-ce qu'il lui prend ? Adieu la lune de miel ! Le voilà qui se met à faire tout ce que je ne peux pas supporter. » Et je me sens malheureuse comme les pierres. Mon partenaire ne me convient plus ; il ne reflète plus l'image idyllique de moi que je m'étais faite, il n'est plus une source de bien-être et de plaisir pour moi. En réalité, ces exigences affectives n'ont rien à voir avec l'amour digne de ce nom. Au fur et à mesure que nos projections narcissiques s'effondrent — comme c'est immanquablement le cas dans tout rapport intime —, notre soi-disant *amour* tourne à l'agressivité et dégénère en scènes de ménage.

C'est pour cela que les rapports intimes sont souvent si difficiles et douloureux à vivre, dans la mesure où il est impossible que des relations de ce type soient jamais complètement satisfaisantes. Vous ne trouverez jamais personne au monde qui soit capable de remplir toutes les conditions que vous mettez à votre bonheur, et qui puisse vous satisfaire en tous points. Alors, comment faire face à la déception qui accompagne inévitablement toute vie commune ? La seule solution, c'est de mieux assumer ses sentiments : faire à fond l'expérience de tout ce que l'on ressent — la déception et la douleur qui vous assaillent lorsque vous voyez s'écrouler vos châteaux en Espagne, emportant avec eux votre belle galerie de portraits idéalisés de vous-même et de votre partenaire. Ce n'est qu'au-delà des mots qu'on peut expérimenter ce qui se passe en soi, et pour cela, il faut commencer par observer ses pensées. Observez une pensée qui vous trotte dans la tête et regardez-la bien, jusqu'à ce qu'elle ait perdu suffisamment de sa charge affective pour retrouver une certaine neutralité. Puis, une fois la pensée ainsi décantée, faites-en l'expérience directe en vous plongeant au cœur même du sentiment que vous éprouvez. Douleur, déception ou colère — expérimentez bien à fond ce que vous ressentez, vivez-le de façon directe et immédiate, sans passer par l'intermédiaire d'une formulation verbale. Ce vécu brut et immédiat de la souffrance est le seul moyen de dissiper le faux amour — cette émotion hautement volatile — pour laisser place à la compassion, l'amour vrai et sans exclusive.

> C'est en remplissant nos propres engagements spirituels que nous pourrons le mieux aider les autres. En effet, en pratiquant régulièrement, on devient petit à petit plus ouvert, plus *réceptif* aux autres et plus aimant. Cette ouverture progressive est l'essence même d'un cheminement spirituel qui aboutit à l'expérience de la vie telle qu'elle est, sans *rien juger ni trier* : l'état d'éveil, la compassion parfaite. Il nous faudra une vie de pratique quotidienne pour *dissoudre notre attachement* à nos pensées chargées d'affectivité, cette barrière qui nous sépare actuellement de l'*amour vrai.*

Se mettre en accord avec le monde et les autres

La quête

Chaque instant de notre vie est une forme de rapport avec le monde. Par exemple, là, tout de suite, je suis en contact avec le tapis, la pièce, mon corps, le son de ma propre voix. Il n'y a rien, en dehors de ce tissu de petits rapports qui se nouent avec les choses et les êtres, d'instant en instant. Je n'existe que dans mon rapport à l'instant. Et c'est exactement dans cette optique que s'inscrit notre pratique : d'abord pour nous faire comprendre que vivre n'est rien d'autre qu'entrer en rapport avec tout ce qui se présente à nous, à chaque instant. Ensuite, pour nous motiver à vivre ces rapports à fond, sans rien esquiver. Pas très sorcier, apparemment, me direz-vous. Mais alors, qu'est-ce qui cloche ? Qu'est-ce qui nous empêche de vivre à fond, de nous donner complètement à l'amour ou à l'amitié, à nos études, à notre travail ou à nos loisirs ? Qu'est-ce qui nous retient ?

Le problème, c'est que nous ne savons pas vivre notre rapport à l'instant présent ; nous sommes en permanence à la recherche d'autre chose, de quelqu'un d'autre, d'un ailleurs. Lorsque des gens me téléphonent au Centre et que je m'enquiers de l'objet de leur appel, il n'est pas rare qu'on me réponde : « Je suis en pleine recherche. » Les nouveaux débarquent souvent ici en disant qu'ils veulent vivre dans la spiritualité. Ce n'est peut-être pas mal comme point de départ : on cherche parce que l'on ressent un vide, un manque dans sa vie. Dans le temps, on aurait dit qu'on cherchait Dieu ; maintenant, les gens parlent de se trouver eux-mêmes : « Mon vrai moi, ma vraie vie. » Quoi qu'il en soit, l'important est de comprendre le sens de cette quête, de ce besoin de chercher.

Que cherchons-nous donc tous ? Vous aurez autant de réponses que de personnes interrogées, évidemment, car chacun répond en fonction de son histoire personnelle, de ses origines et de son conditionnement. Cela dit, au fond, tout le monde court quand même après la même chose : un idéal de vie, tel que chacun se le représente — l'homme ou la femme idéale, le travail idéal, une maison de rêve, et bien d'autres choses encore — les idéaux des autres peuvent parfois nous paraître bizarres. En tout cas, chacun de nous se fait sa petite idée du bonheur et la poursuit, inlassablement.

Cet esprit de quête n'épargne pas le domaine spirituel puisque, là aussi, on cherche quelque chose : l'état d'éveil. C'est la forme la plus subtile de ce désir d'idéal. Mais encore faudrait-il savoir dans quel sens chercher. Vous aurez beau scruter le ciel de San Diego, la nuit, pour repérer la Croix du Sud, vous ne la verrez pas, pour la bonne et simple raison qu'elle n'est pas visible de cet endroit-là. En revanche, vous n'aurez aucun mal à l'apercevoir depuis Australie. Tout cela pour vous dire qu'on doit d'abord savoir dans quelle direction orienter sa recherche : il est parfois nécessaire d'aller aux antipodes de sa position initiale pour voir ce qu'on cherchait. Or, la pratique de zazen sert justement à retourner nos idées et nos valeurs. L'éveil n'est pas une *chose* qui peut se vouloir, et cependant nous ne pouvons nous empêcher d'adopter une attitude de quête. A quoi ça rime ?

Suivez mon raisonnement : voilà, je suis au cœur de ma propre vie mais ça ne m'intéresse pas. Je me dis qu'il me manque quelque chose et j'ai envie d'aller voir ailleurs ce que cela peut être. Si bien que je quitte cette position privilégiée, l'épicentre de ma vie, pour m'exiler vers la périphérie de mon être. Je quitte le moyeu de la roue pour glisser vers ses rayons. Je cours à droite et à gauche. J'essaie une chose, j'en rejette une autre : ça, c'est chouette, ça c'est nul. Je cours dans tous les sens, je cherche tous azimuts. Je cherche l'âme sœur : « Oui, elle a des qualités, mais aussi pas mal de défauts... » Je cherche à conforter ma situation professionnelle actuelle, ou au contraire, je me dis que je ne vais pas rester éternellement là où je me trouve en ce moment. Rien de mal à cela, au demeurant. Ce n'est pas le fait de chercher qui pose problème mais l'idée que la recherche est en elle-même *la solution, la panacée*. C'est ainsi que nous passons notre temps à *chercher*, avec plus ou moins de frénésie, selon les tempéraments et le degré d'insatisfaction de chacun, mais, de toute façon, sans relâche.

Que se passe-t-il lorsqu'on arrête de chercher ? On découvre ce qui se cachait là depuis le départ, camouflé derrière la quête : un mal-être profond, un grand désarroi. Et l'on comprend que si l'on courait ainsi dans tous les sens, c'était moins pour trouver quelque chose que pour tenter d'échapper à ce mal-être fondamental. Cette prise de conscience est un moment extraordinaire : on éprouve en fait un formidable sentiment de libération quand on se rend compte que la solution ne se trouve nulle part ailleurs qu'en soi, et que cela ne sert à rien de la chercher à l'extérieur. Une vérité qu'on ne fait qu'entrevoir, au début, mais qui deviendra de plus en plus évidente à nos yeux, avec le temps, puisque, par la force des choses, on continuera à souffrir et à être déçu. Ce qui est inévitable, car rien — ni nul — n'est parfait en ce bas monde. Que vous cherchiez le partenaire ou le travail idéal, ou la maison de vos rêves, vous serez forcément déçu. Nos recherches nous amènent toutes au même point : la déception. Et c'est un excellent point de départ.

Avec un minimum de jugeote, on finit quand même par se rendre compte qu'on répète toujours les mêmes schémas. On cherche, mais pas forcément là où il faudrait, et on se retrouve toujours, et même de plus en plus souvent, à la case départ : la déception. Car cette quête incessante et multiforme ne sert qu'à camoufler notre mal-être, notre angoisse existentielle. On espère soulager cette douleur souterraine en se projetant vers toutes sortes de buts, en cherchant tous azimuts. Et puis, un beau jour, on commence à comprendre que, si l'on a si mal, c'est parce qu'on *se fait mal*. Comment ne pas avoir un mal de tête permanent quand on passe son temps à se taper la tête contre les murs ? Le simple fait de s'en rendre compte est déjà un soulagement extraordinaire : on se sent apaisé. C'est en reconnaissant qu'on était soi-même à l'origine de ses souffrances qu'on trouve enfin la paix qu'on cherchait si désespérément. Mes bleus, c'était moi seul qui me les faisais, en me pinçant, et personne d'autre !

Alors on arrête ses recherches frénétiques et on comprend que la pratique du zen n'est pas une quête. Au contraire : c'est apprendre à faire face au mal-être et au désarroi qui nous poussaient à fuir en avant, c'est les confronter directement, sans faux-fuyant. Voilà en quoi la pratique représente un changement de point de vue radical.

Cependant, un tel changement ne se produit pas du jour au lendemain. Nous avons tellement l'habitude de courir après une chose ou une autre que l'envie a vite fait de nous reprendre. (Chassez le naturel, il revient au galop !) Quoi que je puisse dire maintenant, vous verrez que, à peine sortis de cette pièce, nous serons déjà tous à la recherche d'une nouvelle planche de salut ! « Les désirs sont inépuisables », comme il est dit dans la prière des vœux[1]. Or, on n'épuise pas le désir en lui cherchant toujours un nouvel objet mais en faisant l'expérience de ce qu'il cache.

C'est ainsi qu'on prend conscience de la nécessité de

1. La prière des vœux qui est faite quotidiennement, pour renforcer son engagement à suivre la voie des bodhisattvas. (Consulter le glossaire à la rubrique *vœux* — (N.d.T).

la pratique spirituelle. Encore faut-il bien comprendre qu'il ne s'agit pas là d'un simple hobby, d'un sport qu'on pratique quand ça vous chante, comme la natation ou le golf. Il y a des gens qui me disent : « Joko, je n'aurai pas le temps de faire ma pratique ce semestre, j'ai trop de choses à faire. Mais je recommencerai dès que j'aurai un peu de temps. » Ce genre de réflexion prouve que l'on n'a rien compris : vous êtes débordé, vous ne savez plus où donner de la tête, eh bien, c'est *justement* là que commence la pratique, puisqu'il s'agit d'expérimenter ce que l'on est.

Il y a deux questions qu'il faut se poser avant de se lancer dans le zen. Premièrement : est-ce que je ressens vraiment *le besoin* de m'engager dans une pratique spirituelle, est-ce une véritable nécessité intérieure, et pas seulement une passade ou un caprice de dilettante? Deuxièmement : ai-je vraiment bien compris ce qu'était la pratique — une pratique qui ne consiste pas seulement à s'asseoir de temps en temps sur son coussin pour faire zazen, mais qui intègre l'ensemble de ma vie et de mes activités? Je connais des gens qui se livrent depuis vingt ans à ce qu'ils appellent leur *pratique* mais qui auraient peut-être mieux fait de travailler à améliorer leur handicap au golf...

Arrêtons-nous donc un instant pour examiner nos vies, telles qu'elles se présentent actuellement. Que cherchons-nous? Et, pour ceux qui ont déjà un peu compris le schéma répétitif de la quête, savez-vous où tourner votre regard? Le jour où vous serez absolument convaincu qu'il n'y a rien d'autre à faire qu'à pratiquer, vous serez vraiment mûr pour le zen, et cela peut prendre vingt-cinq ans... En tout cas, méditez bien ces deux questions : est-ce que je ressens vraiment la pratique comme une nécessité? Est-ce que je comprends ce que pratiquer veut dire?

***Question :** Je pense que pratiquer, c'est s'ouvrir à toutes* *les perceptions qui s'offrent à moi, instant après instant, ainsi qu'à toutes mes pensées.*

Joko : C'est juste, en termes d'expérience, même si ce n'est pas tout à fait complet. Mais c'est une définition correcte, en termes de pratique.

Question : *A mon avis, pratiquer c'est prendre conscience du mal-être et du désarroi qui se cachent en nous, les assumer et en tenir compte dans le contexte de ses rapports avec les autres.*

Joko : Qu'est-ce que vous entendez par « en tenir compte » ?

Question : *Lorsqu'on est très en colère, par exemple, assumer ce sentiment et l'expérimenter, physiquement, pour voir les pensées qu'il produit.*

Joko : Oui. Mais, souvent, les gens me racontent que c'est ce qu'ils font, alors qu'il est évident que ce n'est pas le cas.

Question : *C'est parce que nous ne nous jetons pas à l'eau, nous n'osons pas vraiment assumer le désarroi que nous ressentons à ce moment-là, et l'expérimenter à fond.*

Joko : D'accord. Mais, maintenant, supposons que vous soyez en train de donner un séminaire d'introduction à la pratique du zen. Si vous présentiez les choses comme vous venez de le faire, soit les gens se creuseraient la tête pour essayer de comprendre ce que vous avez bien pu vouloir dire, soit ils vous rétorqueraient qu'ils ont beau s'efforcer « d'éprouver leur colère », il ne se passe rien.

C'est très joli, le jargon technique, mais pas toujours facile à interpréter.

***Question :** Moi, je pense que la pratique sert à apprendre à ne faire qu'un avec l'instant, ce que l'on appelle* maintenant. *C'est apprendre à être ici et maintenant.*

Joko : L'ennui, c'est que chacun se concocte sa version personnelle de ce qu'est l'instant. Ça sonne bien : « Apprendre à ne faire qu'un avec l'instant. » Mais, imaginez que quelqu'un vienne me dire : « C'était nul, aujourd'hui, votre causerie, Joko », je n'aurai sûrement pas très envie de m'immerger dans cet instant-là ! Personne n'aime se sentir humilié.

***Question :** J'ai l'impression que si je m'immergeais vraiment dans ma colère, j'éprouverais une rage telle que je serais capable de tuer quelqu'un, sous l'effet d'une expérience aussi directe.*

Joko : Non, pas si vous faites vraiment l'expérience de la colère. Si vous tombez dans le panneau et que vous vous laissez emporter par vos *pensées* de colère, là vous risquez de faire du mal à quelqu'un. Mais si vous vous contentez d'éprouver ce sentiment, vous le ressentirez d'une manière immédiate, sans passer par le truchement des mots, des concepts ou des actes. La colère à l'état pur ne fait pas de bruit, et vous ne ferez jamais de mal à quiconque avec ça.

Pratiquer, ce n'est pas s'écrier en plein milieu d'un pugilat déjà bien engagé : « Eh, minute, je vais expérimenter ce que je ressens. » C'est assumer votre colère dès le moment où vous la sentez monter en vous. La maturité aidant, vous y arriverez de plus en plus naturellement. La plupart des gens, quand ils se mettent en colère, concrétisent immédiatement leurs pensées en passant à l'acte. Dans ce cas-là, on est obligé de reconsidérer sa colère rétrospectivement, et d'en refaire l'expérience à posteriori, parce que l'on n'a pas été capable de le faire en temps réel, au moment même où l'on se sentait menacé par l'autre.

Question : *Il me semble que la pratique est liée à l'attention. Lorsque je suis complètement attentive à quelque chose, comme par exemple quand je m'occupe de mon fils, il y a une sorte de dynamique spontanée qui se dégage de la situation, et qui n'est pas le fruit de ma volonté ou de mes idées.*

Joko : Oui, effectivement. C'est ce qui arrive lorsqu'une expérience n'est pas scindée par la dualité : il n'y a pas de moi, sujet de l'action et distinct d'elle, il n'y a que la situation, l'expérience complète. En l'absence de ce divorce entre le sujet et l'action, la situation possède son énergie propre qui s'accompagne d'une compréhension intuitive de la marche à suivre. Il se crée une dynamique spontanée. Malheureusement, ce n'est pas si souvent que nous savons expérimenter la vie à fond. On connaît parfaitement la recette, mais il est rare qu'on l'applique parce qu'on a trop peur que ça fasse mal !

Question : *Je crois qu'une partie de ma recherche actuelle consiste à essayer d'accepter les situations inconfortables dans lesquelles je peux me trouver, ou les sentiments désagréables que je peux éprouver, dans le but de mieux discerner les blocages qui m'empêchent de vivre l'instant.*

Joko : C'est très bien, si ce ne sont pas que de belles paroles !

Question : *Je crains que ce ne soit effectivement souvent le cas !*

Joko : Eh oui, nous en sommes tous là. Il ne faut pas très longtemps pour se familiariser avec la phraséologie du zen et arriver à en parler de manière très convaincante, et c'est d'ailleurs ce qui fait que les soi-disant disciples *avancés* sont les plus difficiles à guider. Parce qu'ils croient avoir tout compris, alors qu'ils savent seulement en parler.

Question : *Quand je m'interroge sur la pratique, il y a deux mots qui me viennent à l'esprit :* vulnérabilité et « *assumer* ». *Il s'agit d'une tentative de vivre sans se retrancher derrière ses mécanismes d'autoprotection, ou tout au moins, en ayant conscience de leur existence.*

Joko : C'est exact. Cependant, c'est pratiquement un réflexe chez nous que de vouloir se protéger, et c'est de là que découle la colère. Y aurait-il une autre manière de définir la vulnérabilité ?

Question : *On se rend vulnérable quand on ne ferme pas la porte à ses sentiments.*

Joko : Etre vulnérable, c'est ne pas fermer la porte, même quand on vous fait mal. Si l'on ne ferme pas la porte, c'est pour se ménager une sortie, au cas où l'on aurait trop mal. Cependant, lorsqu'on décampe, ce n'est pas uniquement parce qu'on a mal. J'ai souvent remarqué ici que la plupart des gens ne remettaient pas leur chaise en place en quittant la table du patio. C'est parce qu'ils ne se sentent aucune responsabilité envers cette chaise qui leur paraît sans intérêt ; tout ce qu'ils veulent, c'est aller s'asseoir dans le zendo pour écouter parler de *la vérité*. Alors que la vérité, *c'est* cette fameuse chaise, c'est notre vécu de chaque instant. De même, laisser la porte ouverte, c'est ménager une possibilité de sortie à cette part de nous-même qui ne veut rien avoir à faire avec les autres. On préfère courir après la vérité, plutôt que de faire face au malaise et au désarroi qui nous travaillent à ce moment-là.

La pratique appliquée aux rapports personnels

L'esprit du passé est insaisissable,
L'esprit de l'avenir est insaisissable,
L'esprit du présent est insaisissable.

Soutra du diamant

Qu'est-ce que le temps ? Existe-t-il ? Quel rapport y-a-t-il entre notre quotidien et le temps, d'une part, le non-temps et le non-soi, d'autre part ? Qu'est-ce que le non-temps et le non-soi peuvent nous apprendre en matière de rapports personnels ?

Qu'il s'agisse d'un concert ou d'un enseignement du dharma, nous considérons généralement que tous les événements de la vie ont un début, un milieu et une fin. Mais, imaginez par exemple que je m'arrête de parler tout à coup, là, tout de suite ; où se trouvent les paroles que j'ai déjà prononcées ? Elles ne sont nulle part, elles n'existent plus. Et, une fois la causerie finie, où est-elle passée ? Nulle part ; elle n'est plus là, sauf à l'état de traces dans notre mémoire. Une mémoire qui ne garde qu'un souvenir fragmentaire et partiel de ce qu'a été notre expérience réelle à ce moment-là. La même constatation est vraie pour un concert ou tout autre événement de la vie quotidienne. Vu d'ici, où est notre passé ? Nulle part, il n'existe plus.

Mais, me direz-vous, qu'est-ce que cela a à voir avec notre manière d'aborder le monde et les autres ? A savoir, les contacts et les rapports que nous avons avec tout ce qui nous entoure : de notre coussin de méditation à nos enfants, en passant par notre petit déjeuner, les gens que nous rencontrons et nos collègues de travail.

Nous envisageons généralement nos rapports avec les autres comme une sorte d'objet *extérieur* à nous et destiné à *nous* procurer un certain plaisir. Ou, tout au moins, à ne pas nous déplaire. Autrement dit, nous abordons ces rapports comme s'il s'agissait d'un vulgaire dessert, comme une glace ou un gâteau avec lequel on serait censé se régaler. Il y a très peu de gens qui soient capables d'un autre type de rapport que cette mainmise sur l'autre, cette manière de le traiter en objet de son désir. L'autre est censé s'estimer heureux de l'insigne honneur qu'on lui a fait en le choisissant comme interlocuteur, et s'acquitter gentiment de sa tâche envers nous : nous rendre la vie plus agréable. Et même quand nous vivons un rapport plutôt positif, où les bons moments l'emportent sur les mauvais, nous trouvons encore moyen de focaliser sur ce qui ne va pas, sur *ce qui nous déplaît*. On voit tout de suite le petit détail qui cloche, le mauvais côté des choses.

Qu'est-ce que cela a à voir avec le non-temps et le non-soi ? Prenons un exemple : j'ai eu une empoignade avec mon ami ou mon conjoint au petit déjeuner. A midi, je suis toujours furibarde, si furieuse que j'éprouve le besoin de raconter ma scène de ménage à tout le monde, pour qu'on m'écoute, qu'on me réconforte et qu'on me soutienne. Ça y est : maintenant, c'est dans ma tête que ça se passe. « Il ne va pas y couper, ce soir, en rentrant ; il faut qu'on règle cette histoire-là. » Ainsi, j'ai déjà derrière moi la scène de ménage du petit déjeuner et mon éclat du déjeuner. Devant moi, il y a l'avenir, la suite que je vais donner à cette querelle.

Cependant, si vous y regardez de plus près, qu'y a-t-il, en réalité ? *Là*, devant moi, *à l'instant présent* ? A l'heure du déjeuner, où est passée la querelle du petit-déjeuner ? Où est-elle donc ? « L'esprit du passé est insaisissable. » Où *est-il*, là, tout de suite ? A une heure de l'après-midi, où *est* le dîner, heure à laquelle je compte bien régler la question (à mon avantage, évidemment) ? « L'esprit de l'avenir est insaisissable. » Il n'existe pas.

Mais alors, qu'est-ce qui existe ? Qu'est-ce qui est réel ? La seule chose bien réelle à une heure de l'après-midi, c'est ce qui est en train de se passer maintenant — la colère que je ressens pendant le déjeuner. Mon récit de l'incident du petit-déjeuner n'en restitue pas la réalité mais présente *ma* version des faits. Alors que, présentement, la seule réalité, c'est mon mal de tête et ce drôle de tremblement, au creux de l'estomac. Mon besoin de parler n'est qu'un exutoire à cette énergie qui travaille mon corps — la seule réalité de la situation, à ce moment-là.

Il y a quelque temps, une jeune femme (qui ne pratique pas le zen) est venue me voir pour discuter de ce que son mari lui avait fait, trois semaines avant. Visiblement, elle en était encore toute retournée et très en colère, à tel point qu'elle arrivait à peine à parler. Je lui ai alors demandé : « Où est votre mari, en ce moment ? » « Oh, au travail, » m'a-t-elle répondu. « Eh bien, où est votre querelle, où est ce qui vous tourmente ? Où donc ? » « Mais je suis justement en train de vous en parler. » J'ai repris : « Eh bien, alors, où est le différend ? Montrez-le moi ! » « Je ne peux pas vous le montrer, mais je suis en train de vous l'expliquer. Voilà comment ça s'est passé. » « Et ça se passait quand ? » « Il y a trois semaines. » « Oui, et maintenant, où est ce conflit ? » « Oh... » Mes questions l'énervaient de plus en plus. Enfin, elle finit par se rendre compte que toute cette histoire de querelle n'avait plus la moindre réalité. « Mais alors, s'écria-t-elle, si c'est tout ce que cela représente, comment est-ce que je peux le faire comprendre aussi à mon mari ? »

Si je vous raconte cette anecdote, c'est pour vous montrer que c'est notre notion de la réalité du temps, d'une continuité temporelle et existentielle entre le passé, le présent et l'avenir, qui sert de tremplin à toutes les grandes tempêtes d'émotions que nous déclenchons continuellement à partir de petits incidents du quotidien. On se met dans un tel état qu'on est pratiquement incapable de fonctionner normalement ; on en arrive à ne plus pouvoir remplir ses obligations habituelles et on finit même parfois par se rendre malade, physiquement ou mentalement, voire les deux.

Alors, faudrait-il se contenter de ne rien faire quand on est fâché ? Non, de toute façon, on ne peut pas s'empêcher de réagir. On peut cependant essayer de se souvenir que toute réaction qui s'inspire de l'ignorance et de la confusion est fatalement vouée à engendrer encore un peu plus de peine et de confusion.

> Ignorants de la réalité des choses, nous entretenons une vision linéaire et solide de la vie qui crée l'apparence — fallacieuse — d'une continuité de l'existence : puisque c'était comme ça hier, il en sera fatalement de même aujourd'hui et à jamais. En inventant ce continuum d'événements, nous nous créons un monde solide et hostile, en état de conflit perpétuel qui ne semble offrir que deux alternatives : être la victime ou l'agresseur.

Et qui crée ce monde hostile ? Rien ni personne d'autres que nous-même, à travers nos pensées, nos fantasmes et nos désirs. Les limites que l'espace et le temps imposent à la réalité, et la souffrance qui en découle, sont le produit de la pensée égocentrique. Essayez donc de chercher ce fameux *passé* et ce *futur* si chers à notre pensée : impossible, vous ne trouverez rien. Ils sont insaisissables.

Un de mes étudiants, qui m'avait entendue parler du temps, m'a confié que, depuis, il avait essayé d'examiner son passé et qu'il avait l'impression de se heurter à un mur. Il en était arrivé à la conclusion suivante : « S'il n'y a ni passé ni futur, et que je ne peux même pas appréhender le présent — dès que j'essaie, il a déjà filé —, alors qui suis-je ? » Voilà une bonne question et que nous aurions tous intérêt à nous poser. « Qui suis-je ? »

Examinons une pensée, au hasard, comme il nous en vient sans arrêt. Par exemple : « Il m'écœure, ce Bill. » Dès le départ, l'expérience est éclatée, scindée en trois : d'un côté, il y a moi, de l'autre, Bill, et au milieu une émotion — l'écœurement — qui surgit de cette dualité.

Maintenant, essayons de reformuler la chose sans faire éclater l'expérience : Moi/ Bill/ écœurement. Ou même en fusionnant le tout : *moibillécœurement*. Voilà le fait brut, l'expérience initiale. Et, à chaque fois que l'on sait vivre une expérience telle quelle, sans rien y changer, elle porte en elle-même la clé du problème. Plus précisément, même, elle *est* la solution : l'expérience et la clé qui permet de la vivre au mieux ne sont qu'une seule et même chose. Mais dès que vous dites : « Elle m'écœure », ou « il m'énerve », ou encore « on m'a fait ceci ou cela », « ça me dégoûte, ça me fait de la peine », et ainsi de suite, vous scindez l'unité du fait brut. Vous faites éclater l'expérience en trois, en posant un sujet séparé de son objet et affecté par une réaction donnée. Il y a vous, l'autre, et votre réaction — l'histoire que vous vous inventez à propos de l'autre. Au lieu d'assumer l'instant insaisissable tel qu'il se présente à vous, dans sa globalité : moi-l'autre-colère. L'expérience contient la solution, si l'on sait ne pas s'en dissocier. L'expérience *est* la solution.

En revanche, nous ne sommes pas sortis de l'auberge si nous nous complaisons dans le fatras habituel de nos pensées et que nous passons notre temps à ruminer des idées du style : « Il m'écœure, ce Bill. » Remarquez au passage que nous reproduisons le découpage du temps en trois parties jusque dans nos phrases, puisqu'elles ont un début, un milieu et une fin. Et c'est de cet éclatement qu'émerge le monde que nous projetons : un monde hostile, fait d'isolement et de peur.

Cela dit, nous ne vivons pas dans l'absolu mais dans le relatif. Dans un monde relatif où l'on est bien obligé de faire des phrases pour s'exprimer, et de donner un certain rythme à nos journées. Comprenons-nous bien : le fait de vivre dans une réalité relative n'a rien de mal en soi, ce qui est dangereux, en revanche, c'est de ne pas la percevoir comme telle.

Ignorant la nature de nos perceptions, nous traitons les autres comme s'ils étaient des personnages sortis d'un feuilleton de télévision. Par exemple, vous rencontrez une fille qui vous plaît, et vous vous dites : « Mmm, en voilà une qui est tout à fait dans le style Canal Plus — par exemple — et comme en général j'aime bien les programmes de cette chaîne-là, je sais d'avance que ce qu'ils font me plaira. Alors, il y a de fortes chances pour que je m'entende bien avec une fille qui a le style Canal Plus. » Fort de cette constatation, vous vous lancez et, pendant un certain temps, tout va très bien : il y a des tas de points de convergence entre vous deux, vous vous entendez vraiment bien. Le couple idéal, apparemment.

Mais qu'advient-il de l'idylle, au bout d'un moment ? Il semblerait que le programme ait changé tout seul : ce n'est plus Canal Plus que vous avez sur votre écran, devant vous, mais la 63e chaîne — des images chargées d'agressivité et colère — avec de temps en temps un petit tour sur le canal 49, qui distille du rêve et des fantasmes à longueur de temps. Et pendant ce temps-là, qu'est-ce que vous faites ? Eh bien, vous qui vous disiez un inconditionnel de Canal Plus, voilà que vous zappez allègrement : vous passez pas mal de temps à regarder le canal 33 qui diffuse des dessins animés qui vous rappellent le prince charmant — ou l'adorable princesse — de vos rêves. Et puis, de temps en temps, vous filez sur d'autres chaînes, comme la 19e, par exemple, avec son monde d'images troubles qui créent un climat déprimant et un sentiment de repli sur soi. Mais voilà : il suffit que vous soyez plongé dans cet univers glauque pour qu'elle, de son côté, vous donne un grand spectacle d'images lumineuses et légères. Non seulement vous n'êtes plus synchronisés, tous les deux, mais on dirait même que tous les programmes se mélangent. On s'énerve, il y a beaucoup de bruit, la zizanie s'installe : les partenaires se battent ou se replient sur eux-mêmes.

Que faire ? Vous voilà revenu à la case départ, englué dans le même vieux scénario chaotique, et comment allez-vous vous sortir de cette galère ? Puisque tout allait si bien au départ, la solution vous paraît *évidente* : il faut vous arranger pour vous rebrancher tous les deux sur Canal Plus. Alors, vous lui suggérez qu'elle devrait être un peu plus comme ci ou comme ça, pour redevenir celle dont vous êtes tombé amoureux. Et, pendant un certain temps, chacun fait des efforts de son côté, et c'est le calme plat — et l'ennui mortel — sur Canal Plus, envahi par une paix aussi artificielle que laborieuse. L'ambiance typique de la vie de nombreux couples, il faut bien l'avouer. Vous savez à quoi on peut reconnaître les couples mariés au restaurant : ce sont ceux qui ne se parlent pas...

Le plus étonnant, c'est que lorsque toutes les chaînes commencent à se mélanger, personne ne pense à se demander : « Mais *qui* a donc branché ces chaînes-là ? *Qui* est à *l'origine* de toute cette débauche d'images et d'activité ? » N'est-ce pas bizarre que nous ne nous interrogions jamais là-dessus ?

Quand, néanmoins, on néglige de se poser cette question et que la situation devient trop pénible, on finit souvent par quitter le navire pour aller tout simplement chercher ailleurs un nouveau spécimen d'individu du type Canal Plus — on a tendance à en revenir toujours au même type. En y réfléchissant un peu, vous vous apercevrez que ce petit scénario ne s'applique pas uniquement à nos amours mais à tous les rapports que nous sommes susceptibles de former, au travail, en vacances ou dans n'importe quel contexte.

Après avoir enduré un certain nombre de variantes du même scénario-fiasco, on en arrive parfois à s'interroger sur soi et sur le sens de sa vie. De temps en temps, parmi les millions de gens qui continuent à courir dans tous les sens sans savoir pourquoi ni comment, il y a effectivement quelques individus qui ont cette rare chance de se mettre à examiner à fond leur vie et de se poser les seules questions qui comptent vraiment : « Qui suis-je? D'où viens-je? Où vais-je ? »

On est parfois obligé de constater qu'après des années de vie commune avec une autre personne, on ne la connaît pratiquement pas; on est resté totalement étranger l'un à l'autre. J'en ai personnellement fait l'expérience pendant quinze ans. Deux êtres peuvent partager une vie entière sans jamais s'être vraiment rencontrés; ils se sont branchés sur la même chaîne, au départ, un point c'est tout. De temps en temps, leurs programmes ont coïncidé, mais *pas eux*, pas leurs vies.

Pratiquer le zazen intelligemment, cela signifie s'engager dans un *processus continu* de changement subtil et graduel. Une transformation qui affecte progressivement tous les niveaux de notre être, tous les aspects de notre vie, des plus évidents aux plus subtils, des plus grossiers aux plus raffinés. Jusqu'à ce qu'on ait complètement percé à jour ce que nous appelons notre *personnalité*. On apprend à vraiment observer son mental et son corps, à discerner toutes les pensées, toutes les impressions sensorielles qui nous traversent — c'est-à-dire, tout ce que nous avons toujours pris pour notre *moi*.

Certains ont alors la chance de rencontrer un enseignement spirituel digne de ce nom. Pour ce qui est de la tradition bouddhiste, voilà comment le Bouddha lui-même définissait son enseignement : « Ce qui élimine complètement toute souffrance, c'est vérité et non mensonge. » Un propos qui peut paraître assez hermétique, de prime abord ; certains auront cependant la chance de vouloir en comprendre le sens et se sentiront motivés pour pratiquer — intelligemment — afin d'y parvenir.

La première étape de la pratique ressemble à ce qui se passe quand on est pris au milieu d'une foule dense, dans une rue très passante. Il y a du monde partout, tout part dans tous les sens. On se sent légèrement effrayé, dépassé par les événements. Or, c'est comme cela que, pour la plupart, nous vivons nos vies ; nous sommes tellement occupés à éviter de nous faire rentrer dedans que nous n'avons pas de vue d'ensemble de la foule et de ses mouvements. Cependant, au bout d'un moment, en regardant un peu autour de soi — et c'est le deuxième stade de la pratique —, on arrivera à repérer des espaces, ici et là, dans la circulation et dans la foule. On réussira même à se frayer un chemin jusque sur un coin de trottoir d'où on verra un peu mieux et la circulation et les quelques espaces qu'on peut y remarquer.

Ensuite — cela correspond au troisième stade de la pratique — imaginez que vous montiez au quatrième étage d'un bâtiment et que vous observiez la rue depuis le balcon d'un appartement. De là, le spectacle est très différent : maintenant, vous pouvez même distinguer le sens de la circulation et des mouvements de foule. Et cela ne vous touche pas : ça se passe en dehors de vous, vous vous contentez de contempler le spectacle avec détachement.

A mesure que vous avancez dans votre pratique, c'est comme si vous grimpiez de plus en plus haut dans le bâtiment qui domine la rue. Aux étages les plus élevés, les mouvements de la rue ne sont plus que des figures géométriques changeantes. Cela n'a plus rien d'effrayant, c'est beau. On commence à apprécier l'ensemble du panorama, tel qu'il est. Même les embouteillages et autres points noirs de la circulation s'inscrivent dans cet ensemble ; on ne les perçoit plus comme étant de *bonnes* ou de *mauvaises* choses, mais en tant que partie intégrante d'un tout, de la vie. Après des années de pratique, on en arrive parfois à un point où l'on sait tout simplement profiter des choses telles qu'elles sont : apprécier le spectacle de la vie tel qu'il se présente à nous, s'apprécier soi-même, tel qu'on est. Sans se sentir personnellement concerné, sans s'attacher à ses expériences, puisque l'on est tout à fait conscient de leur impermanence* : tout n'est que flux. On est ainsi devenu le témoin de sa propre vie : on voit tout ce qui se passe, on apprécie, mais on reste conscient de l'instant, on ne s'accroche pas.

Au dernier stade de la pratique, on redescend dans la rue et on se mêle à la foule et à la cohue. Et pourtant, en plein milieu de tout ce tohu-bohu, on garde la tête claire parce que l'on est parfaitement conscient de la confusion qui règne alentour — conscient, donc pas affecté par elle. Dans ces conditions-là, on est capable d'apprécier le chaos et la confusion de la foule, capable d'aimer et d'aider ceux qui y sont pris, tout en gardant soi-même cette liberté qui, en réalité, avait toujours, essentiellement, été nôtre.

Perception et comportement

Par *perception*, j'entends ici le premier instant d'expérience brute, avant le déclenchement des processus mentaux. Comme par exemple, le fait de voir un objet avant qu'on ait eu le temps de se dire : « C'est une chemise rouge. » Bien entendu, cette perception immédiate ne s'applique pas qu'à la vision mais également à tous les autres sens. C'est l'expérience de la réalité à l'état pur ; appelez ça l'absolu, Dieu, la *nature de bouddha**, ou ce que vous voudrez. Cependant, cet absolu prend la forme de mon monde à moi quand il passe par le filtre déformant de la perception égocentrique qui est celle de moi. Tout est affaire de perception dans notre univers, extérieur ou intérieur à nous — puisque c'est à travers ces catégories dualistes que nous l'appréhendons. Cependant, ce n'est que lorsque ces données de la perception sont suivies d'effets concrets, d'un passage à l'acte se traduisant par un comportement particulier, que l'on peut parler de vie humaine proprement dite. Ici, j'utilise le mot acte ou comportement dans le sens de ce qui fait que vous êtes ce que vous êtes. Par exemple, ce sont vos actes, votre manière d'être et de réagir aux différentes situations du quotidien qui font de vous un être humain. Dans ce sens-là, on pourrait même dire qu'un tapis a sa propre manière d'être qui est de rester là, par terre, bien à plat sous nos pieds. (A vrai dire, si vous examiniez ce tapis au microscope, vous verriez que ce n'est pas ce n'est pas un objet inerte mais un flux d'énergie en mouvement constant et très rapide.)

C'est ainsi qu'on peut distinguer le réel — qui n'est autre que l'absolu, Dieu, la nature de bouddha, la déité — du monde qui se forme instantanément à partir de cette réalité immédiate. On ne doit pas les envisager comme deux notions séparées ou antinomiques, mais comme les deux côtés d'une même pièce : du point de vue de la vérité absolue, il n'y a pas de différence entre la réalité et ce que nous appelons le monde. Si nous étions capables d'assimiler cette vérité, nous comprendrions qu'il n'y a ni passé ni avenir, et nous aurions vite fait de voir à quel point nos problèmes sont dérisoires. Et nous vivrions beaucoup mieux !

Nous n'avons, pour la plupart, qu'une conscience très limitée de nos perceptions, tout en ayant pourtant vaguement l'idée qu'il doit bien y avoir un rapport entre ce que nous ressentons et notre manière d'agir. Par exemple, si vous avez mal à la tête et que vous n'êtes pas à prendre avec des pincettes, vous vous rendrez peut-être compte qu'il y a un rapport entre votre irritabilité — votre comportement — et votre mal de tête — votre sensation, cette donnée brute de votre perception. Ce qui signifie que, tout en n'ayant pas pleinement conscience de nos perceptions, nous ne nous dissocions cependant pas complètement de ce vécu immédiat. Mais, si nous sommes capables de sentir ce lien en nous-même, il n'en va pas de même lorsqu'il s'agit des autres. Que quelqu'un d'autre se montre irritable, et l'on n'aura pas l'indulgence de se dire que ce comportement est peut-être lié à ce que l'autre ressent actuellement — et s'il avait la migraine ? Ne pouvant ressentir les sensations — le vécu perceptuel — de l'autre, nous le jugeons sur les apparences — sa conduite, en l'occurrence. Par exemple, si vous êtes choqué par l'arrogance inqualifiable d'Untel ou Unetelle, vous condamnerez aussitôt leur comportement sans connaître la nature de leurs perceptions, c'est-à-dire les sensations qu'ils éprouvaient à ce moment-là et qui les ont poussés à agir ainsi à ce moment-là.

Le comportement des autres est un phénomène observable, à la différence de leur manière de sentir les choses qui ne l'est pas. Le temps que vous formuliez une observation à propos d'un acte donné, et il appartient déjà au passé. Or, le vécu immédiat n'est jamais une donnée du passé. C'est pourquoi les Sutras* en parlent en disant qu'on ne peut ni le toucher, ni le voir, ni l'entendre, ni même le concevoir car, dès l'instant qu'on s'y essaie, on introduit la notion de temps et de séparation entre le sujet et l'objet, à savoir les distorsions mêmes qui créent notre monde phénoménal. Quand j'observe mon bras qui se lève, je suis tentée de penser que c'est *moi* qui bouge. De même, lorsque j'observe mes pensées, j'ai tendance à m'identifier à elles. En *me* voyant dans tout ce que je fais ou je pense, je ne cherche qu'à affirmer ce fameux *moi* et à le conforter.

Alors qu'en réalité, tout ce que j'observe en moi n'est pas moi : ce sont des phénomènes intéressants et qui m'affectent de près, mais qui ne constituent pas mon identité. Il s'agit de mes actes, de mon comportement, de ce qui relève du monde phénoménal. Ce que je suis, en revanche, c'est ce vécu immédiat de la réalité brute, qui reste à jamais inconnaissable, indéfinissable. Et qui s'évanouit dès qu'on essaie de lui donner ne serait-ce qu'un nom.

Notre manière d'agir, d'une part, et notre perception de ce qui nous arrive, de l'autre, ne sont cependant pas deux choses séparées. Lorsque je vous perçois (en vous voyant, en vous entendant, et en vous touchant), vous êtes ma perception, mon vécu de ce qui existe à ce moment-là. Mais, comme tout être humain qui se respecte, je ne me contente pas d'en rester là et je m'empresse de vous juger d'après ce que *je crois voir* de votre comportement. Résultat : je me sépare de vous en brisant l'unité initiale de l'expérience immédiate de vous — là, devant moi — par mes préjugés et mes jugements lapidaires. Je me retrouve donc en face d'un monde scindé — moi et les autres — que je me crois dès lors obligée d'examiner, d'analyser et de juger systématiquement. Et c'est là que commencent les vrais ennuis : en cessant d'expérimenter ses perceptions de manière immédiate, on tombe dans un monde de complications infinies. Désormais obligé de recourir à la mémoire et aux concepts, sans pour autant en comprendre la nature ou le maniement intelligent, on a vite fait de sombrer dans la confusion la plus totale.

Nous sommes tous logés à la même enseigne : notre vécu est essentiellement un tissu de perceptions qui donne l'apparence d'un comportement, et que les autres perçoivent comme tel, puisqu'ils ne peuvent pas sentir ce que nous, nous ressentons et réciproquement. En réalité, la perception — le vécu des expériences qui se présentent à nous — est un phénomène universel puisque c'est à travers lui que nous existons en tant qu'êtres humains. Lorsqu'on mesure mieux à quel point il est absurde de vivre assujetti à ses pensées et à ses opinions, on peut faire plus de place à l'expérience directe et immédiate des données de la perception. Ce qui permet de mieux sentir le vécu réel — l'expérience perçue — de l'autre. Lorsqu'on réussit à s'émanciper du joug de ses opinions pour se livrer à l'expérience immédiate du perçu, on agit spontanément dans un sens qui est favorable à tout le monde : à la fois à nous *et* aux autres. Ces *autres* qu'on cesse alors de traiter en objets, en vulgaires singes de laboratoire dont on réduirait tout l'être à un comportement.

> La pratique du zen vise à nous ramener à l'expérience pure, immédiate, qui, seule, nous permet de penser et d'agir de manière appropriée à la situation. C'est une chose dont nous sommes et demeurerons incapables, tant que nous resterons esclaves du caprice de nos pensées et de nos préjugés.

Nous jugeons presque toujours les autres en fonction de leur comportement, indépendamment de l'expérience qui a pu le motiver. Peu importe que les deux choses soient indissociables, nous ne voulons pas le savoir. Nous en sommes vaguement conscients en ce qui nous concerne nous, personnellement, quoique là aussi, pas complètement. Le zazen permet de constater qu'on ne connaît qu'une toute petite fraction de soi-même et, à mesure que l'on apprend à mieux percevoir son vécu, on voit évoluer ses actes : on tend à agir de moins en moins en fonction de son conditionnement et de ses souvenirs, et de plus en plus en réponse à ce qu'est la vie, à l'instant même où on l'expérimente.

Les actes inspirés par la réalité de l'instant sont pénétrés de ce qu'on appelle la compassion, la vraie. Plus vous arriverez à coller à l'expérience de l'instant, et plus vous vous rendrez compte que, au-delà des spécificités mentales et physiques de chacun d'entre nous, il existe un *état* (ou une absence d'état — les mots nous font défaut, dans ce domaine-là —), un état fondamental du corps et de l'esprit qui est le même pour tout le monde — votre intuition vous le fera sentir. Ainsi, même si l'autre fait preuve d'un comportement irresponsable auquel vous êtes amené à vous opposer avec fermeté, cela ne vous fera pas perdre de vue pour autant que cet autre est fondamentalement identique à vous-mêmes.

C'est cette compréhension de l'identité fondamentale de tous les êtres qui est la source de la compassion, et, pour comprendre l'autre et ce qu'il ressent, il faut être soi-même capable d'expérimenter de manière immédiate et directe chaque instant, chaque perception de son vécu. La compassion n'est pas une idée ou un idéal, c'est un espace sans forme prédéterminée mais capable de tout inclure, de tout embrasser. Un espace infiniment puissant et dynamique qui s'étend sous l'effet du zazen.

Cet espace-là est toujours présent, partout. Pas besoin d'aller le dénicher quelque part ou de s'escrimer à le créer de toutes pièces. Il est là en permanence parce qu'il palpite au cœur même de notre vécu de l'instant. C'est notre nature essentielle : nous ne pouvons pas nous empêcher d'être comme cela, au fond. En revanche, nous pouvons l'ensevelir sous le linceul de l'ignorance. Il n'y a rien à *trouver*, il suffit simplement de cesser d'oblitérer ce qui est déjà là, en nous. C'est précisement ce qui a fait dire au Bouddha qu'il n'était *arrivé* à rien, en quarante ans. Il n'était arrivé à rien parce qu'il n'y avait rien à quoi arriver. Tout était déjà là dès le départ.

Les rapports de couple ne sont pas fiables

Je suis récemment rentrée d'Australie où j'étais allée diriger une sesshin. Moi qui étais partie en espérant trouver un temps correct là-bas, j'ai été accueillie par une pluie diluvienne qui n'a pas cessé de tomber pendant les deux premiers jours. Comble de chance, nous avons eu droit à une tempête de vent glacial pendant les cinq derniers jours de la sesshin. Ça soufflait si fort qu'on arrivait à peine à tenir debout en passant d'un bâtiment à l'autre ; il fallait littéralement se battre pour garder l'équilibre. Le vent était si violent qu'il faisait vibrer le toit de la maison comme quand un quinze tonnes passe sur la route. Malgré tout, la sesshin s'est très bien passée et j'en suis repartie avec la même impression qu'à chaque fois : les gens sont partout les mêmes. Les Australiens sont aussi fantastiques et aussi perturbés que les autres gens. Ils se posent les mêmes problèmes que le commun des mortels, ils rencontrent autant de difficultés que nous dans leurs couples. C'est pourquoi j'aimerais aborder ce sujet-là avec vous, pour essayer de démystifier un peu les illusions que nous nous faisons à propos de ces fameux rapports dont nous attendons tellement. Eh bien, laissez-moi vous dire que nous faisons complètement fausse route car ils ne marchent pas. Il y a toujours quelque chose qui cloche et qui fait capoter le couple. Mais alors, me direz-vous, à quoi ça sert de pratiquer le zen si l'on n'y peut rien et qu'on est de toute façon certain de courir au fiasco ? A vrai dire, si nos couples sont apparemment si souvent voués à l'échec, c'est pour la bonne et simple raison que nous en attendons tellement de choses. On voudrait tant que ça marche !

Ne noircissons pas trop le tableau : certes, la vie n'est pas forcément un fiasco, mais elle le devient vite quand on part du principe qu'on doit l'organiser de façon à y trouver un maximum de satisfaction personnelle. Nos rapports sont toujours empreints d'une certaine dose d'attente qui se manifeste de manière plus ou moins subtile ou évidente : « Si je me débrouille bien, il y a des chances pour que cette relation-là marche bien et m'apporte ce que j'en attends. » Nous attendons toujours quelque chose des gens auxquels nous sommes liés. D'ailleurs, même le fait d'éviter un rapport est encore révélateur d'une forme de désir.

Alors, si les rapports de couple ne sont pas fiables, qu'est-ce qui marche ? La seule chose qui marche réellement (pourvu qu'on pratique sérieusement), c'est une qualité de motivation qui vous pousse à ne pas agir uniquement en vue de votre propre satisfaction, mais avec le souci d'apporter une contribution positive à la vie et aux autres, notamment à travers les rapports que vous entretenez avec eux. Voilà qui est peut-être très beau et très inspirant à entendre, mais l'ennui, c'est que personne ne tient particulièrement à essayer, concrètement. Qui a envie de se dévouer aux autres et de les aider ? De vraiment se dévouer à eux, dans le sens de tout leur donner sans rien en attendre en retour ? Leur donner du temps, du travail, de l'argent — tout ce dont ils peuvent avoir besoin. L'amour — le vrai — n'attend rien en contrepartie : tu as besoin de quelque chose, eh bien, je te le donne. Une attitude qui est aux antipodes de nos petits jeux habituels où nous agissons toujours en fonction d'une arrière-pensée. Quand vous dites par exemple : « Il faut qu'on se parle, pour améliorer nos rapports », vous pensez dans votre for intérieur : « Il faut qu'on se parle pour que tu comprennes bien ce que j'attends de toi. » C'est à cause de ces calculs que nos rapports ne peuvent pas marcher. Le constater, c'est déjà envisager l'étape suivante : trouver une autre manière d'être qui débouche sur un nouveau type de rapports. Présentement, déjà, il nous arrive parfois d'éprouver fugitivement ce sentiment d'ouverture, d'acceptation de l'autre et de ses besoins, et le désir de l'aider sans rien attendre en retour.

Je vais vous raconter une histoire vraie, celle d'une femme dont le mari avait été envoyé au Japon avec les troupes américaines, pendant la dernière guerre. L'homme en question avait à l'époque vécu avec une Japonaise qu'il aimait énormément et dont il avait eu deux enfants. A son retour au pays, il n'avait pas soufflé mot de toute cette histoire à sa femme. Et puis les années passèrent et il se retrouva un jour sur son lit de mort ; se sachant mourant, il confessa la vérité à son épouse. Celle-ci fut d'abord terriblement choquée et fâchée, mais quelque chose en elle la poussa à faire face à sa peine et à la surmonter. A tel point que, avant que son mari n'ait rendu l'âme, elle lui promit : « Je vais m'occuper d'eux. » C'est ainsi qu'elle se rendit au Japon, retrouva la jeune femme et les deux enfants, et les ramena avec elle aux Etats-Unis où elle les installa chez elle. Ils vécurent tous ensemble et elle fit de son mieux pour aider la jeune femme à apprendre l'anglais et à trouver du travail, tout en l'aidant à élever ses enfants. Ça, c'est de l'amour !

> Pratiquer la méditation, ce n'est pas fuir le monde au profit de quelque rêve éthéré ; au contraire, c'est entrer en contact beaucoup plus étroit avec les réalités de sa vie.

A mesure que vous progresserez dans votre pratique et que vous entreverrez mieux la possibilité d'évoluer vers une autre manière d'être, vous arriverez peu à peu à vous défaire de l'égocentrisme qui avait jusque-là animé toutes vos pensées et tous vos actes. Vous serez capable de dépasser cette obsession égotiste, non en lui substituant une motivation altruiste — car l'autre n'existe que par rapport au moi —, mais en adoptant une attitude d'ouverture totale. C'est le but de toute pratique digne de ce nom, faute de quoi nos méditations ne sont que de vulgaires simulacres. A chaque fois que vous constatez que *vous voulez quelque chose*, c'est signe que vous avez encore besoin de persévérer dans votre pratique. Et sur ce point-là, nous sommes tous logés à la même enseigne ! Tenez, cela fait des années que je pratique, et je me suis encore prise en flagrant délit l'autre jour, à l'occasion de mon récent voyage en Australie. Je me disais que c'était quand même un long voyage, à mon âge, même si la sesshin avait bien marché et qu'elle avait fait du bien aux participants. Cela m'avait beaucoup fatiguée, et je ne savais pas si je recommencerais l'année prochaine. Peut-être qu'il faudrait que je me ménage un peu, me disais-je. Et voilà comment fonctionne l'esprit humain ! Je suis comme tout le monde : j'ai envie de me sentir bien, confortablement installée quelque part ; je n'aime pas être fatiguée. Eh bien, me direz-vous, quel mal y a-t-il à vouloir un peu de confort pour soi-même ? Cela n'a rien de répréhensible en soi, certes, sauf si ce désir rentre en conflit avec les grandes orientations de ma vie, des valeurs qui m'importent plus que mon petit confort personnel. Et si votre pratique ne vous dicte pas les grandes priorités de votre vie, c'est qu'elle n'est pas digne de ce nom. Une fois que vous aurez clairement établi vos priorités, elles se feront sentir dans tous les domaines de votre vie, dans vos relations amoureuses comme au travail.

Si votre pratique ne vous inspire pas des valeurs qui dépassent la simple satisfaction de *vos désirs personnels*, c'est que vous êtes complètement à côté de la plaque.

Cependant, gardons-nous d'être trop simplistes. Au bout du compte, la pratique de la méditation doit faire de nous des individus mieux équilibrés et plus ouverts — une tâche d'une grande complexité —, et c'est pourquoi il existe un certain nombre de techniques permettant de développer les différentes qualités requises. C'est ainsi que certaines pratiques contribuent surtout à acquérir une grande force de concentration, certes nécessaire, mais qui risque parfois d'être mal utilisée. On peut apprendre à tellement bien s'absorber en soi que l'on ne voit plus rien d'autre alentour, et que sa méditation devient une forme de fuite devant la vie. Quoique, dans ce centre, nous ne cherchions pas à développer la concentration en tant que telle, c'est néanmoins un des outils nécessaire à notre évolution, mais dont l'acquisition s'inscrit dans le cadre global de la pratique de zazen. Personnellement, je préfère les pratiques de type Vipassana[1] dans lesquelles on ne fait qu'observer tout ce qui se présente à notre mental et à nos sens. J'estime pour ma part que c'est le meilleur système de formation de base, quoique, là aussi, il y ait des risques de distorsions. Cela peut donner des gens assez dépersonnalisés puisqu'ils se bornent à tout observer, à tout enregistrer froidement, comme des machines, sans ressentir aucun sentiment, comme ce fut mon cas à une certaine époque de ma vie, je crois. C'est peut-être un des écueils de cette forme de pratique, mais chaque technique a ses avantages et ses inconvénients propres. En dehors de la méditation, il

1. VIPASSANA : terme pali signifiant *voir plus* et utilisé pour désigner un type de méditation particulier. Consulter le glossaire pour plus ample information (*N.d.T*).

existe aussi certains systèmes de psychothérapie et des techniques thérapeutiques qui ont de bonnes choses à offrir, tout en ayant aussi leurs travers. C'est une tâche bien complexe que d'amener un homme ou une femme ordinaire à se développer harmonieusement pour devenir un être humain vraiment digne de ce nom, c'est-à-dire une personne équilibrée, riche de sagesse et de compassion.

Le jour où vous commencez à vous sentir mal à l'aise dans un rapport amoureux et à vous dire que votre partenaire ne vous convient plus, c'est le moment de vous interroger sur vous-même et de vous demander comment intégrer ce malaise à votre pratique spirituelle. Je ne dis pas qu'il s'agit de préserver nos couples à jamais, car la vraie finalité de ce type de rapport est ailleurs. Notre intimité avec un autre être sert tout simplement à multiplier le pouvoir de la vie. La vie se sert de nous pour canaliser et renforcer son énergie. Lorsqu'un couple marche bien, la vie prend une intensité plus grande que si les deux individus concernés étaient restés chacun seul de son côté. Tout se passe comme si, au lieu de deux canaux individuels juxtaposés, il s'en formait un troisième, plus grand que les deux autres mis ensemble. Et c'est ce que recherche la vie : elle se moque pas mal de savoir si vous êtes *heureux* ou non dans votre couple ; tout ce qu'elle veut, c'est un canal, un intermédiaire puissant. Et si celui que vous lui offrez n'est pas suffisamment fort, elle aura vite fait de le rejeter. La vie n'a que faire de nos petits couples, elle cherche simplement des intermédiaires qui lui permettent de fonctionner au maximum. Nous ne sommes rien de plus que ces intermédiaires, et nos petits drames passionnels n'intéressent pas la vie qui, pareille à un vent déchaîné, s'engouffre dans le conduit de notre couple et souffle et fait rage dans tous les sens pour en éprouver la résistance et la solidité. Si le couple ne tient pas le coup, de deux choses l'une : ou bien il a besoin de se consolider pour mieux résister aux extraordinaires énergies de la vie, ou bien il n'en était de toute façon pas capable et mieux vaut le dissoudre pour que quelque chose de neuf et de fort puisse refleurir sur les décombres. Le fait que le couple résiste ou non est secondaire, l'essentiel étant ce que l'on apprend au passage. On voit beaucoup de gens qui se marient alors que leur union ne sert, apparamment, à rien. Ne me faites pas dire ce que je n'ai pas dit : je ne prétends pas que les couples mariés feraient mieux de se séparer, je veux juste souligner que nous nous méprenons trop souvent sur ce que représente le mariage. En réalité, quand un couple ne marche pas, cela veut dire que chacun des deux partenaires est trop imbu de lui-même ; chacun se préoccupe de soi, avant tout. *Je veux* ceci ou cela, ça ne *me* convient pas, et ainsi de suite. Moi, moi, et toujours moi. Quand un couple est bancal, c'est que chacun cherche à tirer la couverture à soi. Au contraire, si chacun des partenaires sait s'abstenir de trop exiger de l'autre, leur couple sera fort et fonctionnera bien. Et c'est tout ce qui intéresse la vie qui se moque bien de vous, personnellement, en tant que petit ego avec ses petits désirs personnels.

Ce sont de grandes questions que je soumets là à votre réflexion et vous ne serez peut-être pas d'accord avec tout ce que j'ai dit. Mais, la finalité du zen n'est-elle pas de nous amener à comprendre le non-soi ? Réaliser ce non-soi qui est notre nature. Ce qui ne veut pas dire qu'on ne soit rien du tout ; au contraire, cela signifie être très fort. Mais fort sans être rigide. Tenez, j'ai entendu parler de maisons spécialement conçues pour résister aux violentes tempêtes et aux inondations qui sévissent parfois en bordure de mer : les maisons sont conçues de telle façon que, lorsque la mer monte à l'assaut, la partie médiane s'effondre — à dessein — pour laisser passer les eaux furieuses qui peuvent ainsi ressortir de l'autre côté — ce qui permet de limiter énormément les dégâts car la maison reste debout.

Un couple sain ressemble un peu à cela : il a une structure suffisamment flexible pour lui permettre d'absorber les chocs et les stress de la vie tout en gardant son intégrité et en continuant à fonctionner. En revanche, lorsqu'un couple n'est que la juxtaposition de deux égoïsmes, il a une structure rigide qui, ne s'accommodant pas bien des chocs et des stress de la vie, ne lui est pas d'une grande utilité. La vie aime que les gens soient flexibles, afin de pouvoir les utiliser aux fins qu'elle poursuit.

En travaillant à comprendre le zazen et le sens de votre pratique, vous apprendrez à faire connaissance avec vous-même et vous vous rendrez compte des dégâts que vos émotions incontrôlées causent dans votre vie. En pratiquant sérieusement, patiemment, vous constaterez petit à petit des progrès — lentement mais sûrement. C'est long et c'est lent, cela peut prendre des années, et c'est quelquefois horriblement pénible. Et si quelqu'un vous dit le contraire, c'est qu'il vous raconte des fadaises ou qu'il parle d'une méditation de pacotille. La méditation digne de ce nom n'est certes pas une partie de plaisir, mais si l'on s'y adonne sincèrement, on finira par comprendre ce que l'on cherchait, en discernant peu à peu ce que l'on est. C'est pourquoi je ne saurais trop vous recommander d'apprécier votre pratique et de vous y mettre sérieusement.

La pratique n'est pas une petite dentelle qu'on ajoute à la vie pour faire beau, ou un petit four qu'on déguste de temps en temps pour le plaisir. C'est une nourriture de base, comme le pain quotidien, un élément essentiel de la vie, sans lequel rien n'aurait beaucoup de sens.

Alors je vous invite à examiner l'état actuel de votre pratique et, qui sait, peut-être que, par-dessus le marché, certains d'entre vous auront même la chance de vivre un rapport de couple qui marche, parce que fondé sur des bases saines. A vous de savoir créer de telles bases !

Tout rapport est avant tout un rapport à soi

Le but de nos sesshin est de nous aider à faire connaissance avec nous-même. Nous avons un corps et un esprit, bien sûr, mais cela ne suffit pas à expliquer ce que nous sommes. Pour reprendre les paroles que Shakespeare mettait dans la bouche de Polonius : « Sois ce que tu es vraiment et, aussi sûrement que le jour succède à la nuit, tu ne tromperas jamais personne. » Nous avons besoin de connaître notre *vrai soi*. Chacun de nous a sûrement sa propre image de ce que pourrait être son *vrai soi* — peut-être une sorte d'entité éthérée qui flotte quelque part —, mais si nous sommes en sesshin ensemble, c'est pour découvrir ce qu'*est* notre soi véritable.

Si l'on vous demandait de définir le *vrai soi*, que diriez-vous ? Réfléchissons-y un moment. Quelle est la première chose qui me vient à l'esprit ? Une formule du style : la manière d'être d'un homme ou d'une femme qui n'ont plus de motivation égocentrique. Il est évident qu'une telle personne ne serait plus typiquement *humaine*, au sens que l'on donne d'ordinaire à ce mot. Quoique, d'un autre côté, on pourrait dire qu'elle est pleinement humaine, qu'elle a trouvé la pleine mesure de son humanité, d'une manière qui dépasse l'acception habituelle de ce terme quand il s'applique au commun des mortels, comme vous et moi. Car quelqu'un qui aurait une telle manière d'être ne serait en fait personne.

Nous avons tous tendance à nous croire personnellement impliqué dans ce qui nous arrive, à toujours rapporter à soi-même tous les gens, les choses et les événements de la vie. Ce qui est une grossière erreur de notre part. Prenons un exemple ; supposons que je sois mariée. J'envisagerais vraisemblablement mes rapports avec mon mari comme tout le monde le fait dans ce cas-là : « Je suis mariée avec lui. » Mais cette formulation exprime plus une séparation qu'une union : il y a un *je* et un *lui*, séparés l'un de l'autre. Alors que dans l'optique du vrai soi, on n'est plus deux, il n'y a pas de séparation. Bien sûr que, *vu de l'extérieur*, on dirait que je suis mariée avec lui, mais du point de vue du vrai soi — appelez ça le potentiel d'énergie infinie, si vous préférez — il n'y a pas de séparation. Le vrai soi peut prendre toutes sortes de formes tout en restant essentiellement un — un unique potentiel d'énergie. Si je dis que je suis mariée avec lui, que j'ai une Toyota et quatre enfants, c'est vrai, en termes ordinaires. Cependant, ce n'est pas l'absolue vérité : en réalité, je ne suis pas mariée *avec* quelqu'un ou quelque chose. Je *suis* cette personne-là, je *suis* cette chose-là. Car le vrai soi ne connaît pas de cloison ni de séparation.

C'est bien joli, votre histoire, me direz-vous, mais pratiquement, comment résoudre les problèmes que la vie ne cesse de nous poser, quotidiennement ? Vous connaissez tous par cœur les difficultés qu'on peut rencontrer au travail, en famille ou à l'intérieur de n'importe quel rapport humain. Envisageons des situations concrètes. Supposez que je sois l'épouse d'un monsieur qui ait un caractère de chien et que nos enfants en souffrent. Vous m'avez souvent entendu dire que, quand on souffre, il faut s'identifier à cette peine, devenir cette souffrance. Certes, c'est ce qui nous aide à mûrir, mais comment s'y prend-on, pratiquement, lorsque la situation est tellement invivable que tout le monde en pâtit ? Que faire en pareil cas ? Et l'on peut imaginer toutes sortes de variations sur ce même thème des rapports humains. Imaginez par exemple que j'aie un conjoint entièrement dévoué à son travail de recherche qui l'oblige à aller vivre en Afrique pendant trois ou quatre ans, alors que mes obligations professionnelles me retiennent ici. Eh bien, que dois-je faire ? Autre variante : j'ai des parents âgés qui ont besoin que je m'occupe d'eux mais mon travail et mes autres responsabilités font que je ne peux pas être auprès d'eux. Que faire ? La vie regorge de problèmes comme celui-ci ; et même s'ils n'ont pas toujours la gravité de certains de ces exemples, ils suffisent généralement à nous rendre fous d'angoisse.

> Quelle que soit la situation considérée, ce n'est pas à l'autre *en tant que tel* qu'il faut se dévouer mais au vrai soi. L'autre est une manifestation physique du vrai soi, bien entendu, mais il y a tout de même une distinction à faire.

Ainsi, si vous participez à un groupe, votre rapport n'est pas au groupe mais au vrai soi du groupe. Et quand je dis *vrai soi*, je ne parle pas de quelque esprit éthéré qui flotte quelque part dans le ciel. Le vrai soi n'est rien du tout, et pourtant c'est la seule chose qui devrait compter dans notre vie. Notre seul maître. Le zazen ou les sesshin ont justement pour seul but de nous amener à mieux comprendre ce vrai soi, faute de quoi on risque de rester à jamais noyé dans ses problèmes, sans savoir comment faire pour s'en sortir. Ce n'est pas envers un maître, un centre, votre travail, votre conjoint ou vos enfants que vous devez vous sentir responsable, mais envers votre vrai soi. Et comment fait-on ? A vrai dire, ce n'est pas facile et il faut pas mal de temps et une bonne dose de persévérance pour y arriver.

A la lumière de votre pratique, vous ne tarderez pas à vous rendre compte que le vrai soi est un peu le cadet de vos soucis, en queue de la liste de vos autres préoccupations. Certes, nous vouons un intérêt passionné à notre *petit* moi, le pseudo-soi : il n'y en a toujours que pour ce que *je* veux, ce que *je* pense, ce que *j'*espère, ce qui pourrait me faire plaisir, ou favoriser ma santé et mon bien-être. En fait, c'est à cela que passe toute notre énergie, comme vous le révélera votre pratique, si vous la faites intelligemment. Ne portons pas de jugements de valeur là-dessus, ce n'est pas la peine. Nous *sommes* comme ça ; c'est un fait, un point c'est tout.

Quand on prend très clairement conscience de son égocentrisme, tel qu'il se reflète dans tout ce qu'on fait, et qu'on mesure mieux la somme de peines et de souffrances qu'il engendre, on est parfois capable de se libérer un peu de cette obsession de l'ego. Assez pour avoir l'intuition, même fugitive, d'une autre manière d'être : celle du vrai soi.

Comment assumer sa responsabilité envers le vrai soi, concrètement ? La solution peut parfois sembler très dure, voire cruelle, mais parfois aussi très évidente et facile. En tout cas, il n'y a pas de réponse toute faite, pas de formule-miracle. Je peux laisser tomber mon travail à New York — un super-boulot — et rester chez moi pour m'occuper de mes parents, comme je peux faire l'inverse. Personne ne peut me dire ce qu'il vaudrait mieux faire, sinon mon vrai soi. Quand on a atteint suffisamment de maturité dans sa pratique pour être en prise directe sur son vécu immédiat, on a moins tendance à se tromper dans ses choix et on sent de mieux en mieux ce qui va dans le sens de la compassion. Lorsqu'on n'est plus personne — un non-soi — (et nous n'y parviendrons jamais tout à fait), l'acte juste s'impose de lui-même, spontanément.

Tous les rapports que nous avons avec les autres sont riches d'enseignements, mais certains doivent parfois être interrompus, même si c'est triste. Quelquefois, la meilleure façon de servir le vrai soi est de changer d'horizons. Et personne ne peut me dire ce qui me conviendrait le mieux à ce moment-là, car personne ne le sait, à part le vrai soi. Qu'importe ce que pourront en dire ma mère ou ma tante, ou même, dans un certain sens, ce que j'en pense, *moi, le petit moi.* Comme le disait un maître : « Votre vie ne vous regarde pas. » Ce qui nous regarde, en revanche, c'est notre pratique ; à savoir, apprendre ce que cela veut dire que de se dévouer à *quelque chose* qu'on ne peut ni voir, ni toucher, ni goûter, ni sentir. Le vrai soi est essentiellement une *non-chose*, et pourtant c'est notre maître ultime. Et c'est à dessein que j'emploie le terme *non-chose* plutôt que le mot *rien* ; le maître ultime n'est pas *une chose*, c'est *la seule chose*. Ainsi, quand deux personnes sont mariées, elles ne le sont pas l'une à l'autre, mais au vrai soi. Quand on fait la classe à des enfants, on ne leur enseigne rien, on ne fait qu'exprimer le vrai soi de la manière qui convient à un cadre scolaire.

Vous allez peut-être m'objecter que tout cela vous paraît d'un idéalisme béat et plutôt farfelu. Et pourtant, il ne se passe pas cinq minutes sans que vous n'ayez l'occasion de vérifier ce que je viens de vous dire dans une situation concrète. Tenez, prenons par exemple votre conversation avec cette personne qui vous tape sur les nerfs, ou cette rencontre qui tourne à l'aigre quand vous vous dites que ces gens-là exagèrent, ou bien encore l'irritation que je ressens parce que ma fille m'avait promis de me téléphoner et qu'elle ne l'a pas fait. Eh bien, où se cache donc le vrai soi, dans ces petits incidents? La plupart du temps, il brillerait plutôt par son absence, ou plutôt par notre incapacité à le reconnaître à ce moment-là ; on est tout juste capable de voir comment et pourquoi on l'a raté. Ainsi, on peut prendre conscience de l'irritation et de l'impatience qu'on ressent en identifiant ces émotions-là au passage, et en sentant les tensions qu'elles génèrent en nous. Autrement dit, nous sommes capables d'expérimenter l'imbroglio de pensées et de sensations que nous *interposons* entre le vrai soi et nous-même. Savoir pratiquer ainsi, minutieusement et systématiquement, et faire de cette pratique la grande priorité de votre vie, c'est cela se dévouer au maître ultime. Et c'est en servant ce maître que vous trouverez la sagesse qui inspire les bons choix.

Il n'y a qu'un seul maître. Ce n'est ni moi, ni personne d'autre ; ce n'est ni Baba Machin, ni Gourou Trucmuche. Personne ne peut s'arroger le rôle du maître. Et tous ces gens et toutes ces choses qui remplissent nos vies ne sont autres que l'instrument de ce maître, qu'il s'agisse d'un centre zen, d'un couple, d'une amitié, ou d'une relation d'affaires. Mais, avant d'en prendre conscience, il nous faudra faire la lumière sur nous-mêmes ; pas une fois, mais des centaines et des milliers de fois. Pleins feux sur toutes ces pensées malveillantes et ces jugements critiques que je porte sans cesse sur les autres et sur les événements. Pleins feux sur ce que je sens, ce que je veux, ce que j'espère ou ce que je redoute ; sur ce dégoût que m'inspire untel, ou que je m'inspire à moi-même. Branchons les projecteurs sur ce nuage empoisonné qu'on jette sur la réalité. A la manière d'une pieuvre, nous nous entourons d'un nuage d'encre derrière lequel nous nous croyons autorisés à agir en toute impunité. Dès qu'on ouvre un œil, le matin, on commence à lancer des jets d'encre autour de soi, cette encre de notre égocentrisme qui pollue toute l'eau autour de nous.

> Dès qu'on vit en égoïste, on ne cesse de générer en permanence des quantités de problèmes.

Tout en prétendant détester les films d'horreur, *nous*

nous complaisons dans une atmosphère glauque ; nous nous vautrons avec fascination dans nos soi-disant drames. Résultat : on finit par sombrer dans la confusion la plus totale.

> Une pratique authentique est celle qui dédramatise les choses et vous fait découvrir leur simplicité intrinsèque. Elle vous ramène à un espace de simplicité dans lequel les choses sont tout simplement ce qu'elles sont — une forme d'expression spontanée de la vie qui est incompatible avec la rigidité de l'ego.

En participant à des sesshin, on se donne l'occasion de passer une plus grande fraction de sa vie dans cet espace de simplicité. Mais ce n'est pas automatique : il faut savoir faire preuve de patience et de persévérance, cultiver une posture adéquate, garder une certaine égalité d'humeur malgré les hauts et les bas de la pratique, et surtout rester assis sur son coussin à *faire zazen*, encore et encore, inlassablement...

> Le vrai soi n'est rien du tout ; il n'est que l'absence de quelque chose d'autre. De quoi, à votre avis ?

Souffrir

La vraie et la fausse souffrance

Hier, je parlais avec une de mes amies qui est en convalescence après avoir subi une grave opération, et je lui demandais de me suggérer un bon sujet pour une causerie sur le dharma*. Elle rit et me répondit : « La patience et la souffrance. » Elle avait remarqué quelque chose d'intéressant : immédiatement après son opération, et pendant les quelques jours qui suivirent, elle avait ressenti une douleur vive mais en quelque sorte propre et nette, et qui ne lui avait pas posé trop de problèmes. Ensuite, lorsqu'elle avait un peu repris ses forces et que sa tête s'était remise à fonctionner, elle avait commencé à avoir vraiment mal, car elle s'était mise à *penser* à ce qu'il lui arrivait.

> D'un côté, la pratique de zazen est un acte absolument gratuit, mais de l'autre, elle a un but très clair : nous aider à ne plus souffrir. On cherche non seulement à se libérer soi-même de la souffrance, mais à en libérer tous les autres.

C'est pourquoi il est d'une importance cruciale de comprendre ce qu'est la souffrance si l'on veut vraiment pratiquer, pas seulement pendant qu'on est assis sur son coussin, mais à chaque moment de sa vie. C'est ce qui nous permettra d'assumer les aléas du quotidien sans s'en faire une montagne. Il y a quelques semaines, quelqu'un m'a donné un article intéressant sur la souffrance, dont la première partie était une analyse du sens même de ce terme. Or, je m'intéresse justement beaucoup à l'étymologie des mots, car elle en dit souvent déjà très long sur leur sens.

L'auteur de l'article faisait remarquer la richesse de sens du mot *souffrance*. Le mot lui-même est un dérivé du latin *subferre*, composé du verbe *ferre, porter*, et du préfixe *sub* qui veut dire *sous, dessous*. Le terme dans son ensemble exprime donc l'idée de : se trouver dessous, porter par-dessous, sup-porter.

D'autres termes voisins de *souffrance* évoquent en revanche une image de lourdeur, un sentiment d'oppression : c'est le cas de mots comme *affliction, peine* et *dépression*. Le mot dépression, en fait, dérive du latin *deprimere* qui signifie *presser sur* quelque chose, le pousser vers le bas.

On pourrait de même distinguer deux sortes de souffrances : l'une qui nous donne un sentiment d'oppression — on se sent comme écrasé par quelque chose d'extérieur à soi. Et l'autre qui consiste à simplement sup-porter, *rester dessous*, assumer, *ne faire qu'un* avec la souffrance en question. Or, il est capital de bien faire la distinction entre ces deux types de souffrance, si l'on veut comprendre le sens de la pratique du zen.

Je ne parlerai pas ici de la différence qu'il y a entre la souffrance et la peine, ayant déjà eu l'occasion de l'évoquer à plusieurs reprises, mais je voudrais m'attacher à bien distinguer deux aspects de la souffrance : ce que j'appellerai la *vraie* et la *fausse* souffrance. La différence est capitale. Essayons de l'explorer un peu.

Toute la démarche spirituelle du bouddhisme repose sur une constatation énoncée par le Bouddha : « La vie est souffrance », la première de ce que l'on appelle les Quatres Nobles Vérités*. Il n'a pas parlé de souffrance occasionnelle, il a bel et bien dit que la vie même *était* souffrance. Une vérité relativement facile à comprendre quand tout va mal et qu'on souffre, mais qui est moins évidente lorsque l'on se sent bien et que tout semble marcher comme sur des roulettes. C'est une remarque que les gens me font souvent, d'ailleurs. Cependant, il existe différentes sortes de souffrances. Vous pouvez souffrir parce que vous désirez ardemment quelque chose et que vous n'arrivez pas à l'avoir, mais même si vous l'obtenez, vous souffrirez encore parce que vous aurez peur de la perdre. Que vous arriviez à vos fins ou non, de toute façon vous aurez mal. Et pourquoi ? Parce que tout change sans arrêt dans la vie : tout passe, tout casse et tout lasse. Nous savons bien que les moments heureux ne peuvent pas durer toujours, et à l'inverse, même si c'est une consolation de savoir que les peines et les souffrances ont également une fin, on ne peut jamais être sûr qu'elles ne reviendront pas.

Le mot *souffrance* ne dépeint pas seulement les moments de crise les plus pénibles de nos vies, mais une très large gamme de sentiments comme la frustration, la peine, l'angoisse, par exemple, le plus généralement tout ce qui exprime notre insatisfaction profonde par rapport à la vie. Imaginez-vous une journée idéale, un jour fantastique où tout marcherait parfaitement, depuis le petit déjeuner au lit avec des croissants chauds jusqu'au dîner intime avec un ou une amie que vous aviez justement très envie de voir, en passant par des choses très positives au travail ; eh bien, même une journée heureuse comme celle-là ne serait pas exempte d'une certaine souffrance, du fait que vous sauriez déjà que le lendemain risque d'être tout à fait le contraire. Rien n'est jamais sûr et garanti d'avance dans la vie, et c'est cette incertitude permanente qui nous angoisse. C'est comme une douleur lancinante et secrète qui nous travaille et qui empoisonne même nos meilleurs moments puisqu'on craint déjà de les voir s'enfuir et disparaître. C'est dans ce sens-là qu'on peut dire que la vie est souffrance.

Revenons-en à mon amie qui avait remarqué que, lorsque sa douleur était purement physique, elle arrivait à l'assumer sans problèmes. Alors que, dès l'instant où elle s'était mise à penser à sa douleur, elle avait commencé à souffrir et à se sentir malheureuse. Cela me rappelle une remarque du maître Huang Po : « L'esprit (dont je parle) n'est pas le mental qui fabrique des pensées discursives, il est complètement détaché de toute forme. C'est pourquoi le Bouddha et les êtres (ordinaires) ne diffèrent en rien. Si vous savez simplement vous débarrasser de la pensée discursive, vous aurez tout accompli. Mais si, vous qui suivez la Voie, vous n'êtes pas capables de vous défaire instantanément de l'emprise de la pensée discursive, vous n'arriverez jamais à rien, dûssiez-vous vous acharner pendant des milliers et des milliers d'années. »

Notre gros, et notre seul vrai problème, c'est ce débordement d'activité auquel s'adonne sans relâche un esprit toujours occupé à mettre des étiquettes sur tout ce qui nous arrive. Non que le fait même de conceptualiser les choses soit mauvais *en soi*. Ce qui est grave, en revanche, c'est de *prendre pour la réalité les idées* qu'on a plaquées sur elle. Notre version des faits n'est pas la réalité, mais on le perd de vue et c'est ainsi qu'on souffre, de ce que j'appelle la fausse souffrance. « Un quart de poil de plus ou de moins suffit à séparer le ciel de la terre. »

Il y a une chose que je voudrais préciser : au bout du compte, ce qui nous arrive a moins d'importance que la manière dont nous y réagissons. Que la vie se montre dure et cruelle envers nous, et nous pestons et nous tempêtons ; nous avons le réflexe de lutter et de nous battre contre les événements, en cela émules des héros de Shakespeare : « Prendre les armes contre la horde des tribulations et, grâce au combat, les vaincre. »

Ce serait bien, effectivement, de pouvoir arrêter « les frondes et les flèches d'un sort par trop funeste » en luttant contre lui... Il nous arrive tous les jours d'être confronté à des situations injustes — à notre avis — et auxquelles nous ne savons pas réagir autrement qu'en nous battant. Et c'est notre esprit qui nous sert d'armure dans ce combat : on s'arme de sa colère et de ses opinions, on se drape dans son bon droit, comme si on enfilait un gilet pare-balles. Et l'on croit que c'est la seule solution, la seule manière de vivre sa vie. Alors que, pour tout résultat, on n'a fait qu'approfondir le gouffre qui nous séparait déjà des autres, tout en attisant le feu de la colère et en contribuant à rendre tout le monde un peu plus malheureux — aussi bien soi-même que les autres. Mais, me direz-vous, si cette méthode-là ne marche pas, *comment* peut-on faire face à la souffrance inhérente à la vie ? Je vais vous raconter une histoire qui nous vient des Soufis et qui illustre bien le problème.

Il y avait une fois un jeune homme dont le père était un des plus grands maîtres spirituels de l'époque, un homme respecté et révéré par tous. Ayant toujours été abreuvé au nectar de sagesse de son père depuis son plus jeune âge, ce jeune homme croyait lui-même tout savoir. Son père lui dit un jour : « Il y a une chose que tu as besoin d'apprendre et que je ne peux pas t'enseigner moi-même. Je veux que tu ailles trouver maître untel, qui est un paysan, un simple fermier illettré. » Ces propos ne plurent guère au jeune homme qui se mit cependant en route, à pied et à contrecœur. Il arrivait au village quand le hasard lui fit justement rencontrer le paysan qu'il était venu voir. L'homme, à cheval, qui venait de quitter sa maison pour se rendre dans une autre ferme, aperçut le jeune homme qui se dirigeait vers lui.

Le jeune homme s'approcha et inclina la tête en signe de salutation respectueuse. Le regardant du haut de son cheval, le maître dit : « Pas assez. »

Cette fois-ci, le jeune homme s'inclina beaucoup plus bas, se baissant jusqu'à toucher les genoux du maître qui se contenta de répéter : « Pas assez. » Le jeune homme se courba alors jusqu'à toucher les genoux du cheval mais, une fois encore, le maître lâcha : « Pas assez. » Le jeune homme refit une courbette, si profonde cette fois, qu'il toucha les sabots du cheval. Le maître dit alors : « Tu peux rentrer chez toi, maintenant. Tu as appris ce que tu avais besoin de savoir. »

De même, tant que nous ne saurons pas courber l'échine pour supporter les souffrances de la vie (souvenez-vous de l'étymologie du mot), nous ne serons pas capables de comprendre ce qu'est notre vie.

> Au lieu de se rebeller contre la souffrance, il s'agit de l'*assumer* et *ne faire qu'un* avec elle. Ce qui ne veut pas dire rester passif et ne rien faire, mais agir à partir d'un état d'acceptation totale. Et encore, *acceptation* n'est pas vraiment le terme qui convient ; il s'agit simplement de ne plus se dissocier de la souffrance, de l'*assumer complètement* au point de ne faire qu'un avec elle. On renonce à se protéger ou à chercher des échappatoires. On s'ouvre complètement, on accepte d'être totalement vulnérable devant la vie et c'est, paradoxalement, la seule manière de bien la vivre.

Il va sans dire que si vous êtes faits du même bois que moi, vous ferez tout ce que vous pourrez pour remettre cette ouverture le plus longtemps possible. Car, c'est une chose que d'en parler et tout à fait une autre que de le faire ! Cependant, une fois qu'on a le courage de se lancer, on sait parfaitement qui on est et qui sont les autres — on le sent jusque dans ses tripes — et la barrière qui nous séparait d'eux s'évanouit.

Voilà le but de notre pratique, tout au long de notre vie. Dès que l'on adopte un point de vue ou une position rigides par rapport à la vie, on déclenche un processus de tri et d'exclusion — d'un côté ce qu'on désire, de l'autre ce qu'on rejette. Nos vieux réflexes ont la peau dure, mais une pratique sincère et assidue les ébranlera petit à petit, pour finir par avoir raison d'eux. Il va de soi qu'une telle remise en question ne se fera pas sans mal et sans conflits intérieurs, et il faudra sans doute un certain temps pour arriver à assimiler une nouvelle attitude face à la vie. Mais c'est justement à cela que sert la pratique : nous rendre capables d'assumer notre souffrance au lieu de la rejeter et de la combattre. Et dès qu'on y parvient, c'est toute notre manière de voir la vie qui change radicalement, tout d'un coup. Ensuite, cette nouvelle vision des choses nous guidera pendant un certain temps, jusqu'à ce que les réalités — changeantes — la fassent de nouveau évoluer et qu'un autre cycle démarre.

Chaque fois que nous regardons la souffrance en face et que nous l'assumons, notre vision de la vie s'enrichit, même si cette mutation reste à chaque fois aussi pénible et douloureuse. C'est un peu comme quand on escalade une montagne : plus on grimpe et plus on a une vue claire du paysage. Et les grands panoramas visibles des sommets n'effacent en rien la beauté des paysages qu'on avait découverts plus bas ; chaque étape de l'ascension a son charme et sa valeur propres, et sert de base à la suivante. De même, à chaque cycle de remise en question, on grimpe un peu plus haut, on voit un peu plus loin et l'on sait un peu mieux comment agir.

J'ai régulièrement l'occasion de discuter avec des tas de gens et il y a une chose qui me frappe : la plupart ne comprennent rien à la souffrance. A vrai dire, moi non plus je ne la comprends pas toujours et, comme tout le monde, je fais de mon mieux pour l'éviter. Cependant, il est extrêmement utile d'avoir au moins une petite idée — théorique, pour commencer — de ce qu'est la souffrance et de la meilleure façon de la gérer.

C'est tout particulièrement vrai lorsqu'on pratique en sesshin, car on peut alors en tirer le maximum de bienfait. En effet, le mental qui fabrique la fausse souffrance tourne à plein régime pendant une sesshin. C'est un phénomène auquel personne n'échappe ; tenez, ça m'est encore arrivé, pas plus tard qu'hier soir. J'entendais mon esprit qui protestait : « Comment ? Encore une autre sesshin* ? Mais tu en as déjà fait une le week-end dernier ! » C'est comme ça que cela se passe, dans nos têtes. Mais on ne tarde pas à constater l'absurdité de ce petit jeu et à se ressaisir, en se demandant ce qu'on veut vraiment, après tout, pour soi et pour les autres. Alors l'esprit retrouve graduellement son calme.

Faire zazen, c'est refuser, avec une inlassable patience, de se laisser dominer par ses pensées et ses préjugés sur soi, sur les autres et sur les événements, pour toujours revenir à la seule réalité : celle de l'instant présent. Ce faisant, la qualité de notre attention et de notre samadhi* s'approfondit de plus en plus. Le zazen est une forme de renoncement actif, à l'instar des bodhisattvas* : on renonce au dérisoire de ses fantasmes et de ses rêves personnels, au profit de l'expérience de la réalité présente. Chaque instant de sesshin pendant lequel vous êtes capable de pratiquer ainsi vous donne ce qu'il est impossible de trouver autrement : une connaissance directe de vous-même. En faisant face à l'instant, vous vous retrouvez face à face avec la souffrance ; et, si vous parvenez à vous laisser aller à ce sentiment et à l'assumer, tel quel, vous comprendrez. Vous n'aurez besoin de personne pour venir vous expliquer la nature de votre être ou le sens de la vie.

Il y en a qui trouvent cette pratique trop difficile, mais laissez-moi vous dire que les choses sont mille fois pires quand on ne pratique pas ! Parce qu'alors, on se met vraiment le doigt dans l'œil, complètement, sur toute la ligne. Ne perdez pas le sens des proportions et, si vous réfléchissez un peu, vous verrez que c'est peu cher payer pour mettre un terme à la souffrance. D'autant plus que le courage qu'il vous faut pour pratiquer vous servira aussi à encourager et à aider les autres qui se trouvent eux aussi confrontés aux souffrances de la vie.

Seule une pratique nourrie d'une bonne dose de patience, de persévérance et d'intelligence peut nous aider à dépasser nos souffrances actuelles. Ce n'est *en tout cas pas* à force d'amertume et de colère, de plaintes et de récriminations incessantes que nous y arriverons !

Ce qui ne veut pas dire que vous deviez réprimer de tels sentiments ; contentez-vous de les remarquer à l'instant même où vous les sentez monter en vous, puis ramenez *aussitôt* votre attention sur votre souffle et sur votre corps, tranquillement assis sur son coussin. Si vous pratiquez comme cela, il n'y aura personne ici qui quittera cette sesshin* sans avoir goûté la saveur de la vraie méditation. C'est donc à cela que je vous invite à présent.

Le renoncement

Suzuki Roshi a dit : « Renoncer ne veut pas dire abandonner les choses de ce monde mais accepter leur éphémérité. » Tout est impermanent, tout passe ou meurt, un jour ou l'autre.

> Le renoncement authentique est un état de non-attachement, l'acceptation de la nature transitoire de l'existence.

A vrai dire, on pourrait envisager l'impermanence* comme un autre visage de la perfection, car elle est un facteur indispensable au bon déroulement de la vie : les feuilles tombent, la végétation se décompose, mais c'est de leur pourrissement que renaissent la verdure et les fleurs. La destruction est une phase indispensable de l'existence. Même les feux de forêts sont parfois nécessaires, et l'intervention de l'homme n'est peut-être pas opportune dans tous les cas. Sans destruction, il n'y aurait pas de vie nouvelle et les innombrables merveilles de la vie toujours changeante ne pourraient pas exister. Tout ce qui vit doit mourir un jour et ce processus est la perfection même.

Ces perpétuels changements ne sont cependant guère de notre goût, car la perfection de l'univers est le cadet de nos soucis. Tout ce qui nous intéresse, c'est d'assurer à jamais la pérennité de notre précieuse petite personne. Cela peut vous paraître ridicule, dit comme cela, mais c'est pourtant bien ce que nous faisons. Notre résistance au changement est une force rétrograde qui va à contre-courant de l'impermanence, ce mouvement naturel qui fait la perfection de la vie. Si la vie n'était pas impermanente, elle n'aurait pas l'extraordinaire richesse qui est la sienne. Pourtant, cette éphémérité est bien la dernière chose à laquelle on ait envie de penser ; qui n'a pas jeté de hauts cris en constatant l'apparition de ses premiers cheveux blancs... C'est ainsi que nous nous battons contre ce qui est la nature même de notre existence. Nous refusons de voir cette vérité qui crève les yeux. En fait, si nous ne voyons rien de la vie telle qu'elle est, c'est parce que notre attention est ailleurs : nous sommes bien trop occupés à nous débattre dans toutes les peurs et les angoisses que nous inspire notre humaine condition. Ainsi menons-nous un combat incessant, aussi débilitant que dérisoire, dans l'espoir d'une survie sans limite. Pauvre bataille perdue d'avance dont le seul vainqueur sera la mort, le *bras droit* de l'impermanence, pourrait-on dire.

Ce que nous attendons de la vie, c'est qu'elle nous fournisse l'occasion de nous admirer dans ce miroir que sont les autres. Si nous voulons un conjoint, c'est pour qu'il nous sécurise, qu'il nous fasse sentir qu'on est l'être le plus merveilleux du monde, et qu'il satisfasse tous nos besoins, afin de soulager un peu notre angoisse, ne serait-ce que passagèrement. De même, si nous cherchons des amis, c'est pour endormir cette peur lancinante qui vous prend aux tripes quand on pense qu'un jour, on ne sera plus là. Et surtout, pas question de réfléchir à sa propre mortalité. Le plus drôle, c'est que nos amis ne sont pas dupes de notre manège : ils comprennent très bien le sens de nos petites manœuvres, pour la bonne et simple raison qu'eux-mêmes font exactement la même chose ! « Vous voulez devenir le nombril du monde ? Eh bien, qu'est-ce que vous voulez que ça me fasse, je suis bien trop occupé à le devenir moi-même ! » Alors tout le monde s'active et se débat dans tous les sens dans l'espoir de parvenir à ses fins. Quand on commence à en avoir assez de tous ses ratages, on essaie parfois de trouver l'apaisement dans une pseudo-religion, une de celles qui vous promettent monts et merveilles, et des lendemains qui chantent sans qu'on ait à fournir le moindre effort en contrepartie. Tout le monde raffole de ce genre de promesses et les charlatans font recettes — un âne ne refuse pas une carotte ! Mais, même lorsqu'il s'agit d'une religion authentique, il est toujours possible de détourner un enseignement et de s'en servir pour affirmer son ego ; même le zen peut être utilisé à des fins égocentriques.

Il y a un reproche qu'on me fait souvent : « Joko, pourquoi la pratique est-elle une pilule aussi amère avec vous ? Vous n'auriez pas un petit bonbon, pour l'adoucir un peu ? » Eh bien, non, la pilule est forcément amère, car l'ego, pressent — à juste titre — que la pratique peut être l'instrument de son anéantissement. Et ce cher petit moi ne tient absolument pas à disparaître ; vous ne voudriez tout de même pas qu'il saute de joie à l'idée de se faire hara-kiri ! Voilà pourquoi il est impossible d'adoucir la pilule qu'on s'apprête à administrer à l'ego — à moins d'être délibérément malhonnête.

N'allez cependant pas croire que la pratique ne vous réserve que des difficultés ; il y a aussi de bonnes surprises qui vous attendent. A mesure que s'étiolera le petit moi, cet ego dictatorial et manipulateur, râleur et colérique, vous commencerez à sentir le goût d'un bonbon extraordinaire, bien plus délicieux que ne l'eût été un vulgaire enrobage de sucre autour d'une pilule : un sentiment de joie profonde et de vraie confiance en soi. C'est le sentiment qu'on ressent lorsqu'on sait aimer les autres sans rien en attendre en retour. C'est le goût unique de la compassion. L'intensité avec laquelle on en perçoit la saveur dépend du degré d'avancement du processus de dépérissement de l'ego : plus la déconfiture de l'ego sera avancée, et plus il y aura de moments où l'on percevra la vie en toute lucidité, et où l'on saura faire spontanément ce qu'il faut pour aider les autres. Une telle évolution s'accompagne généralement d'un profond repentir : on prend conscience de tout le mal qu'on a pu faire, à soi-même comme aux autres, et on le regrette. Et les larmes du repentir font éclore la fleur de la joie.

Je voudrais vous faire remarquer l'attitude paradoxale que nous avons en sesshin*. D'un côté, nous avons soif de perfection, nous sommes avides d'absolu : « Il faut que je trouve l'éveil ; je voudrais devenir lucide, plein de sérénité et de sagesse. » Et puis, une fois que nous sommes assis sur nos petits coussins et que nous essayons de nous mettre en phase avec l'instant présent, nous ne tardons pas à nous ennuyer : « Je m'ennuie à cent sous de l'heure, j'en ai marre... marre d'entendre les voitures qui passent, en contre-point de mes gargouillis d'estomac ; marre de sentir mes genoux qui me font mal... »

> L'infinie perfection de l'univers est là, à notre portée, à chaque instant qui passe, mais, la vérité, c'est que nous nous fichons pas mal de cette perfection-là, la vraie.

Pourtant, elle est là, sous les traits de votre voisin de droite qui fait un bruit de corne de brume en respirant, ou de celui de gauche qui sent le fauve. Cela vous incommode ? La perfection est là aussi dans cette gêne et dans cette frustration que vous ressentez : « Vraiment, ça ne se passe pas du tout comme je m'y attendais ! » Chaque instant est une réalité fugitive, mais nous dédaignons de la goûter — ce serait trop simple ! On trouve ça rasoir et on préfère remuer la vase de ses petites idées fumeuses : « Et puis zut pour la réalité ! Après tout, moi je suis là pour trouver l'éveil ! »

> Cependant, le zen est une pratique subtile qui résiste bien aux tentatives de récupération de l'ego et qui, à notre insu, arrive à les saper graduellement.

Si bien qu'on se détourne insensiblement de sa version revue et corrigée du zen pour s'intéresser à l'original. La pratique est en fait l'arène dans laquelle s'affrontent nos désirs et la réalité : d'un côté, il y a notre soif d'immortalité et de gloire, notre envie de contrôler l'univers entier à notre guise, et de l'autre, la simple réalité des faits et des êtres. Cette arène-là joue à guichets fermés car on s'y bat constamment : à chaque fois que les choses ne vont pas comme nous le voulons, les lions sont lâchés : colère, agressivité, jalousie et *tutti quanti*. « Je ne peux pas encaisser tout le boucan qu'elle fait quand elle respire. Comment voulez-vous que je prenne conscience de *ce qui est* alors que celle-là fait tout ce potin ! » Autre variante : « Comment pourrais-je pratiquer avec ces voisins qui font hurler du rock à plein tube ? » Chaque instant est riche d'enseignements ; même la plus ordinaire de nos journées regorge d'occasions d'observer les joutes qui opposent nos désirs à la réalité.

> Toute pratique spirituelle digne de ce nom nous aide à émerger de notre version imaginaire des faits et nous rend plus conscients de ce qui se passe réellement en nous et autour de nous. Rien de ce qui nous affecte physiquement ou mentalement ne devrait nous rester étranger.

Par exemple, il ne s'agit pas de reconnaître seulement la colère qui nous habite, mais aussi les réactions qu'elle suscite en nous, faute de quoi nous ne les verrons pas venir, et nous ne serons donc pas en mesure de les éviter. A l'inverse, la moindre de nos réactions peut servir d'amorce à la pratique si on sait d'abord l'identifier, et ensuite faire face aux pensées et aux sensations qu'elle suscite en nous, et les éprouver à fond. En s'ouvrant à ce vécu intérieur, on s'ouvre aussi, automatiquement, à la vie dans son entier, à la totalité de la réalité. Une pratique correcte se reconnaît à ce qu'elle entraîne une transformation de l'individu qui cesse petit à petit d'être complètement centré sur lui-même et sur ses propres réactions, pour devenir de plus en plus un relais de l'énergie universelle, cette énergie qui fait vibrer tout l'univers un million de fois par seconde. Dans le monde phénoménal qui est le nôtre, cette pulsation est perçue sous la forme de l'impermanence. Si l'on pratique correctement, l'énergie universelle passera de mieux en mieux à travers nous et le spectre de la mort nous fera de moins en moins peur.

Je voudrais maintenant évoquer cinq obstacles qui nous empêchent de voir les choses telles qu'elles sont. Le premier vient de ce que nous ne tenons pas suffisamment compte d'une donnée incontournable : toute pratique spirituelle suscite nécessairement une forte résistance de notre part. C'est en effet inévitable, tant que l'ego n'est pas complètement mort. Seul un Bouddha serait en mesure de n'offrir aucune résistance à la réalité, et je n'ai pas l'impression que les bouddhas courent tellement les rues, en ce moment. Mieux vaut en prendre notre parti : jusqu'à notre dernier souffle nous continuerons à éprouver une certaine réticence par rapport à la pratique et aux transformations qu'elle opère en nous.

Le deuxième obstacle est un manque d'honnêteté par rapport à soi-même : on n'aime pas s'avouer ce que l'on ressent. Evidemment, ce n'est jamais agréable de reconnaître la noirceur ou la frivolité de ses propres sentiments, d'admettre qu'on est hargneux, agressif ou trop indulgent envers soi. On ne vous demande pas d'aller le clamer sur les toits, bien entendu, mais il est très important de savoir soi-même où l'on en est. On ne devrait rien ignorer de ce qui se passe en soi. Or, nous préférons rêver d'un idéal de perfection plutôt que de prendre acte de nos imperfections.

Le troisième obstacle à notre progrès vers la lucidité est la fascination qu'exercent sur nous les petites expériences d'ouverture qui surviennent parfois dans notre pratique. Nous y attachons beaucoup trop d'importance : ce ne sont que des retombées de la pratique et pas une fin en soi. De plus, ces expériences n'ont de valeur que si nous nous en servons pour nourrir notre vécu quotidien.

Le quatrième obstacle tient à une mauvaise appréciation de l'ampleur de l'entreprise dans laquelle nous nous sommes engagés. Une tâche qui n'est certes ni impossible, ni irréalisable, mais qui est sans fin.

Le cinquième obstacle affecte souvent ceux qui vivent dans les centres zen ou qui y passent beaucoup de temps : il consiste à croire que les discussions et les lectures peuvent remplacer une pratique assidue. En réalité, moins on en dit sur la pratique, mieux c'est. Pour ma part, le zazen est le dernier sujet de conversation que j'ai envie d'aborder quand je rencontre quelqu'un, en dehors des moments où je m'entretiens avec des étudiants, dans le cadre de nos échanges personnels. Je ne parle pas non plus du dharma. A quoi cela servirait-il ? Mieux vaut faire son propre examen de conscience à cet égard, afin de constater ses manquements et ses défaillances. Vous connaissez le vieux dicton : « Celui qui sait ne dit rien, et celui qui parle ne sait rien. » Quand on passe son temps à gloser sur la pratique, ce flot de paroles n'est jamais qu'une autre forme de résistance, un rempart, un alibi. Ça me fait penser à ces universitaires qui refont le monde tous les jours, à table, tranquillement en train de déguster un petit souper fin. Ils parlent à n'en plus finir, ils discutent à perte de vue, ils se prennent pour les sauveurs du monde, mais que changent tous leurs beaux discours ? Je songe alors à quelqu'un qui est à l'opposé de ces gens-là, une femme comme Mère Thérésa : je ne crois pas qu'elle parle beaucoup, elle est bien trop occupée à *agir*...

> Une pratique intelligente est celle qui va droit à l'essentiel : l'angoisse existentielle qui nous ronge tous. La peur que nous inspire notre mortalité, la crainte de reconnaître que *« je » n'existe pas.*

Bien sûr que *je* n'existe pas en tant qu'entité permanente, mais c'est bien la dernière chose que j'aie envie de savoir. Je ne suis qu'une manifestation de l'impermanence sous les traits — constamment changeants — d'un être humain avec une apparence de solidité. Et j'ai très peur de voir ce que je suis réellement : un champ d'énergie en perpétuelle mutation — je refuse d'être ça. C'est pourquoi une bonne pratique est celle qui s'occupe de cette peur-là, de cette angoisse qui s'exprime à travers notre perpétuel besoin de penser, de spéculer, d'analyser et de fantasmer. Cette frénésie d'activité mentale crée une sorte de brouillard ou de nuage derrière lequel on s'abrite, tout en poursuivant tranquillement une soi-disant pratique bien pépère. Or, une pratique digne de ce nom n'est jamais *pépère* ; elle est tout sauf ça. Alors, sous couvert de *pratique*, nous préférons nous lancer avec la dernière énergie à la poursuite de notre obsession préférée : nous fabriquer une version du monde à notre goût. Ce genre de pseudo-pratique n'est bien sûr qu'un écran de plus entre la réalité et nous.

> Mais, comprenez bien qu'en fin de compte, il n'y a pas trente-six façons d'arriver à voir les choses telles qu'elles sont : il faut cesser d'interposer l'ego entre la réalité et soi.

Pourquoi éprouvons-nous le besoin de nommer le moment où la barrière de l'individualité se dissout ? On vit, et puis, un jour, on meurt, et c'est tout. Où est le problème ?

D'accord, j'assume !

L'éveil spirituel, l'illumination, est le but primordial de toutes les religions. Pourtant, presque tout le monde se fait des idées bizarres là-dessus et s'imagine qu'il s'agit de devenir un être parfait, quelqu'un de bien gentil, calme et effacé, et qui accepte tout sans broncher. Or, rien n'est plus loin de la vérité !

Je vais donc vous présenter une série de situations fictives et pénibles, et je voudrais que vous vous demandiez comment vous réagiriez si cela vous arrivait à vous, personnellement. Je ne dis pas qu'il ne faudrait rien faire pour éviter des problèmes aussi douloureux ou pour les résoudre, ou qu'il faudrait que vous vous interdisiez toute émotion, mais je vous propose de laisser de côté cet aspect-là des choses pour le moment, et de vous intéresser uniquement à votre réaction. Vous verrez que cela sera très instructif.

- Si l'on me disait que je n'ai plus qu'une journée à vivre, serais-je prête à l'assumer ? Et vous ?
- Si j'avais un terrible accident et qu'on doive m'amputer des quatre membres, serais-je prête à l'assumer ? Et vous ?
- Si je devais ne plus jamais entendre la moindre parole d'amitié ou d'encouragement, serais-je prête à l'assumer ? Et vous ?
- Si, pour une raison quelconque, j'étais condamnée à rester alitée et à souffrir pour le restant de mes jours, serais-je prête à l'assumer ? Et vous ?

• Si je me ridiculisais totalement, au plus mauvais moment possible, serais-je prête à l'assumer? Et vous?
• Si l'amour dont je rêve ne se matérialisait jamais, serais-je prête à l'assumer? Et vous?
• Si les circonstances faisaient que je sois obligée de vivre en clocharde, au froid, sans abri, et obligée de mendier pour survivre, serais-je prête à l'assumer? Et vous?
• Si je devais perdre quelque chose ou quelqu'un que j'aime, serais-je prête à l'assumer? Et vous?

Personnellement, je serais incapable de répondre oui, ne serait-ce qu'à une seule de ces questions, et je pense que ce serait pareil pour vous, si vous êtes honnêtes avec vous-mêmes. Il faudrait être complètement éveillé pour répondre : « D'accord, j'assume. » Qui plus est, encore faudrait-il savoir ce qu'on entend par *assumer*.

> Assumer ne veut pas dire encaisser les coups passivement, sans pleurer, sans crier ni protester ou s'insurger contre la situation. Les pleurs et les gémissements sont une forme d'expression du dharma* au même titre que les chants ou les danses. Assumer de terribles épreuves est une chose, s'en réjouir en est une autre! Alors, qu'est-ce que c'est qu'assumer, qu'est-ce que c'est qu'être éveillé? Etre éveillé, c'est ne plus ressentir aucune distance entre son vécu et soi, quelles que soient les circonstances de la vie.

Bien sûr, les exemples que j'ai choisis sont particulièrement douloureux. J'aurais pu vous demander : « Seriez-vous d'accord pour recevoir un milliard de dollars. » Et vous m'auriez sans doute répondu oui avec enthousiasme, sans vous rendre compte que, pour alléchante qu'elle soit, une telle situation ne serait peut-être pas plus facile à vivre que l'état de clochard. Quoi qu'il en soit, l'important est de savoir si vous êtes prêts à assumer tout ce que la vie vous apporte. Ce qui ne veut pas dire que vous deviez accepter passivement votre sort, ou que, si vous êtes malade, vous ne deviez rien faire pour essayer de guérir. Mais il y a parfois des situations ou des événements inévitables et auxquels on ne peut rien changer. Vous sentez-vous prêts à les assumer, le cas échéant ?

Vous pourriez m'objecter que quelqu'un qui accepterait tout ne serait pas humain, et dans un certain sens, vous auriez raison. D'un autre côté, on pourrait dire au contraire qu'une telle personne serait un être humain à part entière et vraiment digne de ce nom. Il est sûr qu'un être qui n'éprouverait aucune aversion envers qui que ce soit, ou quoi que ce soit, trancherait nettement sur le reste de l'humanité. J'ai connu quelques rares individus proches de cet état-là, qui est celui de l'éveil spirituel, c'est-à-dire la faculté d'assumer tout ce qui se présente à soi — le bon comme le mauvais. Il ne s'agit pas de devenir un saint mais d'accéder, — même partiellement, et souvent au prix d'une terrible lutte intérieure — à cet état d'acceptation de la réalité des choses et de soi. Prenons l'exemple de la mort ; il ne s'agit pas de se préparer à mourir en brave, mais plutôt de vivre de telle sorte que l'on n'ait *pas besoin* de mourir héroïquement. En généralisant, on pourrait en déduire une ligne de conduite intéressante.

> Plutôt que de se préparer à agir de telle ou telle manière en fonction d'une situation donnée, mieux vaut faire en sorte de *ne pas avoir besoin* d'étudier et de calculer ses réactions en fonction des circonstances, quelles qu'elles soient.

La plupart des thérapies servent à ajuster ses désirs

et ses besoins à ceux des autres, afin d'assurer un minimum d'harmonie à la vie collective. Maintenant, imaginez que je n'aie plus aucun désir ou aucun besoin particuliers, et que je n'objecte en rien aux vôtres, parce que les choses me semblent très bien telles qu'elles sont. Dans ce cas-là, plus besoin d'ajuster ou d'harmoniser quoi que ce soit. Vous vous dites peut-être qu'il faudrait être très bizarre pour répondre oui à toutes mes questions de tout à l'heure. Eh bien, je ne crois pas ; je pense que si vous rencontriez une telle personne, vous ne lui trouveriez rien de bizarre. Au contraire, vous seriez sans doute frappés par l'extraordinaire sentiment de paix qui émanerait d'elle. Vous sentiriez l'amour qui se dégage d'un être qui a cessé de se préoccuper de lui-même et qui assume les choses telles qu'elles sont, en lui et chez les autres. Cependant, n'allez pas vous imaginer une sorte d'amour aveugle et béat : autant une telle personne saurait être douce ou encourageante si c'était ce dont vous aviez vraiment besoin à ce moment-là, autant elle pourrait se montrer dure et inflexible, si c'était le meilleur moyen de vous aider. Mais comment pourrait-elle ainsi savoir ce qui vous convient le mieux ? N'étant plus séparée de vous par la barrière d'un ego, elle ressentirait ce que *vous* ressentez, elle *serait* vous.

Je pense qu'il est important d'essayer de comprendre l'état d'esprit dans lequel on doit se trouver pour être capable de dire « oui » à la vie en toutes circonstances. Or, c'est justement ce que nous apprend la pratique du zazen, éventuellement à notre insu ou même à notre corps défendant. On se familiarise avec un état d'ouverture qui nous rend capables d'assumer tout ce qui nous arrive. Comme il est dit dans le « Notre Père » : « Que Ta volonté soit faite ! »

> Il y a un signe qui ne trompe pas, pour évaluer la qualité de sa pratique : est-on oui ou non capable de dire de plus en plus souvent « oui, d'accord » à la vie ?

Ce n'est pas un drame si nous ne le pouvons pas encore, mais au moins, nous savons dans quel sens travailler. Pour assumer quelque chose, il faut pouvoir s'accepter soi-même, en bloc, sans trier : avec toute sa révolte et ses contradictions internes, avec toute la confusion et la frustration qu'on porte en soi — du fait qu'on n'arrive jamais aux fins que se fixe l'ego. Il faut aussi accepter de continuer à se débattre dans cet état de trouble, de peine et de confusion, un peu comme nous le faisons en sesshin*. Ainsi pourrons-nous, peu à peu, commencer à discerner un peu mieux ce qui se passe. « Oui, voilà ce que j'éprouve et cela ne me plaît pas du tout — je donnerais cher pour être ailleurs ! — mais c'est comme ça, et je l'assume. » Petit à petit, cette attitude s'affermira en vous. Imaginez par exemple que vous soyez très amoureux et très sûr que, cette fois-ci, ce sera la bonne, quand tout à coup, ce compagnon ou cette compagne de vos rêves vous quitte. Vous serez sans doute fou ou folle de douleur, mais c'est cette peine-là qu'il faudra assumer et expérimenter sans l'esquiver.

> Vivre la souffrance à fond pour s'en libérer : voilà le paradoxe de la vie, le grand koan* que le zazen nous aide à résoudre.

Plus ça ira, et plus vous comprendrez qu'il n'y a pas besoin de changer quoi que ce soit à tout ce qui vous arrive, qu'il n'y a qu'à prendre les choses comme elles viennent car, d'une certaine manière, elles sont très bien comme ça — même si elles vous paraissent insupportables et que vous devez vous faire violence pour y faire face. Vous allez encore penser que je place la barre trop haut, que c'est trop difficile de pratiquer comme cela, mais mieux vaut annoncer la couleur dès le départ : la pratique spirituelle n'est *pas la voie de la facilité*. Cela dit, il y a une constatation qui vaut la peine d'être méditée : les gens qui savent vivre sans rien attendre de la vie sont ceux qui en profitent le mieux, comme Zorba le Grec, par exemple. Qu'ils aient des déboires ou des mésaventures — que la plupart d'entre nous considéreraient sans doute comme des catastrophes —, et les voilà qui pestent, qui tempêtent et se débattent comme de beaux diables, certes, mais sans que cela leur gâche la vie pour autant. Ils continuent à la croquer à belles dents, car ils savent prendre les choses comme elles viennent.

A moins de n'avoir rien compris à la pratique en sesshin, nous devrions peu à peu commencer à apprécier les difficultés qu'elle fait surgir, la lassitude et la souffrance qu'elle suscite en nous ; les apprécier à leur juste valeur, même si ce n'est pas de gaieté de cœur qu'on s'y soumet. Cependant, il n'y aura pas que des épreuves : n'oubliez pas l'indicible paix que l'on peut parfois goûter en sesshin* — il y a de quoi vous inspirer à persévérer. L'une des vertus de la pratique en sesshin est qu'elle enrichit notre regard d'une *compréhension neuve et plus lucide*. C'est cette qualité-là qui m'intéresse, beaucoup plus que les expériences d'éveil passager que nous pouvons avoir pendant notre méditation, parce que plus cette intelligence intérieure croît, et plus elle fait évoluer notre vie. Elle la transforme radicalement — pas forcément toujours dans le sens que l'on attendait, d'ailleurs. En tout cas, vous apprendrez à comprendre — et à apprécier — de plus en plus la perfection de chaque instant ; y compris vos genoux et votre dos qui vous font mal, le bout de votre nez qui vous chatouille, et la transpiration qui vous dégouline le long du dos. Vous acquerrez cette maturité d'esprit qui vous permettra de dire de plus en plus souvent : « D'accord, j'assume ; »

J'avoue que j'aurais beaucoup de mal à me résigner à ne plus jamais entendre de paroles amicales ou bienveillantes. Serais-je prête à l'assumer ? Non, bien sûr que non ; mais que dois-je en déduire pour ma pratique ? Et si, tout à coup, j'étais kidnappée et emprisonnée dans un pays de sauvages, quelle serait ma pratique ? Pour la plupart d'entre nous, nous n'aurons sans doute jamais à supporter de pareilles horreurs, et tant mieux. Ce qui n'empêche que chacun a ses propres drames et voit souvent ses espérances voler en miettes, quand la vie prend une tout autre tournure que celle qu'on avait prévue. Dans ce cas-là, de deux choses l'une : ou bien l'on encaisse le coup et on fait face à ses difficultés qu'on prend comme autant d'occasions de pratiquer et de mûrir spirituellement. Ou bien on tourne le dos au problème et on l'esquive, de sorte que l'on n'aura rien appris et qu'on se retrouvera encore en plus mauvaise posture qu'avant.

Alors, comment mener une existence plus féconde et plus paisible ? Il faut apprendre — lentement et souvent à contrecœur — à prendre la vie comme elle vient, à l'expérimenter telle quelle.

Je dois vous avouer que, la plupart du temps, je n'en ai pas la moindre envie, et je suppose que c'est pareil pour vous. C'est néanmoins pour apprendre cela que nous sommes ici, et je crois que c'est malgré tout ce qui se passe. En général, tout le monde a l'air un peu plus heureux à la fin d'une sesshin qu'avant de commencer ; vous me direz que c'est en partie dû au soulagement qu'on éprouve d'avoir terminé la sesshin, mais je pense qu'il y a plus. On se sent bien, même quand on fait quelque chose d'aussi simple que de marcher dans la rue (tiens, ça ne me faisait pas cet effet-là avant la sesshin). Cependant, cette attitude d'ouverture n'est généralement pas là pour très longtemps ; trois jours plus tard, nous serons sans doute déjà en train de chercher une nouvelle *solution*. A ceci près qu'on aura *quand même* pris un peu conscience de l'inutilité d'une telle quête. Plus nous serons capables d'assumer la vie sous toutes ses formes, et moins nous serons tentés de lâcher la proie pour l'ombre en nous détournant du présent pour courir après une vulgaire illusion de perfection.

Tragédie

Voici comment le dictionnaire définit le mot *tragédie* : « Une œuvre dramatique ou littéraire dont le héros mène un combat auquel il attache une valeur morale mais qui est voué à la catastrophe ou à une profonde déception. » Aux termes de cette définition, la vie a effectivement une dimension tragique, malgré tout le mal que nous nous donnons — en vain — pour essayer de l'oublier. Chacun de nous est le héros de la petite tragédie qu'est sa vie et ressent la dimension morale d'un combat inégal, puisque débouchant forcément sur une défaite, même si nous ne voulons pas nous l'avouer. En dehors des malheureux hasards de la vie qui peuvent nous frapper à tout instant, il y a de toute façon un *accident* majeur auquel nul ne peut se dérober, en fin de parcours : nous sommes tous condamnés à mort dès le premier instant de la vie. C'est la grande tragédie de la condition humaine que chacun vit comme un drame personnel, passant le plus clair de son temps à tout faire pour éviter l'issue fatale — en vain, bien entendu. En réalité, l'histoire de nos vies est celle de ce combat dérisoire et tragique.

Imaginez que vous habitiez au bord de la mer, dans un endroit où l'on peut nager toute l'année, vu la douceur du climat, mais où l'on est toujours obligé de se méfier, à cause des requins. Si vous êtes malin, vous essayerez de repérer les coins infestés de requins afin de les éviter soigneusement, mais, étant donné les mœurs de ces bêtes-là, vous risquez quand même de vous retrouver nez à nez avec un de ces charmants squales, un jour ou l'autre. Vous n'aurez jamais la certitude d'être tranquille. Sans compter qu'à part les requins, vous pouvez aussi être emporté par une lame de fond ou un courant contraire. A vrai dire, peut-être pourrez-vous aller nager tous les jours de votre vie sans jamais apercevoir l'ombre d'un requin ; n'empêche que la peur de les rencontrer vous aura gâché le plaisir, jour après jour.

De même, nous avons tous des *requins* qui nous empoisonnent la vie parce que nous nous rongeons les sangs à l'idée qu'ils risquent de nous attaquer. Bien sûr, il est normal et raisonnable de prendre ses précautions pour rester sain et sauf : on prend une mutuelle, on fait vacciner ses enfants et on surveille son cholestérol. Cependant, il y a une erreur qui se glisse dans notre raisonnement. Nous ne nous bornons pas à prendre des précautions raisonnables, nous devenons tellement obsédés par l'idée de risque que nous passons le plus clair de notre temps à essayer de le prévenir ou de l'éviter.

Nous ne sentons pas la différence qu'il y a entre un geste intelligent — prendre ses précautions, raisonnablement — et une préoccupation obsessionnelle — ne plus penser qu'au danger, vingt-quatre heures sur vingt-quatre. Il y a une parabole bouddhiste très connue qui raconte l'histoire d'un homme poursuivi par un tigre sur un sentier escarpé. Terrorisé, l'homme, qui a pris ses jambes à son cou, dérape soudain ; il est sur le point de tomber en bas de la falaise quand il réussit à s'agripper à une liane. Voyant le tigre au-dessus de lui qui essaie de l'attraper à grands coups de pattes aux griffes acérées, il jette un regard sous lui et aperçoit un autre tigre qui attend sa chute, tranquillement posté en bas de la falaise. Et comme si l'horreur n'était pas déjà à son comble, deux petites souris se mettent à grignoter la liane à laquelle il est suspendu... C'est alors que le pauvre homme avise une superbe fraise des bois qui pousse sur la falaise, tout près de lui ; tenant la liane d'une seule main, il attrape la fraise de l'autre. Toute rouge et mûre à point, elle est délicieusement parfumée et l'homme la déguste avec un immense plaisir. Quelle fut sa fin ? Je pense que tout le monde devine l'inévitable conclusion de l'histoire, mais peut-on dire pour autant que ce fut une tragédie ?

Notez bien que, lorsque l'homme était poursuivi par le tigre, il ne s'est pas couché par terre en disant : « Je t'en prie, merveilleuse créature, dévore-moi donc, puisque nous ne faisons qu'un ! » L'homme n'était pas un imbécile... Même s'il est vrai que le tigre et lui ne faisaient qu'un, du point de vue de leur nature essentielle, l'homme a quand même tout fait pour essayer de s'en sortir, ce qui est une réaction normale, de bon sens et parfaitement légitime. Il est évident qu'on doit toujours tout tenter pour s'en tirer. En revanche, une fois que le sort en est jeté et qu'on se retrouve suspendu à une liane sans le moindre recours, de deux choses l'une : ou bien l'on gâche son dernier moment de vie en se torturant à l'idée de ce qui va suivre, ou bien on profite à fond de ce que peut offrir ce sursis inattendu. Et chaque instant de nos vies n'est-il pas le dernier, le seul dont nous disposions ? Il n'y en a pas d'autre.

Bien sûr qu'il est raisonnable de prendre soin de soi, physiquement et mentalement ; l'ennui, c'est qu'on finit par s'identifier *exclusivement* à son corps et à son mental. Il y a cependant quelques rares êtres dans l'histoire de l'humanité qui ont su s'identifier aux autres autant qu'à eux-mêmes ; et pour eux, la vie a cessé d'être une tragédie, car ils ne se battaient plus contre quoi que ce soit. Lorsqu'on ne fait plus qu'un avec la vie — quelle que soit la forme qu'elle prenne —, la tragédie s'efface car il n'y a plus ni agresseurs, ni lutte, ni héros tragique. Et c'est alors qu'on peut déguster la fraise des bois et en apprécier la délicieuse saveur.

En pratiquant intensément et régulièrement, on

finira par se rendre compte qu'il est absurde de s'identifier complètement et *exclusivement* à son corps et à son mental. La physique contemporaine montre d'ailleurs bien clairement que tout n'est qu'énergie et que chacun de nous n'est qu'une forme de manifestation de cette énergie unique. Voilà une vérité assez facile à comprendre intellectuellement, mais plus difficile à assimiler au point d'en ressentir la réalité jusque dans la moelle de ses os, jusque dans la moindre de ses cellules.

Lorsqu'on prend ses distances par rapport à cette identification de soi à son corps et à son mental, on se libère un peu de la solidité de cet attachement exclusif, ce qui nous rend beaucoup plus réceptif aux autres. On est capable de partager leur point de vue et leurs préoccupations, même si l'on n'est pas toujours d'accord avec eux. On arrive de mieux en mieux à se mettre dans la peau de l'autre qui cesse d'être perçu comme un adversaire, de sorte que les rapports sortent de la logique conflictuelle dans laquelle ils étaient enfermés.

> Le zen nous aide à démystifier cette identification exclusive de soi à *son* corps et à *son* mental. Il nous guérit de cette déformation conceptuelle qu'invente l'ego et qui pervertit toutes nos actions. En faisant zazen, on se donne l'occasion — trop rare dans nos vies survoltées — de se voir tel que l'on est et de reconnaître l'erreur d'une pensée qui crée l'illusion d'un soi autonome, indépendant du reste de l'existence.

Extraordinairement rusé, l'esprit humain est capable de toutes sortes de tours de passe-passe pour se justifier et il y réussit toujours, tant qu'on joue sur son propre terrain, selon ses règles à lui. Mais lorsqu'on l'attaque avec les armes de la sesshin* et qu'on reste assis sans bouger pendant des heures entières, la rouerie de ses procédés et de ses manipulations éclate au grand jour et l'on se rend compte de la tension constante à laquelle nous soumet cette grande machine à fabriquer et à entretenir l'ego. Quelle ne sera pas votre surprise en découvrant qu'il n'y a aucune force antagoniste qui vous attaque de l'extérieur, mais que c'est de l'intérieur — de vous-même — que vient la menace et la pression. La seule agression, c'est celle qui est perpétrée par *nos* pensées, *nos* envies et *notre* attachement, eux-mêmes produits de notre identification à cet ego illusoire qui nous gâche la vie en nous isolant des autres et en nous faisant nous replier sur nous-même. S'il est éventuellement possible d'ignorer cette triste vérité pendant vos séances de pratique quotidienne, il sera plus dur de l'esquiver lorsque vous ferez zazen huit heures par jour, et plus vous persévérerez, et plus il vous sera difficile d'y rester aveugle.

Si vous pratiquez patiemment, en vous appliquant à bien sentir votre souffle, tout en observant le va-et-vient de vos pensées, une réelle compréhension du fonctionnement de l'esprit se fera jour en vous ; ce ne sera plus seulement une connaissance intellectuelle, mais une réelle conviction dont vous serez pénétré jusqu'au tréfonds de vous-même. La pensée illusoire de l'ego fondra comme neige au soleil et, au plus profond de vos ennuis et de vos souffrances, vous découvrirez une qualité d'ouverture, de calme et de joie telle que vous ne l'aviez encore jamais connue.

Comme d'autres avant vous, vous m'objecterez sans doute que tous ces beaux raisonnements ne règlent pas le problème de la mort pour autant. Nul ne peut échapper à l'inévitable, certes, mais nous avons cependant la latitude de profiter à fond du temps qui nous reste avant l'issue fatale. Libre à nous de tendre la main pour attraper la fraise des bois et nous en régaler avant la chute inéluctable ; libre à nous de prendre un plaisir fou à notre baignade en mer avant que les requins ne nous repèrent...

Quand vous ferez zazen en sesshin*, ne vous envolez pas à la poursuite d'un nouvel idéal, contentez-vous d'être tel qu'en vous-même et d'expérimenter pleinement ce que vous ressentirez. Ne triez pas, ne jetez rien : tout ce que vous êtes, tout ce qui se passe en vous est *partie intégrante* du dharma*.

L'homme qui avait le tigre à ses trousses tremblait de peur et cette peur *était* le dharma, tout comme le sont les sentiments qui vous agitent pendant que vous êtes assis sur votre coussin. Que vous vous sentiez malheureux comme les pierres, ou que vous nagiez dans la béatitude la plus totale, faites pleinement l'expérience de vos émotions, sans pour autant vous attacher à celles qui sont agréables. Soyez tout ce qui va et vient en vous, sans rien y changer. Vivez chaque instant tel quel et vous ne tarderez pas à découvrir l'erreur de la pensée égocentrique — l'identification de soi à son corps et à son mental.

Comme nous l'avions défini au départ, la tragédie repose sur l'existence d'un héros tragique engagé dans un combat auquel il attribue une valeur morale. Or, rien ne nous oblige à vivre en héros de tragédie et à faire de nos vies une lutte sans fin contre des forces soi-disant extérieures à nous. C'est à cause de la déformation de l'ego que nous nous croyons obligés de nous lancer dans un combat aussi vain que dérisoire et, de toute façon, voué à l'échec. Comme il est dit dans le Soutra du Cœur* ; « Ni vieillesse ni mort, ni absence de vieillesse et de mort… Ni souffrance, ni absence de souffrance. » L'homme pourchassé par le tigre finit par se faire dévorer par le fauve. C'est tout. Et où est le problème ?

Le soi qui observe

> *« Qui est là » demanda Dieu.*
> *« Moi. »*
> *« Eh bien, va t'en, » répondit Dieu...*
> *Un peu plus tard :*
> *« Qui est là? » demanda Dieu.*
> *« Toi. »*
> *« Eh bien, entre, » répondit Dieu.*

Le *moi* n'est pas une entité homogène, comme on aurait tendance à l'imaginer, mais un ensemble composé de plusieurs facettes. Il y a d'abord ce qu'on pourrait appeler le *moi descriptible* qui se subdivise en trois : la pensée, l'affectivité et *le fonctionnel*. Ces trois facettes du moi forment la partie définissable du soi car on peut en décrire les différentes activités. Le soi fonctionnel assure le bon fonctionnement de l'aspect physique de l'individu : marcher, rentrer chez soi, s'asseoir, etc. Le soi affectif correspond à nos sentiments et à nos émotions : on peut décrire ce que l'on ressent et avec quelle intensité. Enfin, le soi pensant recouvre toutes nos activités mentales, elles-mêmes également répertoriables. Ces trois composantes du soi descriptible forment la base de notre individu.

A côté de ce soi définissable, il existe un autre aspect de nous-mêmes qui est plus subtil et que l'on apprend petit à petit à connaître en faisant zazen : c'est le *soi qui observe*. Certains systèmes de thérapie occidentaux attribuent également une grande importance à cet aspect-là du soi qui est d'ailleurs le principe actif qui conditionne l'efficacité de ces thérapeutiques, lorsqu'elles sont bien conduites. Cependant, les tenants de ces systèmes n'ont pas toujours une idée très claire de la nature de ce soi qui observe et ils ne mesurent pas bien à quel point il diffère — radicalement — des autres aspects du soi. En effet, les éléments descriptibles qui composent ce que nous avons coutume d'appeler notre soi sont forcément limités et linéaires, parce qu'enfermés dans une définition temporelle. Le soi qui observe, en revanche, échappe à toute tentative de classification ou de définition : essayez donc de le trouver ou de le décrire ! Si on le cherche, on ne trouve rien, car il n'y a pas d'objet séparé du sujet qui observe. On sort de toutes les catégories habituelles et on rentre dans l'inconnaissable ; on pourrait presque parler d'une autre dimension.

La plupart des thérapies utilisent ce mécanisme de l'observation de soi, mais de manière beaucoup plus limitée que ne le fait le zen. En nous faisant observer le soi descriptible très en profondeur, le zazen vise à nous rendre conscients de tout ce que nous faisons. On apprend à devenir témoin de ses comportements dans toutes les situations du quotidien : au travail, dans les gestes de l'amour ou quand on fait de nouvelles rencontres. Rien de ce qui nous concerne ne devrait nous être étranger ; tout doit passer au crible de l'attention. Ce qui ne veut pas dire qu'on doive cesser ses activités, au contraire : l'observation se poursuit pendant qu'on fonctionne normalement, au quotidien. A quoi sert-elle donc ? Tout facette de soi qui échappe à notre vigilance nous demeure inconnue, étrangère en quelque sorte ; elle semble fonctionner indépendamment de nous, sans que nous puissions la contrôler, et c'est ainsi qu'on se retrouve en train de faire un geste ou de dire une parole avant même d'avoir eu le temps de s'en rendre compte.

Il arrive à tout le monde de se laisser emporter par la force de ses émotions : colère, irritabilité, accès de jalousie, dépression, et ainsi de suite. Or, la pratique du zazen sert justement à se familiariser progressivement avec la nature de ses émotions en apprenant à en démonter le mécanisme. Prenons par exemple un accès de colère : il s'agit d'identifier l'ensemble des pensées qui l'ont provoqué. On verra que ces pensées n'ont aucune réalité en elles-mêmes, aucune substance propre, mais qu'elles s'accompagnent de sensations physiques, de contractions musculaires. En examinant ses sensations, on se rendra compte que certains muscles se contractent alors que d'autres restent relativement relâchés. Chacun de nous est affecté différemment par la colère qui, pour certains, s'affiche sur le visage, alors que chez d'autres, elle va se loger dans le dos ou même dans tout le corps. Mieux nous saurons reconnaître ce mécanisme des émotions en nous, et moins nous risquerons de tomber dans le panneau et de nous laisser emporter aveuglément par le premier sentiment venu.

Il y a plusieurs façons d'envisager la pratique du zen. L'une, le développement de la concentration pure, est très répandue dans les centres zen.

> On médite sur un koan* jusqu'à ce que l'on arrive à briser la logique de la pensée discursive. Cette technique-là revient en fait à pousser les pensées et les émotions jusque dans leurs derniers retranchements. Puisque, de toute façon, elles n'ont pas de réalité propre, autant les écarter purement et simplement.

Il est vrai que cela peut marcher et que, si l'on se casse la tête suffisamment longtemps sur un koan*, on peut parfois arriver à goûter — temporairement — à cette merveille qu'est la vie libérée de l'emprise de l'ego. Mais il existe aussi une autre méthode, qui est celle que nous pratiquons ici, et qui consiste à s'ouvrir progressivement à cette liberté d'être en apprenant à devenir parfaitement attentif à l'instant présent. A mesure que l'on se connaît mieux soi-même, on affine la conscience que l'on a de ses réactions aux choses et aux gens ; par exemple, on se rend compte que le coin gauche de sa bouche a tendance à tirer vers le bas quand on est avec quelqu'un qu'on n'aime pas. Dans cette optique-là, chaque geste et chaque pensée du quotidien s'intègre à notre démarche spirituelle. On fait feu de tout bois, tout devient utile : le bon, le mauvais, l'agréable et le pénible, la joie comme la dépression. Cela ne veut pas dire qu'il faille aller au devant des problèmes et des ennuis, mais, lorsqu'on a déjà une certaine maturité dans sa pratique, on est capable de les apprécier à leur juste valeur pédagogique. Car c'est grâce à de telles expériences que l'on arrive à comprendre le mécanisme des émotions et des pensées et, par là, à évoluer vers une plus grande liberté d'être et plus de compassion.

> Il n'y a pas de hiérarchie des pensées et des émotions — les *bonnes* d'un côté, et les *mauvaises* de l'autre ; *toutes* les pensées se valent, du point de vue de leur nature, car elles sont toutes, sans exception, impermanentes et changeantes. Elles sont *vides* pour reprendre la terminologie bouddhiste, vides de substance et de réalité propres. La clé de notre liberté — qui se gagne au prix d'années d'observation vigilante — est justement dans cette reconnaissance de la vacuité* des pensées et des émotions (et des actes qui en découlent).

Il existe également une troisième forme de pratique, nettement moins efficace à mes yeux, et qui consiste à remplacer ses mauvaises pensées par des bonnes. Si, par exemple, vous êtes en colère, vous essayez de substituer une pensée d'amour à votre sentiment de colère. Un tel procédé peut éventuellement vous apporter un certain soulagement passager mais il ne tiendra pas la route dans les tempêtes du quotidien. En réalité, on ne fait que remplacer un conditionnement par un autre, alors que la vraie pratique spirituelle se situe au-delà de toute forme de conditionnement.

Car, bien que nos pensées et nos émotions soient vides de toute réalité propre, tant que nous ne serons pas capables de le voir, nous resterons sous leur emprise. Quand on reconnaît la vacuité de ses pensées, on est capable de les laisser filer et l'on accède à la merveilleuse simplicité de l'être, libéré des pesanteurs de l'ego.

Cette merveilleuse simplicité de l'être s'offre à ceux qui ont cessé de se préoccuper d'eux-mêmes : c'est quand on ne répond plus « c'est moi », mais « c'est Toi » que s'ouvrent les portes du paradis. Qu'on sorte des retranchements de l'ego et l'on rejoint toute chose et tout être, dans cet espace de liberté où s'épanouit la compassion spontanée. Nous n'en sommes pas là, bien entendu, ce qui ne nous empêche pas, cependant, d'avoir d'ores et déjà de temps en temps un petit avant-goût de cette liberté du non-soi. C'est effectivement ce qui peut se passer quand on pratique la méditation qui consiste à regarder une autre personne dans les yeux, tandis qu'on laisse glisser toutes les pensées et les émotions qui nous traversent l'esprit à ce moment-là. En fixant ainsi l'autre dans les yeux, on entre dans l'espace du non-soi en découvrant — ô merveille — que cet autre *est soi*. L'espace d'un bref instant, on ressent ce non-soi qu'est l'autre et que l'on est soi-même, et l'on se rejoint dans cet espace de liberté. C'est une pratique qui fait un bien fou, en particulier quand on vit des rapports de couple difficiles.

Il y a quelques années, j'ai fait cet exercice de fixation du regard sur les yeux d'une autre personne avec une jeune femme qui m'avait raconté que la mort de son père avait brisé sa vie. Elle ne s'en était jamais remise et rien n'arrivait à apaiser sa douleur, m'avait-elle confié. Nous nous sommes alors assises ensemble et nous avons passé une heure à nous regarder dans les yeux. Mon expérience du zazen me donna la force de maintenir un regard fixe et ferme tout au long de cette heure, et de l'aider à ramener ses yeux dans les miens lorsque je la sentais fléchir. A la fin de l'exercice, la jeune femme fondit en larmes. Comme je lui demandais ce qui n'allait pas, elle me répondit : « Mon père n'est pas parti et je ne l'ai pas perdu. Tout va bien, j'ai enfin trouvé la paix ! » Elle avait compris ce qu'elle était, et ce qu'était son père — pas seulement un corps d'homme retombé en poussière. Et dans le miraculeux instant de cette reconnaissance, elle avait retrouvé la paix.

La colère est un excellent outil de pratique de l'observation de soi : on voit s'accumuler les pensées hargneuses, on sent son corps se crisper, on ressent une impression de chaleur et de tension. La plupart du temps, nous n'y faisons même pas attention, trop occupés que nous sommes à prouver que nous avons raison et à affirmer notre bon droit. Qui plus est, il faut aussi avouer que la pratique est bien le cadet de nos soucis à ce moment-là ! C'est bien plus tentant de se laisser aller à la colère — une émotion forte qui a vite fait de vous monter à la tête. C'est pourquoi il est difficile de pratiquer la vigilance dans les moments de grande colère ; au départ, il vaut mieux s'entraîner sur de petites colères ordinaires, des irritations mineures comme nous en avons tous les jours, afin d'être plus prêt à affronter les grandes tornades, par la suite. Grâce à un tel entraînement, on saura ne plus se laisser emporter aussi vite et aussi complètement par les gros orages, et, l'expérience aidant, on sera de moins en moins souvent la proie de la colère.

Il y a un koan* traditionnel formulé à partir de l'histoire d'un moine qui était allé trouver son maître en lui demandant de l'aider car il se trouvait coléreux. Le maître lui dit : « Eh bien, montre-moi ta colère. » « Je ne peux pas, répondit le moine, car, là, tout de suite, je ne suis pas en colère. Donc je peux pas vous la montrer. » A quoi le maître répliqua : « Eh bien, c'est que cette colère n'est pas toi, puisqu'il lui arrive de ne pas être là. » Nous avons de multiples visages, certes, mais ils ne sont pas ce que nous sommes.

On me pose très souvent la question de savoir si cette observation de soi n'est pas une pratique dualiste, dans la mesure où, dans toute observation, il y a un sujet qui observe et un objet observé. Or, ce n'est pas du tout le cas de cette pratique car l'observateur est lui-même vide[1] — dépourvu de substance ou de réalité propres. Il n'y a pas d'observateur à proprement parler, mais *une observation* — un acte, un processus. Il n'y a pas quelqu'un qui est là, qui écoute et qui regarde ; il n'y a qu'une écoute, une observation. C'est difficile à comprendre pour des esprits dualistes tels que les nôtres, mais avec une bonne dose d'expérience de zazen, on s'apercevra que c'est non seulement l'observateur qui est *vide*, mais aussi la chose observée. Et, quand on aura compris ça, l'observateur — ou le témoin — disparaîtra. Que signifie cette disparition ? Inutile de vous en soucier pour l'instant car cela ne se produit qu'au stade ultime de la pratique. Précisons cependant que, si l'observateur s'évanouit, c'est parce qu'il n'y a rien à voir.

> Que reste-t-il quand un rien voit un rien ? Rien — juste cette merveille qu'est la vie. En réalité, personne n'est séparé de personne. Il n'y a que la vie qui vit : qui voit, qui entend, qui sent, qui touche, qui pense. Un état d'amour et de compassion, quand le *c'est moi*, laisse place au *c'est Toi*.

C'est pourquoi, à mes yeux, la pratique la plus

1. Vide : au sens que le bouddhisme donne à ce terme. Voir le glossaire explicatif à la rubrique *vacuité* (N.d.T).

efficace est celle qui renforce l'observateur — au sens de l'acte d'observation, ce rien qui observe le rien. Dès l'instant où vous vous abandonnez à la colère, vous cessez d'être l'observateur car celui-ci ne se met jamais en colère — un « rien » n'a pas de sentiments. Quand on sait rester dans cet état d'observation neutre, c'est avec intérêt et affection qu'on assiste à la tourmente des émotions, mais sans passion et sans s'en mêler. Je n'ai encore rencontré personne qui soit arrivé à s'assimiler complètement à l'observateur, mais il faut néanmoins reconnaître qu'il y a un monde entre celui qui sait vivre ainsi la plupart du temps et celui qui n'accède que très rarement à une telle manière d'être. La pratique que je viens de vous décrire vise à renforcer l'espace impersonnel dans lequel les pensées et les émotions peuvent aller et venir sans que l'on s'identifie à elles. Je sais que cela peut paraître très froid d'évoquer cette distanciation par rapport à ses pensées et à ses émotions, d'autant que la pratique elle-même peut avoir la froideur clinique d'un scalpel, mais je peux vous assurer que ceux qui s'y adonnent n'ont rien de froid, bien au contraire. Avec l'effondrement du sujet qui observe, on découvre ce qu'est vraiment la vie. N'allez pas imaginer une sorte d'illumination surnaturelle : c'est beaucoup plus simple et plus réel que cela. *On voit* enfin les choses telles qu'elles sont : si je vous regarde, je vous vois tel qu'en vous-même, sans déformer cette perception brute et immédiate en y ajoutant toutes sortes de commentaires et de jugements de valeur liés à ce que je pense de vous. Cet espace de simplicité de la perception immédiate est habité par la compassion ; pas besoin de le fabriquer ou de le chercher ailleurs qu'en nous-même car c'est notre état naturel — quand l'ego est absent.

Bien que nous ayons perdu ce naturel en nous enferrant dans les complications de l'ego, nous avons la chance de pouvoir le redécouvrir. C'est en effet le privilège de la condition humaine, à la différence des autres formes de vie qui partagent la planète avec nous.

Prenez un chat : il possède lui aussi le potentiel de réalisation de la perfection de la vie, mais il ne le sait pas. Il le vit, un point c'est tout. La différence, c'est que, *faits à l'image de Dieu*, nous sommes les seuls êtres qui aient la capacité de prendre conscience de ce potentiel et de le réaliser.

Mesurons la valeur de cette chance exceptionnelle et armons-nous de la patience nécessaire pour mener à bien pareille tâche, jour après jour, pas seulement en sesshin, mais aussi dans la vie quotidienne. Il faut mettre un soin attentif à observer chacune de nos pensées et de nos paroles, et chacun de nos actes, afin d'en découvrir la nature, et s'entraîner ainsi jusqu'à ce que l'observateur n'ait plus rien devant lui que la vie telle qu'elle est, dans sa merveilleuse simplicité. Nous avons tous connu des instants privilégiés où l'on se sentait partie intégrante de la vie sous toutes ses formes. Parfois, après une sesshin*, vous regardez une fleur et là, pendant un court instant, il n'y a plus de barrière. La vie coule et vous êtes une goutte d'eau dans ce grand flot. Notre pratique du zen a justement pour raison d'être de nous ouvrir de plus en plus à la vie ; c'est pour cela que nous sommes ici, sur terre. Abstraction faite des différences de formulation, toutes les grandes religions nous transmettent finalement le même message : nous ne faisons qu'un, mon Père et moi. Quelle interprétation donner à ce *Père*? Il ne s'agit pas de quelque entité étrangère ou extérieure à moi, mais de la vie, telle qu'en elle-même et sous toutes ses formes : les gens, les choses, les événements, l'herbe, le béton, les bougies et tout le reste, mon Père et moi — nous ne sommes qu'un. Une réalité qui se fera jour en vous, petit à petit, au fur et à mesure que vous pratiquerez.

Une sesshin* n'est pas une fin, ce n'est qu'une phase d'entraînement intensif. Ce que vous ferez dans deux semaines et la manière dont vous réagirez à vos problèmes à ce moment-là m'intéresse tout autant que votre comportement pendant la sesshin.

S'il vous arrive vraiment un gros ennui, saurez-vous pratiquer dans cette situation de crise ? Serez-vous capables d'observer vos pensées et d'expérimenter vos sensations au lieu de paniquer et de vous laisser emporter par vos émotions ? Quand vous sentirez votre estomac se nouer, saurez-vous dédramatiser votre réaction — et donc vous calmer — en n'y voyant qu'une simple contraction musculaire ?

Si la vie nous fait tellement peur, c'est parce que nous nous noyons dans le déluge de pensées inutiles que notre mental n'arrête pas de déverser sur tout ce qu'il touche. Que d'énergie dépensée inutilement ! Souvenez-vous que nous ne sommes pas obligés de vivre sous le diktat d'un mental soumis à la logique dualiste de l'ego, et je vous invite à tirer le meilleur parti possible de votre *sesshin**.

Avoir un idéal

En prise directe

Comme j'ai l'occasion de discuter avec beaucoup de gens, je suis souvent frappée et attristée de voir à quel point ils peuvent se faire des idées fausses sur la pratique du zen. Et plus ils sont loin de la vérité, et plus ils s'empoisonnent la vie.

> En réalité, la pratique est très simple à définir : c'est avant tout un changement d'optique.

Abandonner des habitudes de vie nocives pour soi et pour les autres au profit d'une manière d'être bénéfique pour tout le monde. Cela paraît simple, et pourtant, on trouve le moyen d'en faire une interprétation fausse ; on croit qu'il s'agit de devenir autre chose que ce que l'on est, ou de changer de mode de vie. Mais, dès l'instant où vous vous dites que vous devriez être un peu plus comme ci ou un peu moins comme ça, *vous plaquez votre idée des choses sur la réalité*. La vraie vie est escamotée, votre pratique n'enclenche pas sur le réel et reste stérile.

Supposons que je sois curieuse de savoir ce que ressent un coureur de marathon pendant sa course. Si je fais le tour de deux pâtés de maison, ou même si je fais trois ou sept kilomètres au pas de gymnastique, j'aurai peut-être une petite idée de ce que c'est que de courir sur une courte distance, mais je ne saurai toujours pas ce que c'est que de faire un marathon. Même en étudiant à fond toute la documentation qui peut exister sur les marathons, jusqu'aux données physiologiques relevées chez les marathoniens, je ne serai pas plus avancée pour autant. Ce n'est que le jour où je participerai moi-même à un marathon que je comprendrai ce que c'est. Et il en va de même pour notre vie : on ne la vit vraiment qu'à partir du jour où on en fait l'expérience directe et immédiate, au lieu de la rêver en s'imaginant ce qu'elle pourrait être si on était comme ci ou comme ça, ou si on avait ceci ou cela.

> Il faut vivre sa vie telle qu'elle est, au présent, ici et maintenant ; c'est ce qu'on pourrait appeler vivre *en prise directe.*

On peut distinguer trois étapes dans la pratique. La première consiste à reconnaître que l'on n'est pas en prise directe sur sa vie, que l'on passe son temps à s'imaginer ce qu'elle devrait être ou à repenser à ce qu'elle a été. Examinez votre vie, telle qu'elle est actuellement, et vous vous apercevrez qu'il y a certaines réalités que vous préféreriez éviter ou ignorer. Il y a dans toute vie des choses ennuyeuses, pénibles ou très douloureuses et personne n'a envie de se mettre en prise directe là-dessus. C'est pourquoi la première phase de la pratique a justement pour but de nous faire prendre conscience de ce décalage permanent par rapport à la réalité : plutôt que de vivre sa vie, on préfère l'imaginer et s'en faire une représentation abstraite, à coup d'idées et de préjugés. Tout cela parce que nous avons tellement peur de voir la réalité en face. La pratique sert en grande partie à nous faire prendre conscience de cette peur, de notre réticence à nous ouvrir à la vie telle qu'elle est.

A force de pratique patiente et de persévérance, on passe à une deuxième phase d'évolution, celle de la prise de conscience graduelle de l'ego et des barrières qu'il dresse entre la vie et nous. On saura mieux observer et identifier ses pensées, ses émotions et les diverses manipulations auxquelles se livre l'ego. Cette mise à nu est assez douloureuse et choquante, mais si l'on persévère dans sa pratique, les nuages qui nous masquaient la réalité s'estomperont peu à peu.

La troisième phase de la pratique est celle où l'on commence à guérir des égarements de l'ego : on est enfin en prise directe sur sa vie, on voit directement les choses telles qu'elles se passent à chaque instant. Aussi simple que ça ? Oui. Mais facile ? Sûrement pas.

Je me souviens d'un samedi matin où nous avons décalé de vingt minutes l'heure de notre séance de zazen pour permettre à certains d'entre nous d'aller regarder passer les participants au grand marathon de San Diego. Et, à neuf heures cinq, nous les avons vus arriver. J'ai été sidérée en voyant l'aisance du coureur qui était en tête : son pas était aussi léger et élégant que celui d'une gazelle, bien qu'il en fût aux sept derniers kilomètres de la course. Quel coureur ! Ses qualités sautaient aux yeux. Et nous, quel genre de coureurs devons-nous être ? Nous pouvons nous inspirer des qualités d'endurance de ces athlètes, mais, à la différence des marathoniens, nous n'avons pas à nous déplacer.

> Le départ et l'arrivée sont *ici*, là où la vie nous a mis. Notre course doit nous amener là où nous nous trouvons déjà actuellement. C'est là que tout se passe. Ici et maintenant.

Ce n'est pas en rêvant de lendemains qui chantent ou en réchauffant des souvenirs de bonheurs anciens qu'on évolue. On progresse en étant ce que l'on est et en vivant à fond tout ce que la vie nous apporte, ici et maintenant. Il faut expérimenter sa colère, sa peine, ses échecs, ses appréhensions, car toutes ces expériences sont riches d'enseignements pour nous, si nous ne les esquivons pas. Il est impossible d'évoluer et d'apprendre tant que l'on refuse de vivre ce qui vous arrive. Ce n'est pas difficile à comprendre, mais un peu plus dur à faire. Ceux qui auront malgré tout la force de persévérer grandiront en sagesse et en compassion. Et, me direz-vous, pendant combien de temps faut-il pratiquer ainsi ? Pour le restant de ses jours, évidemment !

Motivation et envies

La motivation est un élément essentiel de la pratique du zen ; on pourrait même dire que rien n'est possible sans elle. Cependant, on nous a souvent répété qu'il fallait faire zazen sans rien attendre en retour, ce qui peut paraître contradictoire, du fait que l'on confond souvent motivation et envie.

Dans le contexte de la pratique, la motivation n'est autre que le cri de notre véritable nature qui aspire à se réaliser et à s'exprimer. Du point de vue de notre essence, nous sommes tous des bouddhas, quoique notre nature de bouddha* soit présentement voilée par des impuretés. La motivation est le moteur de la pratique car, sans elle, notre nature de bouddha serait un peu comme une superbe voiture qui ne servirait à rien tant qu'on n'aurait pas mis le contact. Même si l'on n'est pas très fortement motivé au départ, la pratique renforcera progressivement notre motivation qui prendra une tout autre ampleur au fil des mois et des années de zazen. Cependant, si la motivation croît en intensité — et semble donc changer, extérieurement —, sa nature essentielle reste invariable, puisqu'elle est l'expression de la nature de bouddha dont la petite voix se fera entendre de plus en plus fort en nous.

Il y a un moyen facile de voir si l'on agit en fonction d'une motivation authentique ou d'une simple envie intéressée — un désir de gain personnel. Quand on est motivé par une réelle aspiration, on éprouve généralement une certaine satisfaction, même si, concrètement, tout n'est pas toujours rose et facile. Alors que nos envies — nos désirs, nos attentes — nous laissent toujours un arrière-goût d'insatisfaction, dans la mesure où elles sont l'expression de l'ego, la face mesquine de notre mental. Depuis notre plus tendre enfance, nous avons l'habitude de chercher notre bonheur ailleurs qu'en nous-même. Eprouvant constamment le sentiment d'un manque, nous nous efforçons de combler ce vide — imaginaire — par tous les moyens, courant sans cesse tous azimuts à la poursuite d'un nouveau bouche-trou.

Nous avons recours à toutes sortes de stratagèmes pour tenter de nous dissimuler notre insatisfaction profonde, l'un de nos préférés étant la poursuite de la réussite. Il est certes bien naturel de vouloir réussir ce que l'on entreprend et d'apprendre à bien gérer sa vie. Cela dit, tant que nous nous attendrons à trouver le bonheur ailleurs qu'en nous-même, nous serons forcément toujours déçu. La vie sait se charger de nous le rappeler plus souvent qu'à son tour...

Nous avons tendance à envisager la vie en termes de pertes et profits : « Qu'est-ce que cela va m'apporter ? » ou bien « Est-ce que ça risque de me faire mal ? » C'est la double interrogation qui nous travaille sans arrêt, derrière nos petits airs calmes et bien tranquilles. Et nous continuons à raisonner de la même façon lorsque nous abordons une pratique spirituelle dans l'espoir de trouver la paix et la satisfaction qui nous ont toujours échappé. Nous venons au zen avec toutes nos vieilles habitudes, et les anciens schémas se reproduisent dans le cadre de notre soi-disant pratique : on veut à tout prix réussir, aboutir à quelque chose. Les vieilles interrogations réapparaissent sous un nouveau déguisement : « Je me demande combien de koans je vais arriver à résoudre pendant cette sesshin* ? » ; « Je fais zazen depuis plus longtemps qu'elle mais elle a l'air de faire plus de progrès que moi » ; « Si seulement je pouvais refaire une séance de zazen aussi fantastique que celle d'hier ! » Autrement dit, la force motrice de notre pratique reste notre vieux désir de toujours : réussir, arriver à quelque chose. On voudrait être reconnu par ses pairs, devenir quelqu'un qui compte dans le petit monde du zen, faire son trou bien tranquillement. Finalement, on continue à faire ce que l'on a toujours fait : attendre de quelque chose — la pratique du zen, en l'occurrence — la satisfaction et la sécurité que l'on désire si ardemment.

Dogen Zenji a dit : « Chercher le bouddhadharma* en dehors de soi revient à se mettre sous la coupe du démon. » Quant à Maître Rinzai, il a formulé la chose en ces termes : « Ne mettez pas une autre tête par-dessus la vôtre, » entendant par là qu'il est tout à fait vain de s'attendre à trouver la paix et la satisfaction véritables en dehors de soi.

Voilà pourquoi il est important de toujours examiner ses motivations pour savoir où l'on en est et ce que l'on veut. Que cherchez-vous donc ailleurs qu'en vous-même ? Qu'attendez-vous de cette nouvelle manœuvre ? Un gain personnel ? Une conquête amoureuse ? La résolution d'un koan* ? Tous les maîtres zen se sont pourtant escrimés à nous le répéter, avec une inlassable patience : ne mettons pas une autre tête par-dessus la nôtre — n'ajoutons rien à la vie, telle qu'elle est.

Chaque instant de la vie est déjà une plénitude ; il est complet en lui-même, il n'y manque rien. Sachant le reconnaître, vous serez capable de le laisser tel quel, quoi qu'il vous apporte. Quelle est la tonalité de l'instant présent, celui que vous êtes en train de vivre en ce moment même ? Bonheur, angoisse, plaisir, découragement ? Nous passons par toutes sortes de hauts et de bas sur les montagnes russes de nos émotions, néanmoins chaque instant de notre expérience est unique, tel qu'en lui-même. Et la pratique — motivée par nos aspirations — consiste à vivre l'instant, en le laissant tel quel, sans rien y changer. Si vous avez peur, eh bien, vivez votre peur et, au cœur même de ce vécu direct, vous goûterez un instant d'intrépidité.

Je vais vous raconter une histoire. Il y avait une fois trois hommes qui regardaient un moine, debout au sommet d'une colline. Après quelques minutes d'observation, l'un des trois déclara : « Ça doit être un berger à la recherche d'un mouton égaré. » Le second rétorqua : « Non, on voit bien qu'il ne regarde pas dans tous les sens. Moi, je crois plutôt qu'il attend quelqu'un. » Le troisième homme était encore d'un autre avis : « C'est probablement un moine et ça ne m'étonnerait pas qu'il soit en train de méditer. » Là-dessus, ils se mirent à discuter de plus belle sur ce que pouvait bien faire le moine, chacun soutenant son point de vue mordicus. La discussion s'envenima au point qu'ils décidèrent d'aller trouver le moine pour en avoir le cœur net. « Bonjour. Vous cherchez un mouton, peut-être ? » « Non, je n'ai pas de moutons. » « Ah bon ; alors vous attendez sans doute un ami, non ? » « En fait, non. Je n'attends personne. » « Dans ce cas-là, vous devez être en train de méditer. » « Euh, à vrai dire, non. Je me suis simplement mis là et je ne fais rien de spécial. »

Nous avons énormément de mal à concevoir que quelqu'un puisse simplement être planté dans un coin à ne rien faire, puisque nous sommes tellement habitués à toujours courir quelque part pour *faire quelque chose*. Il n'y a pas d'autre temps que le présent et d'autre lieu qu'ici, pourtant nous n'avons de cesse de fuir l'instant. Et nous abordons le zen avec la même attitude : « Je sais que la nature de bouddha existe quelque part. Je finirai bien par la dénicher si je mets assez d'énergie à la chercher et à faire zazen sur mon petit coussin. » Alors que c'est tout le contraire qu'il faudrait faire.

> Pour reconnaître sa nature de bouddha, il faut savoir laisser tomber cette inutile frénésie pour s'immerger complètement dans l'instant, dans chacun des instants de sa vie.

Savoir à tout moment, et quoi qu'on soit en train de faire — chercher un mouton égaré, attendre un ami ou méditer —, rester planté dans le présent, au cœur de l'ici et maintenant, sans rien faire.

Voilà une chose qu'on sera incapable de comprendre tant que l'on tentera de se servir du zen pour devenir un sage, un être doux et illuminé.

> Chaque instant de la vie — tel qu'il est avant qu'on le défigure — *est* une manifestation fulgurante de la vérité absolue.

Si vous pratiquez en aspirant à vivre le moment présent, c'est toute votre vie qui en sera graduellement transfigurée. Bien sûr, il nous arrive de temps en temps d'avoir des éclairs de connaissance intuitive dans notre méditation et c'est inspirant, mais ce n'est pas cela qui compte ; l'essentiel, c'est de pratiquer dans l'instant, instant après instant, avec toute la force d'une authentique motivation.

Si vous êtes prêts à être exactement ce que vous êtes, là où vous êtes, la vie ne vous posera pas de problèmes puisque vous prendrez les choses comme elles viennent : vous vous sentez en forme — parfait ; mal dans votre peau — parfait ; tout va bien — parfait ; rien ne vas plus — parfait.

> Un événement ou une situation ne deviennent un problème — et une contrariété — qu'à partir du moment où on les rejette, où on ne peut pas les accepter tels qu'ils sont.

Il est bien évident que nous avons tous des désirs et

des attentes particuliers par rapport à la vie, mais, au fil du temps, la pratique les réduit progressivement à une peau de chagrin, si bien que nous nous retrouvons de plus en plus souvent face à ce qui est, ici et maintenant. C'est peut-être une perspective un peu affolante pour nos esprits calculateurs qui cherchent toujours à manipuler la vie dans un sens ou dans un autre : on voudrait en permanence se sentir bien dans sa peau, avoir la tête claire, ne pas éprouver de contrariété, et ainsi de suite. La liste serait infinie, à l'image de nos désirs.

Pourtant, les choses sont tellement plus simples que ce que nous concoctons sans cesse : quand vous rentrez chez vous le soir, après le travail, et que vous êtes vanné, eh bien, reconnaissez tout simplement en vous un bouddha fatigué. Quand vous avez mal aux jambes pendant le zazen, c'est un bouddha qui a mal, et quand vous êtes déçu par rapport à vous-même, voyez-y un bouddha déçu. Tout simplement.

On ne voit pas du tout les choses de la même façon selon qu'on est motivé par une aspiration authentique ou par une simple envie.

Une motivation forte vous donne le courage de vous immerger dans l'instant, puisque vous savez que vous ne disposez que du présent, tout le reste n'étant que rêves et fantasmes. Et quand vous sentirez que votre esprit s'égare dans ces projections de son désir, vous serez capable de le ramener gentiment, mais fermement, dans le présent.

De toute façon, le mental essayera sans arrêt de prendre la tangente pour partir dans ses rêves ; alors, ne paniquez pas, et ramenez-le simplement à chaque fois dans l'instant. Et en procédant de la sorte, vous verrez que votre esprit trouvera un certain équilibre, tandis que se développera naturellement en vous un état de calme et de concentration — le samadhi* —, attisant encore un peu plus le feu de votre motivation.

Démystifier la superstructure

On pourrait comparer notre vie à une maison. La vie coule, avec ses orages et ses jours de ciel bleu, la maison a parfois besoin d'un bon coup de peinture. Et les habitants de la maison vivent leur vie, avec tous les petits drames et les petites joies du quotidien : un jour ça va, le lendemain on est malade, aujourd'hui on est heureux, demain malheureux. Ainsi va la vie. Jusque-là, tout est relativement simple. Mais ce qui complique singulièrement l'affaire, c'est que nous ne nous contentons pas d'habiter cette maison et d'y vivre tranquillement : nous en construisons une autre par-dessus, si bien que la maison initiale se trouve enfermée dans une autre bâtisse, un peu comme une fraise enrobée de chocolat.

La maison que nous habitons — notre vie — est pourtant tout à fait convenable, mais nous ne nous en rendons pas compte et nous éprouvons le besoin de rajouter des tas de choses par-dessus. La construction finit par prendre des proportions démesurées et recouvre complètement notre maison, qui nous paraît sombre et déprimante. L'air est confiné et on se sent emprisonné sous la lourde chappe qu'on a soi-même fabriquée parce qu'on n'était pas capable d'apprécier les lieux qu'on habitait au départ.

Pratiquer le zen, c'est d'abord se rendre compte qu'on a élaboré une telle construction, et c'est ensuite apprendre à connaître cette superstructure : voir comment elle fonctionne, de quoi elle est faite, et ce que l'on peut en faire. Notre premier réflexe sera sans doute de vouloir nous débarrasser au plus vite de cette horreur. Or, je ne crois pas que ce soit la meilleure façon de procéder.

A quoi sert de vouloir détruire ce qui n'existe pas ?

En effet, cette superstructure n'a rien de réel, elle n'est qu'une création mentale, le produit d'une mauvaise utilisation de l'esprit. Il ne s'agit donc pas de la démolir mais d'en comprendre l'irréalité. Quand vous vous serez rendu compte de la nature illusoire de la superstructure, elle cessera de vous apparaître comme quelque chose de solide et vous en verrez l'insubstantialité, la transparence. Elle cessera d'obscurcir votre vie. C'est dans ce sens-là qu'on peut dire que la pratique *illumine* l'esprit : elle fait la lumière sur la nature des choses. Grâce à cette lucidité, la superstructure nous apparaît comme un rêve — ou plutôt un cauchemar — et ses effets se font de moins en moins sentir dans notre vie. On perçoit mieux ce qui se passe puisque ce filtre a perdu de son opacité à nos yeux. En fait, toute cette démarche n'a servi qu'à nous ramener à notre point départ : on en revient à la vie telle qu'elle est. Elle est bien comme elle est, même si on éprouve parfois d'effroyables difficultés. C'est la vie, c'est notre vie. Mais nous préférons lâcher la proie pour l'ombre — nos rêves et nos fantasmes — parce que nous avons nos petites idées bien arrêtées sur la vie, et sur les plaisirs que nous en attendons. En d'autres termes, nous voulons bien prendre les choses comme elles viennent, mais uniquement quand cela nous arrange ! Autrement, pas question.

Prenez le groupe que nous formons ici aujourd'hui : chacun de nous a dans sa vie des choses ou des événements qui lui paraissent inacceptables. « Ah non ! Pas ça, ce n'est pas possible. » Par exemple, quand j'étais adolescente, je n'arrivais pas à encaisser de ne pas avoir été invitée à sortir un samedi soir. *Impossible.* Alors je concoctais toutes sortes de bonnes raisons pour expliquer la décevante réalité : « Il doit y avoir quelque chose qui cloche ; il faudrait peut-être que je change de coiffure, ou de vernis à ongles. Il faudrait que... et que... » Bien sûr, c'est un exemple futile et un peu bête mais c'est pareil pour tout, même dans des situations beaucoup plus graves. Nous éprouvons toujours le besoin de *rajouter* quelque chose, de peur d'avoir à faire face à la vie telle qu'elle est. Tout le monde le fait, nous sommes tous concernés. Il est d'ailleurs vraisemblable que nous continuerons à le faire jusqu'à notre dernier souffle, mais il y a quand même une question de degré : il y a une énorme différence entre une chape de plomb et une fine couche de gaze. Alors la question est de savoir ce que vous préférez...

> Pratiquer le zen, ce n'est pas chercher le paradis ou une paix royale. C'est apprendre à vivre votre vie telle qu'elle est. Simpliste, direz-vous ? Et c'est pourtant ce qu'il y a de plus difficile au monde : comprendre que la perfection est *déjà là*, à l'instant même, au cœur même de vos problèmes.

Je vous entends déjà bondir : « Qu'est-ce que c'est que ces sornettes ? Vous prétendez que mes ennuis *seraient* la perfection même. Eh bien, moi, j'ai bien l'intention de pratiquer d'arrache-pied pour m'en débarrasser ! » Erreur ! Mais non, vous n'avez pas besoin de vous en débarrasser, il suffit que vous en compreniez la nature. Souvenez-vous de notre analogie de tout à l'heure : sous un regard lucide, la superstructure s'estompe de plus en plus et, de temps en temps, il y a même une brèche qui s'ouvre et on voit à travers. De temps en temps... En attendant, je voudrais que chacun de vous identifie les choses qui lui posent problème actuellement et qu'il n'arrive pas à accepter : mésentente dans votre couple, chômage, déception, etc. Même si c'est très dur et déprimant, essayez de sentir que c'est bien comme ça. Vous aurez beaucoup de mal à y parvenir, bien sûr, car nous avons toujours tendance à rejeter ce qui nous dérange, et les habitudes ont la peau dure. Il faudra toute la force d'une pratique déterminée pour arriver à amorcer ne serait-ce que l'ombre d'un changement dans notre manière de voir. Il est difficile de saisir que l'on n'a pas besoin de lutter contre les vicissitudes de la vie. Puisque vicissitudes il y a, c'est bien comme cela — mais vous n'êtes pas obligé d'aimer ça et d'en redemander !

Dans un premier temps, la pratique du zen nous aide à voir la superstructure qu'on a construite autour de sa vie. C'est en faisant zazen, et en particulier en identifiant vos pensées, que vous commencerez à vous rendre compte que vous n'avez pratiquement jamais vécu les choses telles qu'elles se présentaient à vous, car elles ne vous sont parvenues que filtrées et déformées par la pensée égocentrique qui est le maître d'œuvre de la superstructure.

Il est évident que nous raisonnons ici en partant de l'hypothèse que nous voulons arriver à démystifier la superstructure qui pèse sur nos vies. Il faut cependant reconnaître qu'il y a des gens qui n'en ont pas envie — ce qui est parfaitement leur droit. Le zen n'est pas forcément pour tout le monde ; c'est une pratique qui exige énormément d'efforts et qui fracasse pas mal d'illusions au passage. Elle peut paraître rebutante au néophyte, mais ce n'est qu'un aspect de la chose. La pratique du zen a aussi son versant ensoleillé, en ce sens qu'elle nous fait accéder à une plénitude d'être jusque-là insoupçonnée. Pas de roses sans épines...

Après avoir constaté la présence de la superstructure que nous avions édifiée, nous entrons dans une deuxième phase de la pratique qui consiste à voir l'irréalité de cette création de notre ego tourmenté. Et, plus on perçoit l'artificialité de ces structures qui nous emprisonnent, et plus on s'en libère. Moins elles pèsent sur nous, et plus la vie peut s'exprimer librement et sans entraves. Cela paraît incroyable, non ?

Comprenons une bonne fois pour toutes que la superstructure est faite de nos chers idéaux. Comment apprécier la vie, telle qu'elle se déroule naturellement, quand on est aveuglé par des idées préconçues, par une espèce de modèle idéal de soi ou des autres que l'on se donne ?

> Le zazen fait nécessairement voler en éclats tous nos idéaux et nos préjugés, ce qui est tout à fait inacceptable pour la plupart des gens.

Tenez, faites donc un rapide examen de conscience, et voyez si vous êtes vraiment prêt à accepter un tel traitement. Il suffit de passer un moment assis sur son coussin pour voir surgir des pensées du genre : « Je ne veux pas faire ça ! Je n'ai pas du tout envie de le faire ! » Et *tutti quanti*. Mais, cela aussi, ça fait partie de la pratique.

L'examen de la superstructure que nous avons créée est une longue et délicate entreprise — une lourde tâche. La vérité, c'est que nous y sommes en fait très attachés et que nous préférons nettement cette construction irréelle à la réalité de la vie. Il y a des gens qui aimeraient mieux mourir pour leurs rêves que d'y renoncer. Cela dit, même si notre attachement à nos rêves et à nos désirs ne va pas jusqu'à la mort physique, il n'en équivaut pas moins à une mort morale : pendant qu'on passe son temps à tirer des plans sur la comète, la vraie vie passe et disparaît, irrévocablement, sans même qu'on s'en aperçoive. Notre vie est stérilisée par nos idées préconçues :

il faudrait que je sois — ou que les autres soient — comme ci ou comme ça. Nous sommes victimes de nos idéaux et c'est une vraie catastrophe, même si nous ne nous en rendons pas compte. Les catastrophes ne sont pas forcément des événements aussi dramatiques et spectaculaires que le naufrage du *Titanic* ; il y a des catastrophes en chaussons, pourrait-on dire, qui tuent plus doucement mais tout aussi sûrement. On se laisse prendre au piège des rêves et des élucubrations du désir car ils ont quelque chose de très séduisant et de plus confortable que la réalité. Mais c'est la mort lente garantie. La mort de l'esprit, l'asphyxie par manque de réel.

Je me trouvais un jour avec ma fille, et nous venions de voir un homme se conduire de manière inqualifiable. « Il est complètement inconscient », murmurai-je. Ce qui fit rire ma fille qui me dit : « Mais, Maman, c'est justement parce qu'il est inconscient qu'il n'a pas conscience de ce qu'il fait ! » Ce en quoi elle avait parfaitement raison : être inconscient signifie ne pas se rendre compte de ce que l'on fait. Or, nous sommes tous plus ou moins inconscients, à des degrés divers, et c'est du reste l'un de principaux obstacles qu'on rencontre dans la pratique. Qui plus est, on ne peut pas dire que nous brûlions d'envie de devenir conscients ! Alors, comment sortir de cette impasse ? Une partie du travail me revient, certes, mais, pour l'essentiel, la balle est dans votre camp. Je me souviens d'un incident survenu il y a quelques années : un étudiant qui travaillait avec moi depuis longtemps déjà venait de faire une conférence dans laquelle il avait très bien parlé du don et de la compassion. Quelques jours plus tard, je l'observai au moment où les gens se mettaient à faire la queue pour attendre une entrevue avec le maître, et je le vis se faufiler en tête après être pratiquement passé sur le corps de tous les autres pour y arriver. Il était totalement inconscient de l'égoïsme de son comportement. Nous sommes tous pareils : tant qu'on ne se rend pas compte de ce que l'on fait, on continue à agir selon ses vieilles habitudes. C'est pourquoi la pratique du zen vise tout particulièrement à nous rendre plus lucides sur nous-mêmes. Ce qui n'est pas une sinécure, étant donné notre peu d'empressement à ouvrir les yeux !

> Le terme même de discipline suffit souvent à faire grincer des dents certains d'entre nous qui l'interprètent comme une forme d'obligation ou de répression. Or, dans le contexte du zen, se discipliner veut simplement dire pratiquer de manière à devenir aussi lucide que possible, afin d'y voir un peu plus clair en soi et autour de soi.

Cette discipline peut revêtir un aspect formel, comme au zendo, ou plus informel, comme dans la qualité d'attention qu'on s'efforce d'apporter à chacun de ses gestes quotidiens. L'adepte discipliné est celui qui essaie de se servir de chacune de ses activités quotidiennes comme d'un moyen de s'éveiller de la torpeur de l'inconscience.

La question se pose toujours dans les mêmes termes : de quoi sommes-nous conscients ? Que voyons-nous et à quoi sommes-nous encore aveugles ? En pratiquant bien, vous prendrez peu à peu conscience de toutes sortes de choses que vous n'aviez encore jamais remarquées et que vous pourrez désormais intégrer à votre effort.

> Pratiquer, dans le contexte qui nous intéresse ici, c'est essayer de garder l'œil de la vigilance ouvert, du matin au soir. Grâce à quoi la superstructure perd de sa solidité et on commence à entrevoir la vie telle qu'elle est.

C'est un aperçu général de la pratique que je viens de vous donner ici et, comme dans toutes généralisations, il se peut que j'aie trop insisté sur certains points et pas assez sur d'autres, ce qui est inévitable. Mais je pense que vos questions permettront d'éviter tout malentendu.

Question : *Effectivement, j'ai l'impression qu'il y a deux personnes en moi et une causerie comme celle d'aujourd'hui* nous *plonge dans la confusion la plus totale. Le premier moi a des tas d'idéaux...*

Joko : Eh bien, c'est justement ce qu'on veut laisser s'écrouler.

Question : *Voulez-vous dire par là que je devrais laisser tomber les activités caritatives auxquelles je participe ?*

Joko : Ah, mais bien sûr que non !

Question : *Pourtant, il s'agit d'un idéal !*

Joko : Non, non, pas du tout. Ce n'est pas un idéal, c'est quelque chose que vous faites, tout simplement. En revanche, essayez de voir si vous n'ajoutez pas des pensées idéalistes par là-dessus. S'il y a quelqu'un qui meurt de faim dans la cour, vous n'allez pas vous interroger sur ce qu'il faut faire ; vous partirez aussitôt chercher quelque chose à manger. Mais, à ce moment-là, vous allez peut-être vous dire que vous êtes un chic type ; et ça, c'est la superstructure qu'on plaque sur ses actes. Conclusion : *bien sûr* que vous devez continuer vos activités caritatives. Le meilleur moyen de saper la superstructure est en fin de compte de continuer à agir comme à l'accoutumée, en faisant et en refaisant les mêmes et sempiternelles bévues, mais en essayant d'en être aussi conscient que possible. Et petit à petit, nos yeux s'ouvriront.

Question : *Bon, d'accord. Voilà qui est réglé pour une moitié de moi. L'autre moitié est au chômage, plutôt déprimée et l'estomac vide, et avec d'autres bouches à nourrir. Et puis je vous entends dire que je devrais apprécier ma faim et ma situation de chômeur ; peut-être même que je devrais abandonner l'idée de chercher du travail ?*

Joko : Non, trois fois non ! Vous n'y êtes pas du tout ! Evidemment que si vous êtes au chômage, vous devez faire tout votre possible pour retrouver du travail. De même que, si vous étiez malade, vous devriez tout faire pour vous soigner. Ce n'est pas cela qu'il faut laisser tomber ; c'est tout ce que l'on rajoute par là-dessus et qui crée la superstructure qui nous emprisonne. A savoir, dans votre cas, ressasser des pensées du genre : « Je suis vraiment un minable ! Qui voudrait donner du boulot à un type de mon acabit ! » Ça, c'est de la superstructure ; du vent, des idées. La réalité de votre situation de chômeur, c'est que vous devez examiner l'état actuel du marché du travail pour essayer d'y trouver un créneau et, le cas échéant, acquérir la formation nécessaire à un nouvel emploi. Pourquoi éprouvons-nous toujours le besoin d'ajouter quelque chose à la réalité concrète ?

Question : *J'ai un peu réfléchi à la vie de mes parents et à mes rapports avec eux, qui me paraissent un peu faibles, dans certains domaines — ce qui me pose problème. En effet, d'après les psychologues, les cinq premières années de la vie sont déterminantes pour la suite de notre existence, car on est si impressionnable à ce moment-là. Pourriez-vous dire deux mots là-dessus !*

Joko : Eh bien, la réponse est différente selon que l'on se place d'un point de vue absolu ou relatif. Du point de vue relatif, chacun de nous a son histoire personnelle qui explique en partie ce que nous sommes actuellement. En revanche, du point de vue absolu, nous n'avons *pas* d'histoire. Le zen a justement pour but de nous faire prendre conscience de notre désir de nous raccrocher à notre histoire ; plutôt que de faire face à *la réalité* de ce que nous sommes, nous préférons trouver de *bonnes raisons* pour expliquer — et justifier — notre manière d'être.

> Il existe de nombreux systèmes de thérapie, mais si vous suivez une thérapie dont vous ressortez en ayant l'impression que c'est à cause des autres et de ce qu'ils vous ont fait que tout va mal dans votre vie, je pense qu'on peut dire que la méthode était pour le moins incomplète.

Nous avons tous subi nombre d'influences diverses de la part des autres, évidemment, mais nous n'en sommes pas moins responsables de ce que nous sommes ; c'est à nous de vivre notre vie telle qu'elle est, ici et maintenant, sans accuser qui que ce soit. Dès l'instant où vous rejetez sur d'autres la responsabilité de ce qui vous arrive, vous pouvez être sûrs que vous êtes à côté de la plaque.

Question : *Comment le savez-vous?*

Joko : Comment est-ce que je sais quoi?

Question : *Tout ça.*

Joko : Je ne dirais pas que je le sais... C'est plutôt de l'ordre d'une évidence qui s'impose à moi après des années de zazen. Et je ne vous demande pas de me croire sur paroles : je vous invite à vous fonder sur votre propre expérience pour vérifier si, oui ou non, cela s'applique aussi à vous. Cela dit, quel est celui de mes propos qui vous pose problème ?

Question : *Ce qui me pose problème, c'est peut-être que je me demande si je dois vous croire.*

Joko : Mais je ne vous demande pas du tout de me croire ! Ce que je vous demande, c'est de pratiquer. Nous sommes un peu comme des scientifiques qui prendraient leur vie comme sujet d'expérimentation. A vous d'être un peu curieux et attentif, et de voir si, oui ou non, ça marche. Si vous appliquez les méthodes du zen dans votre vie et que la superstructure qui vous séparait du réel semble s'alléger, vous aurez vous-même la réponse. Certaines religions exigent de nous une foi, une croyance. Or, le travail que nous menons ici n'a rien à voir avec le fait de croire ou de ne pas croire. Je ne demande à personne ici de me croire, mais je peux en tout cas vous assurer que je ne vous dis rien qui puisse vous induire en erreur et vous faire du mal.

Question : *Ma question est un peu liée à la sienne. Il me semble que, pour pratiquer le zen comme vous venez de l'expliquer, il faut avoir une bonne dose de foi en soi-même. C'est en tout cas comme cela que je le ressens.*

Joko : Bon, appelez ça de la foi si vous voulez. Je suppose que vous ne seriez pas là si vous ne pensiez pas que cette pratique peut vous être utile. Et c'est vrai que c'est une forme de foi que de se dire cela.

Question : *Personnellement, je pense que c'est important de savoir ce qui nous est arrivé dans notre enfance...*

Joko : Je n'ai pas dit que c'était inutile. Mais votre expérience du présent englobe forcément tout votre passé, et l'important, c'est de savoir si vous êtes capable de *faire l'expérience de tout ce que vous êtes*. De le vivre *vraiment*, à fond. Vous savez, on parle volontiers de « vivre la réalité de ce que l'on est », ou de « ne faire qu'un avec son expérience », mais c'est beaucoup moins facile à faire qu'à dire, et, convenez que cela ne nous arrive pas très souvent. Comme c'est difficile, on préfère se défiler. Mais si vous pratiquez comme il faut, vous verrez que le passé et le présent se réconcilieront et s'harmoniseront peu à peu.

Question : *Quelle est la place qu'occupent la prière et les affirmations dans le zen?*

Joko : La prière et le zazen ne sont qu'une seule et même chose. Aucune différence. Quant aux affirmations, mieux vaut les éviter, à mon avis ; elles peuvent éventuellement donner une impression de bien-être passager qui ne reflète pas forcément la réalité de la situation. Comme, par exemple, si vous êtes malade et que vous vous répétez : « je vais bien ».

Question : *Que pensez-vous des forces du mal qui sont partout, autour de nous, et qui semblent être devenues encore plus fortes, ces derniers temps?*

Joko : Je ne crois pas que nous soyons entourés de forces maléfiques. Je raisonnerais plutôt en termes d'actes maléfiques, ce qui est très différent. Si quelqu'un maltraite un enfant, vous ferez tout ce que vous pourrez pour l'en empêcher, bien sûr, mais cela ne servirait à rien de le mettre au pilori en le taxant d'être un agent du mal. Ce sont les mauvaises actions qu'il faut condamner, pas les gens. Ou alors, c'est tout le monde qu'il faudrait juger et condamner, à commencer par soi-même.

***Question :** A ce moment-là, on ne peut pas non plus dire de quelqu'un qu'il soit bon ?*

Joko : C'est tout à fait ça. En termes zen, nous sommes essentiellement des « rien », des non-entités, des non-choses... Juste des gens qui font des choses. Simplement, une fois qu'on se rend compte de l'irréalité de la superstructure qui nous enferme, et que l'on n'est plus séparé des autres et du reste de l'existence, on a tendance à faire le bien, tout naturellement. Car notre nature essentielle est de faire le bien.

***Question :** On agit comme cela ?*

Joko : Oui, on le fait spontanément. Lorsque nous ne serons plus séparés des autres par l'envie, la colère et l'ignorance, qui sont des pensées produites par l'ego, nous ferons spontanément le bien. Sans avoir à nous forcer, de par l'élan spontané de notre véritable nature.

Prisonniers de la peur

Vous avez tous en tête le cliché familier du P.D.-G. surmené qui travaille jusqu'à dix heures du soir, qui passe son temps au téléphone et qui a à peine le temps d'avaler un misérable sandwich en guise de repas. Tant pis pour sa pauvre carcasse qui fait les frais de cette frénésie démente ! Pendant ce temps-là, notre homme est persuadé de l'absolue nécessité d'une telle débauche d'activité : c'est ce qu'il faut faire pour s'offrir *la belle vie*. Mais il ne se rend pas compte que c'est le désir qui le mène par le bout du nez — comme c'est d'ailleurs le cas pour chacun de nous. Nos désirs ont une telle emprise sur nous que c'est à peine si nous nous rendons même compte que nous existons.

La plupart des gens qui n'ont pas de pratique spirituelle mènent des vies assez égoïstes. Ils sont entièrement pris par leurs désirs : l'envie d'être important, de posséder ceci ou cela, d'être riche et célèbre. C'est bien sûr vrai pour tout le monde, à des degrés différents, et nous ne sommes pas des exceptions. Cependant, à mesure que l'on pratique, on commence à se rendre compte que la vie ne fonctionne pas tout à fait comme la publicité veut bien nous le dire. Les pubs de la télévision voudraient nous faire croire qu'il suffit d'acheter le dernier fixateur à cheveux ou le produit de beauté tartempion, ou le système machin d'ouverture automatique des portes de garage pour être follement heureux. C'est un peu ça, non? Nous savons, pour la plupart, que ce n'est pas vrai. Nous ne sommes plus dupes de ces vaines promesses et, du fait que nous ne mordons plus à l'hameçon, nous commençons aussi à nous rendre compte qu'il y a quelque chose qui cloche sérieusement dans nos vies. La logique du désir égoïste qui nous domine ne nous rend pas heureux.

Une fois cette constatation faite, on passe à un deuxième stade : « Eh bien, puisque cela ne marche pas de vivre en égoïste, je vais essayer de ne plus l'être. » La plupart des religions — et certains groupes de zen n'échappent pas à cette logique — visent à nous guérir de notre égoïsme. Que se passe-t-il en réalité? Conscients de notre mesquinerie et de notre sécheresse de cœur, nous décidons de nous lancer à la poursuite d'un nouveau désir, plus glorieux : on se veut bon, gentil et patient. Et ce désir va main dans la main avec un sentiment de culpabilité : dès que l'on ne se sent pas à la hauteur de la nouvelle image de soi qu'on s'était créée, on culpabilise. C'est toujours la même chanson : on essaie d'être autre chose que ce que l'on est, et quand on n'arrive pas à incarner ses idéaux, on se sent coupable et on sombre dans la dépression.

La pratique passe généralement par ces deux phases-là : d'abord, on se rend compte de ses défauts — on est égoïste, envieux, mesquin, violent, ambitieux, etc... Ensuite, par réaction, on adopte une nouvelle ambition : cesser d'être un égoïste. « Comment est-ce que je peux encore avoir des pensées comme celles-là! Depuis le temps que je fais zazen, pourquoi suis-je encore si mesquin et pétri de désir? Je devrais être tellement mieux que ça, maintenant! » Tout le monde tombe dans le panneau! L'ennui, c'est que les religions — et certains centres zen n'y échappent pas, hélas — cherchent souvent à faire de leurs fidèles des petits saints qui ne font ou qui ne pensent jamais rien de mal. Ce qui est une erreur, du point de vue de l'évolution spirituelle des personnes concernées qui ont facilement tendance à devenir arrogantes. Elles ont tendance à se croire supérieures aux autres, sous prétexte qu'elles connaissent *La Vérité* et que les autres l'ignorent et ont donc forcément tort. Il y a des gens qui m'ont dit un jour : « Notre sesshin* commence à 3 heures du matin. Et la vôtre ? A 4 h 15? Ah bon... » C'est une bonne illustration de l'arrogance qui caractérise ce deuxième stade (le sentiment de culpabilité en engendre pas mal!) Je ne condamne pas, je constate : on est arrogant parce qu'on ne se rend pas compte de la réalité des choses.

Il faut voir le mal que nous nous donnons pour essayer d'être bons et bien gentils! Voilà le genre de remarque qu'on me fait parfois : « Je venais juste de terminer la sesshin et quelqu'un m'a coupé le passage sur l'autoroute. Eh bien, figurez-vous que je me suis mis très en colère. Je suis vraiment nul, pour quelqu'un qui pratique le zen... » Nous en sommes tous là.

Ce qu'il faut bien comprendre, c'est que tout désir est une expression de l'ego et de notre peur ; et c'est encore plus vrai, s'agissant du désir de *devenir* tel ou tel.

« Si j'arrive à devenir parfait, à me réaliser spirituellement, à trouver l'éveil, l'illumination, je n'aurai plus peur. » Le voyez-vous, ce désir déguisé en quête spirituelle ? On brûle d'envie de tourner le dos à ce que l'on est pour se jeter à la poursuite d'un idéal. Pas forcément l'éveil, d'ailleurs ; il y en a qui voudraient simplement savoir éviter les scènes de ménage avec leur femme. Bien sûr qu'il vaut mieux ne pas se battre avec son épouse, mais la tension que va éprouver un mari qui se force à ne pas se mettre en colère risque au contraire d'aggraver encore la situation...

Quand on veut changer de peau en s'efforçant de ne plus être égoïste et envieux, c'est un peu comme si on décrochait les vilains chromos accrochés au mur de sa chambre pour les remplacer par de jolis tableaux. Cependant, si la pièce est une cellule de prison, on n'aura fait que changer de décor ; les murs seront un peu moins sinistres mais on restera toujours prisonnier. Si vous substituez aux images de désir, de colère et d'ignorance qui formaient votre paysage, de belles reproductions de valeurs morales idéales, peut-être améliorerez-vous le décor, mais vous ne serez toujours pas libres.

Cela me rappelle l'histoire d'un roi qui voulait trouver le plus sage de ses sujets pour en faire son Premier ministre. Au terme de longues recherches, il restait trois concurrents que le roi soumit à une ultime épreuve : il les fit enfermer dans une pièce dont la porte avait été munie d'un verrou extrêmement compliqué. Les candidats furent avisés que le premier qui arriverait à ouvrir la porte serait nommé Premier ministre. La porte à peine close, deux d'entre eux se lancèrent aussitôt dans de savants calculs de probabilité pour essayer de percer le secret de la combinaison du verrou. Pendant ce temps-là, le troisième homme se contentait de rester assis sur sa chaise ; puis, tout à coup, sans avoir fait le plus petit calcul, il se leva, marcha droit sur la porte et tourna la poignée. La porte s'ouvrit. Elle n'était pas verrouillée ! Que nous enseigne cette histoire ? La prison, dans laquelle nous nous croyons enfermés et que nous nous donnons tellement de mal à redécorer sans cesse, n'en est en fait pas une. En réalité, la porte n'a jamais été bouclée car il n'y a même pas de verrou.

> Pas besoin de rester assis dans nos petites cellules à nous creuser les méninges et à nous démener comme des diables pour essayer de sortir — pour essayer de devenir autre chose que ce que nous sommes. En effet, nous sommes déjà libres !

Cela ne suffit pas de le dire, évidemment ; encore

faut-il en faire une réalité vécue, pour chacun d'entre nous. Alors, comment peut-on concrétiser cette liberté qui est déjà la nôtre ? Nous avons vu que l'égoïsme et le désir de le dépasser étaient tous deux inspirés par la peur — jusqu'au désir d'atteindre la sagesse et la perfection qui vient aussi de cette même peur. Nous n'aurions pas besoin de courir après tous ces désirs si nous nous rendions compte qu'en réalité, nous sommes déjà libres. Ce qui nous renvoie une fois de plus à la même pratique : apprendre à ouvrir les yeux, à devenir plus lucides, sans tomber dans des impasses telles que de vouloir ne plus être égoïste. Car il ne s'agit pas de tomber de l'égoïsme inconscient dans un oubli de soi calculé, mais plutôt de se rendre compte de l'inutilité d'une telle volte-face. Si nous passons malgré tout par ce deuxième stade, essayons au moins d'en avoir conscience ! Sachons que ce n'est qu'une phase transitoire qui débouche sur la suivante.

La troisième phase est celle de l'observation attentive qui, seule, ouvre les yeux sur la réalité des choses. On apprend à se faire le témoin de soi, pour sortir de la logique dualiste des deux premières phases. Au lieu de se dire : « Je ne dois pas être impatient, » on observe son impatience. En prenant du recul pour regarder ce qui se passe en soi, on aperçoit la réalité de son impatience. Et c'est un processus qui n'a rien de commun avec la fabrication d'une image idéale de soi ; en s'acharnant à s'imaginer sous les traits d'une personne patiente et bien gentille, on ne ferait que dissimuler sa colère et son impatience sous ce portrait idéalisé, et nos sentiments réels ne tarderaient pas à refaire surface, tôt ou tard. Ce que nous avons besoin de voir, c'est la réalité de ces instants pénibles où nous sommes la proie de nos émotions, lorsque nous nous sentons impatients, jaloux, déprimés. Quand on prend l'habitude d'observer son esprit, on se rend compte que l'on est pris dans un tourbillon de pensées incessant : si seulement j'étais comme ci ou comme ça, si seulement ces gens-là étaient un peu plus comme ci ou comme ça ! On revit le passé, on se projette dans l'avenir, on battit des châteaux en Espagne. On essaie de tout prévoir pour que les choses s'arrangent à notre avantage.

Quand on sait prendre du recul et se faire le témoin patient et persévérant de ce qui se passe en soi, on se rend compte que les deux attitudes que nous venons de décrire — suivre les pulsions de son égoïsme ou les fuir — sont aussi stériles l'une que l'autre. En comprenant cela, on passe, insensiblement et tout naturellement, à la troisième phase, c'est-à-dire à l'expérience directe de la réalité brute de chacune de nos pensées ou de nos émotions : vivre, sentir à fond l'instant d'impatience ou de jalousie. On échappe ainsi à la logique dualiste qui nous projetait vers un soi idéal en délaissant ce que l'on était déjà. On revient à la réalité de ce que l'on est. Et, quand on sait expérimenter à fond ses émotions, celles-ci se dissolvent d'elles-mêmes sous notre regard lucide, car elles ne sont rien de plus que le fruit de nos pensées.

> Pratiquer veut dire regarder sa peur en face, au lieu de la fuir et de tourner comme un lion en cage dans sa petite cellule qu'on essaie de bricoler pour la rendre un peu plus agréable à vivre.

En fait, nous passons pratiquement toute notre vie à fuir quelque chose : la souffrance ou notre mal-être fondamental. Même notre sentiment de culpabilité est encore une fuite. Quand on cesse de se détourner de la réalité, on fait face à ce qui se passe à chaque instant. On accepte d'être exactement ce que l'on est à ce moment-là — en colère, méchant ou jaloux. Non que cela nous fasse plaisir, car nous aimons tellement mieux nous imaginer dans le rôle de quelqu'un de gentil et de sympathique — même si cela ne correspond pas souvent à la réalité !

> L'ego commence à mourir le jour où l'on fait réellement l'expérience de ce que l'on est, et c'est de cette mort que jaillit une nouvelle vie.

« Sur l'arbre desséché s'épanouit la fleur, » comme le dit si joliment le *Shoyo Roku*. Remarquez bien : la fleur pousse sur l'arbre desséché, dépouillé, — pas sur un arbre style sapin de Noël, chargé de décorations et de fioritures. En prenant du recul par rapport à ses idéaux pour les observer avec l'œil d'un témoin, on renoue avec sa nature essentielle, qui n'est autre que l'intelligence de la vie.

Quel est le rapport entre l'éveil spirituel et le processus que nous venons de décrire ? Il est simple : l'observateur désengagé sort de l'irréel et, le voyant pour ce qu'il est, il se retrouve de plain-pied dans le réel. Cela ne durera peut-être qu'une seconde, au début, mais plus ça ira, et plus on arrivera à y rester. Le jour où vous serez capables de cultiver cette lucidité attentive pendant quatre-vingt dix pour cent de votre temps, vous constaterez qu'il n'y a plus de distance, plus de différence entre la vie et vous. Vous *serez* votre vie, et donc vous saurez ce qu'elle est. Actuellement, nous sommes un peu comme ce poisson qui avait passé sa vie à aller d'un maître à l'autre pour leur demander ce qu'était l'océan. Certains lui avaient répondu : « Eh bien, il faut que tu fasses beaucoup d'efforts pour devenir un bon petit poisson bien gentil. Et puis, tu sais, tu t'attaques là à un sujet de réflexion très profond ; alors il va falloir que tu médites pendant des heures et des heures et que tu te donnes vraiment du mal pour devenir très vertueux. » Un jour, le poisson finit par rencontrer un maître auquel il reposa sa sempiternelle question : « Qu'est-ce que c'est, l'océan ? » Et le maître partit d'un grand éclat de rire...

De grandes espérances

Il y a deux titres de livres qui me sont revenus en tête l'autre jour et qui m'ont frappée. Il s'agissait des *Grandes espérances* de Charles Dickens, et du *Paradis perdu* de John Milton. Et il m'a semblé qu'il existait un lien étroit entre ces deux titres.

Nous sommes tous à la recherche du paradis, quel que soit le nom qu'on lui donne — éveil ou autre. Nous avons l'impression d'avoir perdu le paradis et nous le cherchons désespérément, car notre vie nous semble si peu satisfaisante. Mais où est-il donc, ce paradis, et quel est-il ?

Nous avons souvent la tête pleine d'espoirs de toutes les couleurs lorsque nous venons participer à une sesshin. Certains en attendent même carrément quelque chose de précis, des résultats concrets. Autrement dit, nous prolongeons nos petits jeux habituels ; même sans faire preuve d'ambitions spirituelles démesurées, on espère au moins entrevoir un petit coin de paradis.

Si nous ne savons pas décrire ce qu'est le paradis, nous sommes en revanche très sûrs de ce qu'il n'est pas. Le paradis, ça ne veut pas dire être malheureux ou échouer dans ses entreprises, se voir critiquer ou châtier. Ce n'est pas avoir mal dans son corps, ni faire des erreurs. Ce n'est pas perdre son conjoint, son mari ou son enfant. Il ne peut pas non plus y avoir de confusion ou de dépression au paradis, pas plus que de solitude, ou d'obligation de travailler quand on est épuisé ou malade. Nous serions tous prêts à dresser une liste interminable de tout ce que le paradis *n'est pas*. Mais si ce n'est pas cela, le paradis, qu'est-ce que c'est donc ?

S'agit-il d'avoir plus d'argent ou de sécurité ? Une position dominante, le pouvoir, la célébrité ou la reconnaissance de ses mérites par les autres ? S'agit-il d'être entouré de gens qui vous aiment et qui vous aident ? Ou d'avoir un peu plus de paix et de tranquillité, un peu plus le loisir de réfléchir au sens de la vie ? Cette deuxième liste est-elle meilleure que la première ?

Il y a des gens qui ont réussi à réaliser concrètement dans leur vie une partie des conditions de cette deuxième liste. Théoriquement, ils ont tout ce qu'il faut pour avoir *la belle vie*. Et pourtant, dès que l'on a quelque chose, on a vite fait de se rendre compte que ce n'était pas encore *ça*. Mais alors, qu'est-ce que c'est ? Où se cache donc ce fameux paradis qui semble prendre un malin plaisir à reculer dès qu'on semble s'en rapprocher, comme un mirage qui s'évanouit quand on croyait l'atteindre.

Il est intéressant de remarquer qu'à l'approche de la mort, certaines personnes arrivent à voir et à comprendre des choses qui leur avaient totalement échappé jusque-là. Après quoi elles meurent apaisées, presque joyeusement — le paradis, enfin. Qu'est-ce qu'ils ont bien pu voir et trouver avant de trépasser ?

Souvenez-vous de la petite anecdote que je vous avais racontée, à propos de l'homme pourchassé par le tigre. Confronté à une mort inévitable — avec un tigre aux trousses et l'autre qui l'attendait en bas du ravin —, il avait mangé la fraise des bois qui poussait sur le talus, devant lui, et l'avait trouvée merveilleusement délicieuse et parfumée. Car elle avait cette saveur unique que peut avoir le dernier acte d'une vie.

Revenons un peu à notre première liste, celle qui donnait une définition négative du paradis, et regardons-là sous un jour nouveau. « Je suis tellement malheureux que c'en est fantastique ! » « J'ai tellement bien raté ça, c'est fantastique! » « Je n'ai jamais été aussi humilié de ma vie, c'est fantastique! » « Je suis si seul que c'en est fantastique! » Le jour où vous aurez vraiment compris ces paradoxes apparents, vous vivrez au paradis ici-bas.

Le grand maître Dogen Zenji a dit un jour : « Cessez de vous préoccuper de votre corps et de votre esprit, oubliez-les. Jetez-vous à corps perdu dans la demeure du Bouddha, et vivez sous son inspiration et sa conduite. Lorsque vous serez capable de le faire sans recourir à vos propres moyens physiques et mentaux, vous parviendrez au-delà de la vie et de la mort et vous deviendrez vous-même un Bouddha. C'est la vérité pure. Ne la cherchez nulle part ailleurs. »

Que signifie cette phrase : « Cessez de vous préoccuper de votre corps et de votre esprit, oubliez-les »? Dogen Zenji fait allusion à l'une des grandes erreurs que nous commettons tous : la recherche du confort, de la sécurité et du plaisir du corps et de l'esprit. A l'inverse, il nous invite à nous « jeter à corps perdu dans la demeure du Bouddha. » Mais où cela se trouve-t-il? Dans quoi devons-nous donc nous jeter à corps perdu?

Etant donné que le Bouddha n'est autre que l'instant absolu (qui n'est ni le passé, ni le présent, ni le futur), *la demeure du Bouddha* — le paradis, l'éveil — dont parle Dogen Zenji se trouve dans l'instant.

> Rien n'existe en dehors de ce vécu de l'instant. Toutes nos expériences, des plus agréables aux plus pénibles, s'inscrivent donc dans cet espace où demeure le Bouddha : rien n'en est exclu. C'est là que tout se passe.

« Jetez-vous à corps perdu dans la demeure du Bouddha, et vivez sous son inspiration et sa conduite. » Cela veut dire que nous ne pouvons pas vivre autrement que dans l'instant, car c'est la matière même de notre vie. Se laisser inspirer par l'instant, c'est le voir, le sentir, le goûter, le toucher, en faire l'expérience à fond, de telle sorte qu'il vous dicte votre conduite. Et Dogen Zenji d'ajouter que, si vous êtes « capables de le faire sans recourir à vos propres moyens physiques et mentaux », — c'est-à-dire sans faire intervenir vos opinions personnelles, votre idée de ce que les choses devraient être — « vous parviendrez au-delà de la vie et de la mort et vous deviendrez vous-mêmes un Bouddha. » Vous deviendrez ce que vous êtes déjà en puissance : le bouddha, l'expérience intelligente de l'instant. C'est votre nature, il n'y a pas d'autre forme d'existence réelle.

> Dites-vous bien que, quoi que vous fassiez, — que vous soyez assis en train de faire zazen ou que vous vaquiez à vos occupations quotidiennes —, vous êtes dans la demeure du Bouddha — au cœur de l'instant, au paradis, au nirvana*.

Sinon, où seriez-vous ? Quand vous faites zazen, à chaque instant qui passe — pénible, paisible ou ennuyeux à souhait — vous êtes déjà en paradis, au nirvana, dans la demeure du Bouddha. Et dire que nous arrivons à la sesshin tous chargés du poids de nos espérances, de notre désir de trouver le paradis ! Mais où est-il donc, pendant la sesshin et après, quand vous rentrez chez vous ? La demeure du Bouddha est l'expérience immédiate de l'instant telle que vous la vivez à travers votre corps et votre esprit. Juste ça, tout simplement, et pas quelque autre chose ou quelque ailleurs mythiques. Dogen Zenji conclut son propos en affirmant : « C'est la vérité pure. Ne la cherchez nulle part ailleurs. » Du reste, où la chercheriez-vous ?

Le paradis n'est ni perdu ni à reconquérir. Parce

qu'il est déjà là, au cœur de l'instant, même si vous n'en êtes pas encore conscients. En réalité, il est aussi inévitable que l'instant. On ne peut pas éviter le paradis, on peut juste éviter de le voir.

Que se passe-t-il lorsque quelqu'un est proche de la mort ? Il ne s'attend plus à ce que les choses tournent dans le sens qu'il espérait. Renonçant à cette forme d'espoir manipulateur, il est enfin capable de voir ce qu'il a sous son nez : il peut apprécier le goût sublime de la fraise des bois parce que c'est tout ce qui existe à ce moment-là.

> La sagesse, c'est de se rendre compte qu'il n'y a rien à trouver.

Vous avez un compagnon ou une compagne difficile à vivre ? Eh bien, c'est le nirvana. Vous êtes malheureux comme les pierres ? Parfait. Attention, je ne dis pas qu'il faut rester passif, à contempler la situation sans rien faire, ce qui reviendrait à essayer de figer le nirvana*, en réalité toujours changeant. Il ne s'agit pas de ne rien faire mais, au lieu de réagir à l'aveuglette — avec colère et sans indulgence —, d'agir à partir de cette intelligence de l'instant — qui s'exprime à travers des actes purs, inspirés par la compassion.

Une sesshin* est souvent un combat dans lequel nous sommes confrontés à notre refus d'accepter notre vécu tel qu'il est. Nous sommes tellement sûrs qu'il n'a rien à voir avec l'éveil que nous recherchons ! Mais en faisant zazen, patiemment, on prend de la distance par rapport à ses vieux réflexes : « C'est dur ; c'est formidable ; c'est rasoir ; comment peut-il m'arriver une chose pareille ? » Et, peu à peu, on se rapproche de la réalité de sa vie. Le premier jour d'une sesshin*, c'est un peu comme si on passait en revue toutes les définitions négatives du paradis de notre première liste de tout à l'heure ; l'esprit court à cent à l'heure et fait le tour de tous nos problèmes du moment, de toutes nos envies et nos frustrations. A quoi s'ajoute encore la fatigue du premier jour de régime intensif de la sesshin, souvent accompagnée d'une jolie collection de douleurs et de courbatures en tous genres.

La sesshin* chamboule toutes nos petites idées et nos habitudes mentales. Mais, comme toujours, on cherche à se défiler et à prendre la tangente en se réfugiant dans quelque paradis imaginaire. Alors, rappelez-vous les paroles de Dogen Zenji : « Cessez de vous préoccuper de votre corps et de votre esprit. » Il nous indique la marche à suivre : rester clairement conscients de tout ce qui se passe dans notre corps et dans notre esprit, tout en remarquant notre tendance automatique à chercher le plaisir et à éviter la douleur. Deux sentiments qui font cependant partie de l'instant, et c'est pourquoi Dogen Zenji ajoute : « Jetez-vous à corps perdu dans la demeure du Bouddha. » Jetez-vous au cœur même de l'instant, sans chercher à l'évaluer, à l'esquiver ou à l'analyser. « C'est la vérité pure — conclut-il. Ne la cherchez nulle part ailleurs. » Il serait impossible de la trouver ailleurs pour la bonne et simple raison qu'il n'y pas d'ailleurs. Rien n'existe en dehors de ce qui est *ici*, *tout de suite* — cet espace vierge de tout conditionnement qui est notre nature même — l'éveil. Avez-vous envie de vous réveiller pour le voir?

Vivre sur le fil du rasoir

Le fil du rasoir

Les êtres humains se croient toujours obligés d'avoir un but, une mission, quelque grande tâche à accomplir. Cette obligation fictive que s'impose la condition humaine est une source de complications infinies sans lesquelles la vie serait fort simple. Nos sens reçoivent des stimulations sensorielles qu'ils interprètent ; on accède ainsi à la perception du monde qu'ils nous rendent visible et intelligible.

> Si nous vivions immergés dans la vie, nous n'aurions pas de problèmes. Etre *immergé dans la vie*, c'est l'expérimenter telle qu'on la perçoit par l'intermédiaire des sens : la vue, l'ouïe, l'odorat, le toucher, le goût et la pensée.[1]

La pensée, ici, n'est pas à prendre dans l'acception qui nous est familière de pensée discursive égocentrique, mais dans le sens de l'activité mentale brute, immédiate, qui permet l'organisation et l'interprétation de nos perceptions. Quand on est ainsi immergé dans son vécu, il n'y a pas de problèmes parce qu'il n'y pas de dualité. On

1. Le bouddhisme (dans l'Abhidharma) considère la pensée, produit de l'activité mentale, comme notre sixième sens (N.d.T.).

colle parfaitement à son vécu. Pas besoin de se poser de questions : on vit sa vie, tout simplement.

Si la pensée discursive, qui est l'expression de l'ego, ne venait pas tout compliquer, la vie serait un ensemble homogène avec lequel on ferait corps, sans qu'il y ait de décalage entre soi et son vécu. Mais, que le cours des choses semble menacer les intérêts de notre petite personne, et nous nous en dissocions aussitôt. Tout à coup, on fait bande à part, on se met sur la touche : contrarié et fâché par la tournure que prennent les événements — et il ne nous en faut pas beaucoup pour ça ! —, on sort de l'ensemble homogène qu'est la vie tant qu'elle reste une donnée immédiate de la perception. Le divorce est consommé : je ne suis plus immergé dans la vie, je m'en sépare et je ne la vis plus que par concepts interposés. Désormais, d'un côté il y a *moi*, et de l'autre la vie, *le reste de l'existence.* C'est ainsi que s'installe le décalage permanent entre moi et mon vécu. Tout cela parce que j'ai voulu éluder un événement pénible en sortant du flot du vécu pour essayer de trouver le moyen d'éviter la souffrance ou le désagrément.

La vie est désormais scindée en deux : moi et les autres — le reste de l'existence. La Bible en parle en disant que nous avons été « banis du jardin de l'Eden. » Le jardin de l'Eden symbolise la simplicité de la vie dans son unité originelle et intrinsèque. Une merveilleuse simplicité que nous avons parfois l'occasion de goûter pendant quelques instants. Elle nous crève même les yeux, à la fin d'une *sesshin*, quand nous nous rendons compte que la vie n'est, après tout, pas un problème.

Du fait que l'unité fondamentale de la vie a été rompue — ou plutôt, semble avoir été rompue —, nous ne la comprenons plus de l'intérieur. Nous la prenons pour quelque chose d'extérieur à nous et qui nous pose des tas de problèmes, au point que l'on ne cesse de s'interroger sur elle et sur soi. « Que suis-je ? Qu'est-ce que c'est que la vie ? Que puis-je faire pour me sentir mieux ? » Nous étant séparés des autres et du reste de l'existence, nous nous sentons isolés, menacés, et nous éprouvons le besoin de manipuler notre environnement. Nous nous mettons à analyser furieusement la vie, à réfléchir fébrilement, à remuer toutes sortes d'angoisses. Nous nous donnons un mal fou pour essayer de ne faire qu'un avec la vie, nous cherchons toutes sortes de solutions artificielles, alors que la vérité est si simple : en réalité, il n'y a pas — et il n'y a jamais eu — l'ombre d'un problème ! Il n'y a rien à réconcilier ou à unir : l'unité de la vie est toujours pleine et entière, seul notre désir de nous en dissocier nous le cache. La vie est d'ores et déjà parfaite, à tout moment. Mais à qui voulez-vous faire croire *ça* !

En réalité, nous sommes toujours immergés dans le flot de la vie (qu'on le sache ou non) car, après tout, nous ne sommes pas autre chose que nos six sens en action : la pensée et les cinq autres agents de la perception. Mais l'ego plaque ses jugements de valeur par-dessus ce vécu immédiat, en décrétant que telle ou telle chose ne lui convient pas. Comment ressentir l'unité de la vie et notre immersion en elle quand la pensée discursive s'interpose ?

> Dès qu'on se mêle de modifier le cours des choses en y ajoutant ses opinions et ses réactions personnelles, on se met à éprouver de l'angoisse et des tensions.

Et dire qu'on fait cela pratiquement toutes les cinq minutes ! Alors, imaginez le tableau !

J'en viens au *fil du rasoir* qui sert de titre à cette causerie. Pour arriver à combler le gouffre qui semble nous séparer du reste de la vie, il faut savoir marcher sur le fil du rasoir, un art qui s'apprend à travers la pratique du zen. Normalement, comme nous voulons à tout prix éviter la douleur et la peine, dès que quelque chose ou quelqu'un nous irrite ou nous déplaît, nous cherchons par tous les moyens à manipuler la situation, dans l'espoir de régler le problème ou de l'esquiver.

> C'est justement au moment même où l'on commence à se sentir contrarié et fâché, par un événement ou par une personne, qu'on peut apprendre à marcher sur le fil du rasoir.

Le premier pas consiste à *se rendre compte* qu'on est fâché — la plupart des gens n'en sont absolument pas conscients. Il s'agit d'être vigilant afin de voir surgir la contrariété. En faisant zazen régulièrement, on commencera à connaître un peu mieux ses réactions et les mécanismes de son mental, grâce à quoi on arrivera à se rendre compte qu'on est en train de se fâcher.

Cependant, ce n'est qu'un premier pas ; on n'en est pas encore à marcher sur le fil du rasoir. Il y a toujours un décalage qui subsiste entre la vie et soi, mais au moins, maintenant, on en est conscient. Ce décalage disparaîtra au moment où l'on marchera sur le fil du rasoir, c'est-à-dire le jour où l'on épousera à nouveau complètement son vécu. Quand on saura être exactement ce que l'on est, sans rien enlever ni ajouter, et avoir une perception immédiate de la vie, telle qu'elle se présente à nous à chaque instant. Cela veut dire expérimenter exactement ce que l'on ressent à ce moment-là : la contrariété, la peur, la jalousie ou n'importe quel autre sentiment. Il ne s'agit pas d'intellectualiser ou de rationaliser ses émotions, mais d'en faire l'expérience directe, réelle, dans sa chair et dans ses tripes.

Cette expérience immédiate et non verbale de l'instant présent correspond à ce que j'appelle *marcher sur le fil du rasoir*. C'est le moment où le décalage disparaît : on se retrouve au cœur de la vie, *ré-uni* au lieu de demeurer à l'écart, séparé du cours des choses. Peut-on parler de bonheur à ce moment-là ? En tout cas de joie. Voilà donc comment le zen nous apprend à marcher sur le fil du rasoir. Si c'est difficile, c'est parce qu'on n'a pas envie de se lancer, et on le sait bien. On préfère fermer les yeux.

Prenons un exemple : supposons que vous m'ayez blessé dans mon amour-propre, je n'aurai de cesse d'y repenser et de cultiver mon ressentiment, ce qui ne fera que creuser le gouffre qui me sépare déjà de vous, en tant qu'autre. J'éprouverai sans doute un certain plaisir à remuer ces pensées belliqueuses, à me répéter que c'est moi qui ai raison. Mais, en réalité, ce grand déploiement d'activité mentale est avant tout destiné à masquer la douleur dans l'espoir de m'en protéger. Cependant, si j'ai une certaine maîtrise de la pratique, je reconnaîtrai assez vite le piège et je reviendrai à l'expérience de la douleur, sans plus chercher à l'esquiver — je marcherai sur le fil du rasoir. Si bien que, au lieu de rester fâchée pendant deux ans, comme ç'eût été le cas sans le zazen, je ne le serai que pendant deux mois, ou deux semaines, ou même deux minutes, selon le degré de maturité de ma pratique. Jusqu'au jour où je serai capable d'expérimenter à fond ma contrariété, à l'instant même où je la ressens, et de rester en équilibre sur le fil du rasoir.

> Etre spirituellement éveillé veut simplement dire savoir cultiver à chaque instant l'art de *marcher sur le fil du rasoir*. Bien que je ne connaisse personne qui en soit capable en permanence, je sais qu'il est possible de le faire pendant une bonne partie du temps, et que c'est un vrai plaisir quand on y arrive.

Je voudrais souligner encore une fois qu'il est indispensable de reconnaître que, la plupart du temps, nous n'avons pas la moindre envie de nous approcher du fil du rasoir. Nous préférons rester dans notre coin, à l'écart de la vie, à nous complaire dans la dérisoire conviction d'avoir raison. Une bien piètre satisfaction, certes, mais il faut reconnaître que nous préférons toujours nous rabattre sur une version édulcorée de la vie plutôt que de la prendre à bout portant, dans toute sa force directe qui nous fait tellement peur.

Tous les problèmes de rapports humains que nous rencontrons — à la maison ou dans le cadre de notre activité professionnelle — ont tous la même origine : le désir de rester à l'écart, séparé du reste de l'existence. Par le biais de cette stratégie, nous espérons affirmer notre importance en tant qu'individu, à l'inverse de ce qui se passe à l'instant où l'on marche sur le fil du rasoir : on n'est plus personne, on est partie intégrante du non-soi, totalement immergé dans la vie. Et c'est justement ce qui nous effraie tant, bien que la vie soit une joie sans mélange pour qui sait la vivre en non-soi. C'est la peur qui nous pousse à nous terrer dans notre tour d'ivoire, drapé dans notre dignité solitaire. Or — et c'est là le plus étonnant des paradoxes — ce n'est qu'en regardant la peur en face, en marchant sur le fil du rasoir, que l'on peut découvrir ce que c'est que de ne pas avoir peur.

Cela dit, il faut bien avouer qu'il est difficile de sauter le pas tout d'un coup et définitivement. Quelquefois, on n'est pas plus tôt arrivé sur le fil du rasoir qu'on rebondit aussitôt, comme une goutte d'eau qui tombe par mégarde dans une poêle à frire. Ce n'est qu'un début mais c'est déjà pas mal, et plus vous pratiquerez, et plus vous vous sentirez à l'aise dans cette position. Même si elle vous paraît acrobatique au départ, vous ne tarderez pas à vous rendre compte que c'est la seule qui vous apaise réellement. Nombreux sont ceux qui viennent au centre zen pour *chercher la paix*, disent-ils, et qui ne savent pas du tout comment s'y prendre. Et si je leur dis qu'il faut marcher sur le fil du rasoir pour y arriver, qui aura envie d'entendre cela? Car, tous autant que nous sommes, nous aimons qu'on nous promette le bonheur et qu'on nous soulage de nos appréhensions. Personne n'a envie de s'entendre dire la vérité. D'ailleurs, tant qu'on n'est pas prêt à l'entendre, elle ne fait que rentrer par une oreille pour ressortir par l'autre.

> Il n'y a plus ni *moi* ni *toi* quand on est sur le fil du rasoir, immergé dans le flot de la vie. Les bienfaits d'une telle pratique, qui est l'essence du zen, rejaillissent sur tout le monde, puisque les frontières fictives de l'ego se dissolvent et que la vie retrouve — chez vous, chez moi — sa forme d'expression naturelle : la sagesse et la compassion.

Voilà pourquoi je vous encourage à travailler dans ce sens, même si cela vous paraît difficile. Il s'agit d'abord de comprendre intellectuellement ce qu'est cette pratique, puis de s'en servir pour développer une forme d'attention lucide qui nous alertera quand nous serons sur le point de quitter le flot de la vie pour nous mettre sur la touche. Cette qualité d'attention s'acquiert en faisant zazen tout les jours et en sesshin, et en s'efforçant d'être vigilant chaque jour, du matin au soir, en restant conscient au maximum, à tout moment et quoi qu'il arrive. Ne vous faites pas d'illusions : cette sagesse ne vous sera pas donnée automatiquement, sur un plateau. Il faudra la gagner, la cultiver, malgré la réticence que vous éprouvez à l'idée de marcher sur le fil du rasoir. Cependant, avec un peu de patience et de persévérance, vos yeux se desilleront et vous découvrirez l'éclat de ce joyau incomparable qu'est la vie. Bien que ce diamant soit là depuis toujours, pur et scintillant, il reste invisible à ceux qui ont des yeux mais qui ne voient pas. Et ce n'est qu'en marchant sur le fil du rasoir qu'on acquiert cette clarté de la vision. Je vous entends déjà protester d'ici : « Ah non, dites donc, pas question ! Laissez tomber ! Ça ferait un beau titre pour un livre, votre truc, mais très peu pour moi, merci ! » Vous le croyez vraiment ? Je ne le pense pas. Au bout du compte, c'est bien la paix et la joie que nous cherchons tous, non ?

Question : *Pourriez-vous en dire un peu plus sur la séparation d'avec la vie ?*

Joko : Eh bien, dès que vous êtes en désaccord avec quelqu'un et que vous êtes convaincu d'avoir raison, vous vous mettez à l'écart. Vous êtes dans le camp du bon droit et vous rejetez l'autre là-bas, dans le camp des méchants : il a forcément tort. Le sort et le bien-être de l'autre est le cadet de vos soucis ; tout ce qui vous intéresse, c'est de vous sentir bien, vous. Ainsi, l'unité originelle de la vie est-elle brisée : on tombe dans la dualité. Et il faudra des années de pratique pour se défaire de ce réflexe égocentrique.

Question : *C'est lorsque je ne veux pas faire face à une situation donnée que je me sens contrarié ; ça, je m'en rends bien compte. Mais ce que je comprends moins, c'est comment cette contrariété que j'éprouve peut me séparer du flot de la vie ?*

Joko : Il n'y a pas nécessairement séparation si vous expérimentez pleinement votre contrariété, si vous l'éprouvez de manière non verbale, sans intellectualiser ce que vous ressentez. Mais si vous entretenez votre ressentiment et l'animosité que vous inspire l'autre, c'est-à-dire si vous générez toutes sortes de pensées, ce sont ces pensées qui vont créer la séparation.

Question : *Les pensées, plutôt que la fuite devant la réalité ?*

Joko : Mais ce sont *justement* les pensées qui constituent la fuite !

Question : *Vous voulez dire que ce sont les pensées qui engendrent la séparation ?*

Joko :Pas forcément. En tout cas, pas si vous êtes conscients de ce qui se passe en vous et que vous savez vous rendre compte qu'il ne s'agit que de pensées. En revanche, la séparation intervient à partir du moment où vous croyez à la réalité de ce qui n'est en fait qu'une pensée. « Un dixième de pouce de plus ou de moins suffit à séparer la terre et le ciel... »

> Le problème, ce ne sont pas les pensées ; c'est le fait que nous ne nous rendions pas compte de leur manque de réalité.

Question : *Peut-il y avoir une réaction sans qu'il y ait aussi une pensée ?*

Joko : Toute réaction s'accompagne de pensées, qu'on s'en rende compte ou non. Si par exemple vous m'insultez, ma réaction sera le résultat des pensées que votre insulte a suscitées en moi. Dès que l'on porte des jugements sur les autres, on se sépare d'eux, on introduit une distance entre soi et le reste du monde. En disant des gens qu'ils sont « bons » ou « mauvais », qu'ils ont raison ou tort, on ne fait qu'exprimer une pensée, une opinion personnelle, et pas une vérité universelle.

Question : *On dirait presque que vous êtes favorable à une attitude de grande passivité, comme s'il s'agissait en quelque sorte de devenir une* carpette. *Pourriez-vous en dire un peu plus là-dessus ?*

Joko : Non, il ne s'agit absolument pas de rester passif. Simplement, il est impossible de gérer intelligemment les difficultés de la vie tant qu'on a la tête farcie de pensées. On doit apprendre à les voir avec un peu de recul.

> Le zen est une pratique de l'action, mais il est impossible d'agir correctement tant qu'on le fait à partir d'une *idée* qu'on se fait de la situation — ce que j'en pense — plutôt qu'à partir de la réalité des faits.

Il faut arriver à *voir* la situation directement, et pas à travers l'écran de nos pensées ; elle est en fait toujours très différente de ce que l'on imagine. Peut-on agir intelligemment sans une vision claire des choses, en ne voyant que ce dont on a envie ou ce qui nous arrange ? Non, bien sûr. Et la démarche que je viens de vous décrire n'a certainement rien à voir avec une attitude passive.

Question : ***Il me semble que les gens qui sont bien centrés en eux-mêmes savent agir avec beaucoup plus de promptitude et d'à-propos que je n'en suis capable. Je l'ai par exemple remarqué dans le film sur Mère Thérésa, où on la voyait débarquer sur les lieux d'une catastrophe et se mettre aussitôt au travail.***

Joko : Parce qu'elle agissait. De l'action, sans aucune fioriture. Elle ne s'arrêtait pas pour se demander ce qu'il fallait faire ou ne pas faire. Elle constatait ce qu'il y avait à faire et elle le faisait, tout simplement.

Question : *Cela paraît une exigence un peu démesurée que d'attendre de soi de vivre toujours sur le fil du rasoir, dans la mesure où nos souvenirs et notre histoire passée interviennent à chaque instant de notre vie.*

Joko : Les souvenirs ne sont que des pensées, d'ailleurs le plus souvent très sélectives et orientées. Il suffit qu'on ait un petit accrochage avec un ami et qu'on l'interprète comme une menace, pour qu'on oublie aussitôt toutes les gentillesses qu'il a toujours eues à notre égard. Il est vrai que pratiquer le zen, c'est exiger le meilleur de soi-même. Cependant, c'est juste dans l'instant que cette exigence s'applique, et on ne peut vivre qu'un seul instant à la fois, pas des milliers. C'est pour cela que je vous dis que, finalement, pourquoi ne pas vous lancer. Après tout, il n'y a rien d'autre à faire.

Question : *Personnellement, je trouve que le fil du rasoir porte bien son nom, car c'est effectivement* rasoir *que de se trouver dans cette situation-là. Evidemment, il y a bien les moments de tempête, avec les grands déchaînements d'émotion, mais le reste du temps, c'est plutôt mort, comme quand on fait la vaisselle, par exemple. C'est juste un peu...*

Joko : Mais justement. Si nous étions parfaitement en phase avec chaque instant, il n'y aurait pas de problème ; on serait parfaitement en équilibre sur le fil du rasoir. Lorsqu'on est contrarié, en revanche, la contrariété provoque une sensation de malaise physique qui nous déstabilise, si bien qu'on se sent tout à coup mal à l'aise sur le fil du rasoir. C'est la sensation de malaise accompagnant la contrariété qui nous empêche de voir que la vie est fondamentalement la même dans l'instant où l'on est contrarié, et au moment où on fait la vaisselle — la parfaite simplicité de l'instant.

Question : *Que se passe-t-il quand on cesse de croire à la réalité de ses pensées ? Ça me paraît une perspective plutôt effrayante. Comment sait-on ce qu'on doit faire ?*

Joko : Si vous êtes en prise directe sur la vie, vous saurez toujours spontanément ce qu'il faut faire.

Question : *Pour moi, le fil du rasoir est l'expérience du moment. Plus je pratique et plus je m'aperçois que toutes les petites choses du quotidien sont beaucoup moins ennuyeuses que je ne le pensais à une certaine époque. Elles ont parfois une profondeur et une beauté insoupçonnées.*

Joko : Tout à fait. Une de mes étudiantes me confiait un jour qu'elle pratiquait zazen régulièrement et sans problème majeur, mais qu'elle trouvait cela terriblement ennuyeux. « C'est tellement rasoir ! Je suis assise là, sur mon coussin, et il ne se passe rien. J'entends juste le bruit de la circulation... » Justement, entendre la circulation, c'est déjà la perfection, lui répondis-je. Elle s'étonna : « Vous voulez dire que c'est tout, sans plus ? » Eh oui, c'est tout. Ce qui ne nous plaît guère car, si la vie est aussi simple que cela, nous cessons d'être le nombril du monde, et le feuilleton s'arrête. Fini le grand spectacle et les épisodes à rebondissement. Normalement on préfère toujours le rôle d'un gagnant, mais on serait même prêt à faire le perdant, pourvu que le spectacle continue et qu'on en garde la vedette. Suzuki Roshi a dit un jour : « Ne soyez pas si certains que ce soit vraiment l'éveil que vous cherchiez ! Vu à travers vos yeux actuels, cela pourrait vous paraître terriblement ennuyeux ! » Faire ce que l'on est en train de faire, tout simplement. Sans drame ni spectacle.

***Question :** Est-ce qu'en étant attentif à sa respiration on n'est pas sur le fil du rasoir ?*

Joko : Si, tout à fait. Quoique, quant à moi, je préférerais dire : « expérimenter son corps et son souffle. » J'en profiterai aussi pour ajouter que, lorsque vous pratiquez cet exercice, il vaut mieux ne pas essayer de contrôler votre souffle (en contrôlant quelque chose, on s'en sépare — moi et la chose contrôlée — et on entre dans des rapports dualistes). Contentez-vous de l'expérimenter tel qu'il est, sans le modifier. Que votre souffle soit court, rapide, haut placé, ou quoi que ce soit, expérimentez-le comme tel. A mesure que vous vous sentirez plus à l'aise dans cette succession d'expériences, votre souffle se ralentira ; il deviendra plus ample et plus long. Une fois que l'attachement aux pensées aura assez sensiblement diminué, le corps finira par se relâcher considérablement et le souffle se fera plus uni, plus régulier.

***Question :** Pourquoi suis-je beaucoup plus touchée par les contrariétés qui viennent d'un intime ?*

Joko : Parce que vous vous sentez plus vulnérable. Si vous êtes en train d'acheter des chaussures et que la vendeuse vous déclare : « Je vous quitte », ça ne vous fera ni chaud ni froid. Ça vous sera parfaitement égal. Vous en trouverez une autre, tout simplement. Mais si c'est votre mari qui vous annonce qu'il vous quitte, alors ce n'est plus du tout la même histoire !

***Question :** Cette vulnérabilité se déclare-t-elle instantané-*

ment, sous le choc de l'événement, ou bien provient-elle d'une sorte de réservoir de problèmes psychologiques non résolus ?

Joko : Oui, on pourrait parler d'une sorte de réservoir, sous la forme d'une crispation, d'une contraction qui affecte en permanence le corps. Dès qu'on croit lire une menace dans un événement, on ressent la présence de cette crispation, de cette tension en soi et on fait immédiatement le lien avec tout son passé. Mais en réalité, le passé n'existe pas ailleurs qu'en nous-mêmes ; il n'est que ce que nous sommes présentement car nous le portons en nous. Alors, si on vit à fond l'instant présent, on n'a plus à se préoccuper du passé et à remuer de vieux souvenirs. Faire face au présent, c'est automatiquement régler tous les contentieux du passé.

Maintenant, à mon tour de vous poser une question. Quel rapport y a-t-il entre marcher sur le fil du rasoir et l'éveil spirituel ?

Question : C'est la même chose.

Joko : Oui, c'est ça. Aucun de nous n'est présentement capable de marcher sur le fil du rasoir tout le temps, mais ne nous décourageons pas, nous y arriverons de mieux en mieux, au fil de nos années de pratique. Sinon, c'est que notre pratique n'était pas digne de ce nom.

Pour clore cette séance, je vous invite à essayer de rester aussi vigilants que possible, à chaque instant de votre vie. Et demandez-vous toujours : suis-je sur le fil du rasoir en ce moment, oui ou non ?

Le New Jersey n'existe pas

Nous partons du principe que ce que nous voyons est la réalité, et que cette réalité est une donnée fixe et immuable. Quand vous regardez par la fenêtre, par exemple, et que vous voyez des arbres, de la verdure et des voitures, vous estimez que ce que vous voyez correspond à la réalité des choses. Or, il ne s'agit que d'un aspect des choses : celui que vous apercevez à partir de votre point d'observation actuel — au ras du sol, en l'occurrence. Mais si vous étiez dans un avion qui vole à plusieurs kilomètres d'altitude, par temps clair, vous ne verriez plus ni les voitures, ni les gens. Vue d'avion, la réalité n'a plus rien d'un paysage urbain peuplé d'êtres humains ; elle épouse le relief des montagnes, le contour des plaines, le cours de rivières, la forme des lacs et des mers. Cependant, cette vision de la réalité change dès que l'avion atterrit et qu'on retrouve le paysage humain qui nous est familier, avec des gens, des maisons, des voitures. Maintenant, imaginez-vous la vision du monde que doit avoir une fourmi qui se balade sur le trottoir : son horizon se borne aux vallées et aux collines que forment pour elle les fissures du trottoir. Les humains n'existent sans doute pas pour elle, ils sont trop grands pour faire partie de sa réalité. Comment perçoit-elle l'énorme pied qui s'apprête à lui marcher dessus ?

Notre comportement est en partie fonction des exigences de la réalité dans laquelle nous nous mouvons.

Chacun fonctionne d'une manière qui lui est propre et qui le différencie des autres et de son environnement. Je ne suis pas pareille que vous ou que le tapis. Ça, c'est ce que nous voyons à l'œil nu mais, avec un microscope très puissant, on se rendrait compte que cette différenciation, cette séparation des éléments de la réalité n'est qu'apparente. Nous découvririons que nous ne sommes que des configurations complexes et toujours changeantes d'atomes et de particules subatomiques, animées d'un mouvement constant et très rapide.

Autrement dit, la réalité est un ensemble homogène, un immense champ d'énergie qui nous englobe tous — nous, les autres et tout le reste.

Récemment, ma fille m'a montré une série de photos qui représentaient des globules blancs de lapin. Les globules blancs sont de véritables charognards gloutons qui ont pour fonction d'éliminer les toxines et les corps étrangers susceptibles de menacer l'intégrité de l'organisme. On peut les voir à l'œuvre dans les artères, dardant leurs petits pseudopodes vers leurs cibles. La réalité que vit un globule blanc est très différente de celle que nous vivons ; il passe son temps à nettoyer nos corps. Pendant que nous sommes assis là, bien tranquilles, il y a des millions de petits globules blancs qui se démènent dans tous les sens pour faire le ménage dans nos artères. Quand on regarde ces photos-là, on voit bien ce que les globules blancs cherchent à faire et il est clair qu'ils connaissent parfaitement leur boulot. Ils savent ce qu'ils ont à faire.

A la différence des globules blancs et de toutes les autres créatures qui peuplent la Terre, nous sommes les seuls êtres à ne pas savoir ce qu'ils ont à faire, bien que la vie nous ait plus richement dotés que n'importe quelle autre créature, en faisant de nous des *roseaux pensants*.

Pendant que nous nous interrogeons sur le sens de la vie et que nous ne savons pas par quel bout l'empoigner, le reste de l'existence s'active et vaque à ses occupations.

Les globules blancs travaillent jour et nuit à notre service, prêts à éliminer toxines et microbes, aussi longtemps que nous vivrons. Encore leur activité ne représente-t-elle qu'une minuscule fraction des milliers de fonctions qui se déroulent à l'intérieur de ce gigantesque complexe intelligent qu'est un être humain. Cet extraordinaire ensemble fonctionne grâce au gros cerveau dont nous sommes dotés. L'ennui, c'est que nous ne savons pas faire très bon usage de ce don exceptionnel qu'est la pensée et qu'au contraire, nous nous en servons pour faire toutes sortes de bêtises et nous empoisonner la vie au maximum. Nous n'avons pas été chassés de l'Eden, c'est nous-mêmes qui nous en sommes expulsés. Peu nous importe la vie et la contribution qu'on pourrait y apporter ; tout ce qui nous intéresse, c'est de promouvoir les intérêts de notre petite personne, cette individualité distincte et autonome que nous croyons être. Une telle finalité ne viendrait jamais à l'idée d'un globule blanc : il ne vit pas longtemps et il a beaucoup à faire. Quand il ne sera plus là, un autre lui succédera pour faire la même chose. Le globule blanc ne s'interroge pas sur ce qu'il doit faire ; il ne réfléchit pas, il agit.

La pratique du zazen nous apprend à reconnaître la nature illusoire de la pensée dualiste qui nous empêche de vivre la réalité de manière immédiate, c'est-à-dire de fonctionner aussi spontanément que les autres créatures. Cette simplicité d'être qui est notre véritable nature est la plupart du temps tellement voilée par les complications qu'engendrent les pensées et les émotions que nous la perdons complètement de vue. Nous ne nous rendons pas compte que nous ne sommes pas faits pour vivre éternellement mais dans l'instant, et nous gaspillons notre énergie — en vain — à essayer d'assurer le confort, la sécurité et la pérennité de notre individualité, ce petit moi qui se croit unique et séparé du reste de l'existence. Le corps humain, lui, possède une certaine sagesse naturelle ; ce qui nous empoisonne la vie, ce sont toutes les complications que crée notre cerveau dualiste.

Il y a quelque temps, je m'étais cassé le poignet et j'avais dû garder un plâtre pendant trois mois. J'ai été très touchée en voyant ce qui s'est passé quand mon poignet a été déplâtré. Les muscles s'étaient atrophiés et ma main avait énormément maigri ; elle était toute faible et toute tremblante. Mais, comme je m'apprêtais à faire un travail avec ma main valide, en rentrant de l'hôpital, je vis la pauvre main décharnée se mettre spontanément en mouvement pour venir en aide à l'autre, la bonne. Elle savait ce qu'elle devait faire. Il y avait presque quelque chose de pathétique à voir l'effort de ce pauvre membre décharné qui voulait malgré tout participer à la tâche, apporter son aide. En regardant cette pauvre main, j'eus l'impression qu'elle ne m'appartenait pas, qu'elle était presque autonome : elle connaissait son boulot et elle voulait s'y mettre sans tarder. Et j'ai trouvé émouvant de constater que ce membre, même diminué, entendait bien fonctionner comme une main normale.

Nous aussi, nous saurions parfaitement ce que nous devons faire, si nous ne compliquions pas toujours tout. Et c'est pourtant ce que nous faisons à longueur de

> On ferait tout et n'importe quoi, plutôt que de fonctionner spontanément, en vivant la simplicité de la vie telle qu'elle est. C'est là que la pratique du zen peut nous aider : une fois conscients de la confusion dans laquelle nous nageons, nous commençons à distinguer un peu mieux ce que nous devons faire.

temps : nous nous éparpillons dans toutes sortes de rapports qui ne débouchent sur rien de positif, nous nous entichons d'une personne, d'un mouvement ou d'une philosophie, et ainsi de suite.

Un peu comme ma main gauche abimée qui, malgré son handicap, voulait participer à l'effort, apporter sa contribution.

Normalement, quand quelque chose nous ennuie, nous irrite ou nous trouble beaucoup, nous réagissons en rentrant en ébullition dans nos têtes. On se fait un sang d'encre, on rumine toutes sortes d'hypothèses et de contre-projets ; bref, on passe un temps fou à retourner ses idées dans tous les sens, convaincus que c'est le seul moyen de résoudre ses problèmes. En fait, la solution est tout autre : il s'agit simplement de faire à fond l'expérience du problème auquel on se trouve confronté, afin de pouvoir agir à partir de ce vécu direct. Imaginez que j'aie une petite fille qui me fasse une colère terrible et qui me lance en pleine figure que je suis une mère épouvantable. Que dois-je faire ? Je pourrais toujours essayer de me justifier à ses yeux en lui expliquant tout ce que j'ai fait pour elle. Mais si je tiens vraiment à guérir la plaie, la meilleure chose que je puisse faire, c'est d'éprouver la peine que m'a causée la réaction de ma fille — sans me défiler —, et de prendre conscience des pensées que cela suscite en moi. Si j'y arrive, à l'aide d'une bonne dose de patience et de sincérité, je commencerai à voir ma fille sous un jour nouveau et, donc, à entrevoir ce que je dois faire. Ainsi, lorsque j'agirai, mes actes jailliront spontanément de mon expérience, au lieu d'être le sous-produit trouble d'une tempête de pensées confuses, comme d'habitude. Comment peut-on espérer agir lucidement face aux problèmes du quotidien quand on les a tellement ressassés et retournés dans tous les sens qu'on ne sait plus par quel bout les prendre ? Résultat : quand arrive le moment de prendre une décision, on est déjà totalement dans le brouillard !

Evidemment, c'est tout à fait l'inverse de ce qu'il faudrait faire. Cette grande débauche d'activité mentale n'a fait que tout embrouiller en nous faisant perdre le contact avec la réalité de la situation. Ce sont les complications de la pensée qui nous ont rendus incapables de régler le problème.

Je me trouvais un jour en avion, dans un vol long-courrier qui survolait les Etats-Unis de bout en bout. A un moment donné, je me dis que nous devions être à peu près au milieu du pays, peut-être du côté du Kansas, et je me penchai pour jeter un coup d'œil par le hublot. Bien entendu, je ne vis rien qui puisse confirmer ma supposition. Mais cette petite anecdote illustre bien notre fâcheuse tendance à coller arbitrairement des étiquettes sur les choses et sur les gens : nous sommes convaincus de survoler le Kansas, l'Illinois ou le New Jersey, alors qu'en réalité, nous ne voyons que des terres à perte de vue. Et nous faisons pareil avec les gens : moi, je suis du New Jersey, lui est de New York — et chacun s'identifie à son étiquette. Moi, je tiens New York pour responsable des problèmes du New Jersey, transformé en État-dortoir. Les gens du New Jersey s'identifient aux agréments et aux problèmes spécifiques à leur État, et ils se fichent pas mal de la Pennsylvanie, par exemple. Toutes ces frontières sont arbitraires, évidemment, mais en attribuant à ces découpages artificiels une valeur affective qu'ils n'ont pas, on en fait des murs qui nous séparent des autres. En revanche, lorsqu'on possède une certaine maîtrise de ses pensées et de ses émotions, les frontières tombent peu à peu, à mesure qu'on prend conscience de l'unité de la vie. Si vous savez être pleinement réceptifs à toutes les données sensorielles que vous apporte la vie, vous n'aurez pas besoin de chercher *le grand éveil*. Si le New Jersey n'éprouve pas le besoin de s'affirmer en tant qu'entité autonome et séparée du reste du pays, il n'aura pas à se défendre face à qui que ce soit. Nous n'aurions en fait aucun problème si nous ne voulions pas toujours affirmer notre individualité et notre altérité. L'ennui, c'est que toute notre vie tourne autour du désir de satisfaire *le moi* ; et les autres n'ont de place dans ce petit jeu que dans la mesure où ils sont prêts à le jouer selon nos propres règles. Ce qui n'est jamais vraiment le cas, cela va de soi, car ils sont bien trop occupés à faire la même chose de leur côté ! Si bien que ça ne marche jamais pour personne. Par exemple, comment voulez-vous qu'un couple marche lorsque chacun s'identifie à ses propres valeurs ; essayez donc de marier New York avec le New Jersey ! Ça aura peut-être l'air de marcher, mais, en réalité, il y aura des accrochages permanents, tant que les frontières ne seront pas tombées entre eux — c'est-à-dire, tant que les blocages créés par la pensée et les émotions n'auront pas été dissous.

> Nous n'avons pas appris à vivre pleinement notre condition humaine. Nous n'avons fait que créer un monde artificiel — un monde de pensées et d'idées — que nous avons plaqué par-dessus la réalité. Si bien que le réel disparaît derrière sa représentation fictive, et nous prenons la carte pour le vrai paysage.

Les cartes sont utiles, bien entendu, mais ce n'est pas sur une carte que vous pourrez prendre la mesure de l'unité territoriale des Etats-Unis. Le Kansas, pour ne citer que lui, n'est pas une entité autonome mais un élément qui fait partie d'un ensemble, dans lequel il a sa fonction propre. Comme les globules blancs, chacun de nous a un rôle particulier à jouer dans le grand complexe d'énergie qu'est la vie. Il est sûr que chaque élément de l'ensemble doit prendre une forme spécifique, en fonction de la tâche qui est la sienne. C'est pourquoi, il y a une certaine différenciation qui s'opère, comme dans le cas des globules blancs qui s'équipent de pseudopodes pour faire le ménage dans nos artères. Mais ces différences ne sont que fonctionnelles, pour permettre à chacun de tenir son rôle dans le grand jeu de l'énergie de la vie ; elles n'affectent que notre apparence, et pas notre nature fondamentale, qui reste la même pour tout le monde. Le problème, c'est que nous ne jouons pas le jeu ; tout au moins pas le vrai, mais un simulacre de jeu que nous avons superposé à l'original, et qui s'avère fatal pour nous. Faute de s'en rendre compte, on peut passer une vie entière à côté de la plaque, sans en profiter. Au contraire, si on se lance franchement dans la partie, le jeu en vaut vraiment la chandelle : il y aura des péripéties de toutes sortes — joies et peines, déceptions, problèmes, enthousiasmes — mais en tout cas, la matière en sera toujours riche et nourrissante, et bien réelle. On n'aura pas l'impression d'être insatisfait ou de devoir chercher un sens à la vie. Le globule blanc n'a pas besoin de s'interroger sur le sens de la vie ; il sait ce qu'il a à faire. Quand on arrive à se libérer de l'emprise de la pensée et des émotions, on commence à voir qui on est et ce qu'on a à faire dans la vie. Que l'on cesse d'être obnubilé par le moi, et la réponse deviendra évidente. Mais ce n'est pas si facile, vu notre attachement farouche à l'ego et à ses habitudes de pensée...

Parfois, quand on pratique avec particulièrement de soin et d'attention, il y a des moments où on se sent tout à fait à l'aise, en harmonie avec la vie, bien qu'apparemment rien n'ait changé, extérieurement, et que nos problèmes soient restés les mêmes. Ces moments de grâce, qui peuvent durer des heures ou des jours, seront d'autant plus prolongés qu'on aura pratiqué longtemps et intensivement. L'éveil spirituel n'est autre que la vision lucide des choses telles qu'elles sont, tout simplement. « Voilà ce que j'ai à faire aujourd'hui, bon. Et mardi, je dois aller chez le dentiste ; je n'aime pas spécialement ça, mais ça va, il faut bien le faire. Maintenant il faut que j'aille voir ce type un peu rasoir... bon, on verra bien comment ça se passera. » C'est fantastique ; tout coule de source, on passe d'une chose à l'autre, sans problème. Et c'est là qu'il faut faire attention de ne pas s'emballer : si on se remet à conceptualiser, on ne tardera pas à perdre sa lucidité pour retomber dans la confusion. Si vous avez de bonnes années de pratique derrière vous, vous verrez que les périodes de lucidité ont tendance à s'allonger, et celles de confusion, à raccourcir. C'est le signe d'une pratique féconde.

> Quel que soit le nombre d'années de pratique qu'on a derrière soi, il restera toujours des zones de perplexité et de confusion dans nos vies : « Je ne vois pas très bien ce qui se passe ici. » Mais c'est paradoxalement un signe de lucidité que de reconnaître ces zones d'ombre en soi et d'accepter d'y faire face.

Mes étudiants viennent souvent se plaindre à moi : ils n'ont pas les idées très claires et ils trouvent que leur pratique ne semble pas les rendre plus lucides. Mais, que voulez-vous, c'est la vie qui est comme ça ! Chaque jour, il y a forcément des hauts et des bas, des moments de confusion et de perplexité. L'important, c'est de ne pas paniquer, et, au lieu d'essayer d'analyser la confusion dans l'espoir d'en sortir, il faut savoir rester au cœur même de cette zone d'ombre, l'expérimenter et la vivre à fond. Détendez-vous, restez attentifs à votre corps et à vos sensations et goûtez la saveur spécifique de la confusion, tout en observant les pensées qui continuent à surgir dans votre esprit. Vous pouvez être sûrs qu'en procédant de la sorte, vous aurez vite fait de retrouver la simplicité de l'expérience immédiate de la vie.

La pire chose à faire, c'est d'essayer de modifier de force l'état de confusion ou de dépression dans lequel vous vous trouvez. Souvenez-vous : la porte sans porte est toujours largement ouverte quand on se contente d'être ce que l'on est, plutôt que ce que l'on voudrait être. Cette porte ne s'ouvre pas sur commande ou en la forçant, ce qui serait catastrophique pour ceux qui ne sont pas prêts. Je suis toujours extrêmement sceptique à l'égard des pratiques qui forcent trop le cours naturel des choses ; on risque d'aggraver les problèmes en essayant de brûler les étapes pour accéder à la lucidité. La seule méthode saine, c'est de rester constamment attentif à tout ce qui se passe en soi — pensées, émotions, sensations — et autour de soi. Sans se dire qu'on médite bien ou mal. Simplement en restant vigilant et en appréciant le fait que le temps que vous passez assis sur votre coussin est au moins un moment de vie dont vous aurez été conscients. Et vous verrez que, si vous persévérez, ces moments se multiplieront et s'allongeront de plus en plus.

Il y a une partie de nous qui ressemble au globule blanc, en ce sens qu'elle sait toujours ce qu'elle doit faire. Elle est prête à jouer son rôle. La pratique du zen n'est pas la quête du Graal. L'absolu n'est pas un ailleurs ; où donc pourrait-il être si ce n'est ici, maintenant ? Je me sens nerveux ? Eh bien, ma nervosité est la réalité de l'instant — l'absolu, le nirvana. Voilà, tout simplement.

Il n'y a nulle part où aller, nous y sommes déjà.
On ne peut pas être ailleurs que là où l'on est.

Faites confiance à votre intelligence innée et cessez de la faire disparaître sous des tonnes de pensées : elle sait parfaitement qui vous êtes et ce que vous faites ici-bas.

Religion

Ceux qui fréquentent les centres zen sont souvent des gens qui ont été déçus, ou même dégoûtés par leurs expériences religieuses antérieures. En fait, l'étymologie du mot « religion » est intéressante : c'est un terme qui vient du latin *religare*, qui signifie : « relier », dans le sens de « relier l'homme au divin ».

Voyons d'un peu plus près ce qui est relié, et à quoi. Il s'agit d'abord de se *re-lier* à soi-même, de renouer avec cette partie de nous-mêmes dont nous nous sommes aliénés. Pour ensuite renouer avec les autres et, finalement, avec tout être et toute chose. Il s'agit aussi d'aider les autres à renouer entre eux ; nous sommes ultimement responsables de tout ce qui reste isolé et non relié à l'ensemble. Ça, c'est le programme global, pourrait-on dire, mais la plupart du temps, la tâche est beaucoup plus prosaïque. Il s'agit d'établir des liens avec la personne avec qui on partage un appartement, avec son conjoint, enfant ou ami, avec son travail. Ensuite on passe à la dimension supérieure en se liant avec Sri Lanka, le Mexique, tout ce qui peuple la Terre, l'univers entier.

Vraiment inspirant, non ? A vrai dire, avouons qu'il est rare de voir la vie sous cet angle-là ! Or, c'est pourtant la finalité de toute pratique religieuse authentique et digne de ce nom : nous aider à percevoir l'unité fondamentale de toute chose, nous faire découvrir notre vrai visage. Il s'agit de retrouver ce qui est déjà là, naturellement, en faisant tomber les barrières qui nous séparent des autres et du reste du monde. Les faire tomber, en l'occurrence, cela veut dire prendre conscience de leur absence de réalité (puisqu'elles ne sont que le produit de nos pensées.)

On me pose souvent la question suivante : si cette unité fondamentale correspond à la réalité des choses, comment se fait-il que nous ne la percevions pratiquement jamais ? Cette cécité n'est pas due à un manque d'informations ou de connaissances, car j'ai connu des physiciens qui avaient une parfaite compréhension théorique de l'unité de toutes choses, mais qui ne l'intégraient pas du tout à la réalité concrète de leur vécu.

C'est la peur qui nous fait dresser des barrières entre le monde et nous, car nous nous sentons vulnérables. Il est bien évident que nous devons faire ce qu'il faut pour protéger notre intégrité physique, ça tombe sous le sens ! Si vous êtes en train de piqueniquer sur des rails de chemin de fer, vous n'allez pas attendre que le train vous fonce dessus pour vous lever. Et si vous avez mal ou que vous êtes blessé, vous ferez ce qu'il faut pour vous soigner. Cependant, nous avons tous tendance à confondre dans une même peur la douleur physique et les peines ou les déconvenues qui nous affectent moralement. Et il y a énormément de choses qui nous font mal : se retrouver seul quand l'amour de votre vie vous laisse tomber, ne pas trouver de travail, la mesquinerie des gens, et ainsi de suite. La liste serait interminable, si nous devions compter toutes les fois où quelqu'un ou quelque chose nous a fait mal ! A la longue, toutes ces blessures finissent par créer une sorte de conditionnement, un réflexe d'autodéfense et de repli devant la vie : on apprend à éviter tout ce qui risque — croit-on — de nous faire mal, touten justifiant nos craintes par des préjugés et des jugements de valeurs orientés.

Nous gaspillons nos qualités innées à esquiver la vie, à nous plaindre de tout, à nous ériger en victimes et à essayer de manipuler les événements dans un sens qui nous arrange. Si bien que nous passons complètement à côté de la réalité de la vie, de l'unité fondamentale de toute chose.

Le plus triste, c'est que beaucoup de gens meurent sans avoir jamais vraiment vécu, ayant passé toute leur vie à essayer de se prémunir contre la peine et la douleur. Chat échaudé craint l'eau chaude...

Comme certaines autres traditions religieuses, le zen attribue une assez grande importance à ce qu'il appelle des *ouvertures*, à savoir des expériences ponctuelles d'éveil spontané. Il y a toutes sortes d'expériences spirituelles et on reconnaît leur authenticité au fait qu'elles nous ouvrent les yeux sur la réalité. Elle nous font entrevoir la véritable nature de la vie, son unité fondamentale. Cependant, en ce qui me concerne — et je sais qu'il en est de même pour pas mal d'entre vous — je trouve que de telles expériences ne suffisent pas, en soi. Elles ont leur utilité, certes, car elles sont inspirantes, mais elles ne sont pas sans risque non plus, dans la mesure où il est facile de s'y attacher et de vouloir les reproduire à chaque fois. Dans ce cas-là, elles deviennent de véritables obstacles à la pratique. Il y a des gens auxquels ces expériences viennent très facilement, et d'autres chez qui elles sont plus rares, et cela n'a d'ailleurs rien à voir avec les mérites de chacun. En revanche, une chose est sûre dans tous les cas : les expériences, même les plus sublimes, ne changeront pas grand-chose à notre vie si par ailleurs nous ne travaillons pas quotidiennement à nous rapprocher de l'unité fondamentale des êtres et des choses. Ce qui compte vraiment — et beaucoup plus que tout le reste — c'est d'essayer de vivre chaque instant tel qu'il est, sans rien y changer, même s'il s'agit de choses qui nous font peur et que nous n'aimons pas, même si la situation nous semble porteuse de menace pour nous — problèmes avec des collègues de travail, difficultés familiales ou conjugales. Les expériences d'éveil resteront relativement inutiles tant qu'on n'aura pas acquis la maturité spirituelle nécessaire pour vivre les choses telles qu'elles sont.

> Si nous tenons vraiment à percevoir l'unité fondamentale de la vie, pas seulement pendant quelques minutes de temps en temps, mais la plupart du temps — et c'est le but de la vie spirituelle —, c'est sur « la barrière des pensées et des émotions » que devra porter notre effort, pour reprendre la formule de Menzan Zenji, grand érudit et maître de méditation de l'Ecole Soto Zen*.

Ce qu'il veut dire par là, c'est que nous avons l'habitude de réagir au quart de tour, dès que nous croyons sentir la moindre menace. Et cette réaction crée une barrière qui va nous empêcher de voir clairement ce qui nous arrive. Etant donné qu'il ne se passe généralement guère plus de cinq minutes sans que nous ne réagissions à une chose ou à une autre, il est évident que nous ne devons pas voir grand-chose. Nous sommes prisonniers de notre ego et des barrages qu'il dresse autour de nous.

C'est pourquoi notre pratique doit avant tout porter sur ces barrages car nous en resterons prisonniers tant que nous n'en aurons pas percé le mécanisme, ô combien retors et complexe. Même s'il vous arrive d'entrevoir votre vrai visage de temps en temps, ce n'est pas pour autant que vous êtes capables d'être vraiment vous-mêmes, d'instant en instant. Autrement dit la vie n'a pas encore trouvé sa dimension religieuse : elle ne *re-lie* toujours pas l'homme au divin. D'un côté, il y a le moi, dans son petit coin, et de l'autre la vie qui l'effraie tant ; le lien n'a pas été établi.

Le blocage pensée-émotion prend souvent la forme d'une valse-hésitation entre deux pôles. Le premier pôle est celui du conformisme : on doit se sacrifier aux dieux, aux autres, à la patrie, faire plaisir à tout le monde, s'efforcer d'être un citoyen idéal, vertueux et bien gentil, et faire taire toute vélléité de vivre selon sa propre vérité. Lorsqu'on gravite autour de ce pôle-là, on rentre dans une logique de l'effort tous azimuts et on se donne un mal fou pour être à la hauteur. C'est une démarche très répandue, en particulier chez de nombreux pratiquants du zen qui se décarcassent pour pratiquer à fond dans l'espoir de trouver l'éveil. Mais, dès qu'on pratique un peu intelligemment, tout ce conformisme finit par vous peser et on aura tendance à prendre systématiquement le contre-pied de toutes ses positions antérieures. Action-réaction : on repart pour un tour de valse dans le sens opposé, pour aller graviter autour du pôle de l'anticonformisme et, en donnant dans la rébellion, on épouse une autre forme d'esclavage. C'est une phase dans laquelle on tient à affirmer son indépendance : « Personne ne me dictera ma conduite! Je suis seul maître à bord et j'entends qu'on me fiche la paix ». On a tendance à porter des jugements lapidaires sur les autres et on se déclare « contre » presque tout. En réaction à sa docilité passée, on se croit supérieur aux autres et souverainement indépendant du reste de l'existence. En réalité, nous oscillons souvent entre ces deux pôles, même plusieurs fois dans la même journée. Après leur première année de zazen, les gens passent souvent du conformisme à l'anticonformisme, et c'est souvent à ce moment-là qu'ils ont l'impression que leur vie empire au lieu de s'améliorer : « Dire que j'étais tellement plus sympa, avant ! » Ce qu'il faut bien comprendre, cependant, c'est que ces deux états-là se valent car ils représentent le même esclavage sous deux formes différentes : dans un cas comme dans l'autre, nous restons toujours asservis à nos réactions face à la vie. Réaction positive du conformisme, ou réaction négative de la rébellion, mais réaction quand même. L'homme reste séparé du divin.

Tous les jours, nous dansons écrire cette valse-hésitation. Tenez, pas plus tard que la semaine dernière, je me suis dit à neuf heures du matin qu'il fallait que j'écrive une lettre. Je devais répondre à une lettre difficile et je n'en avais pas la moindre envie. Arrive trois heures de l'après-midi, et je me rends compte que je n'ai toujours pas écrit ma lettre : entre neuf heures du matin et trois heures de l'après-midi, je m'étais débrouillée pour trouver au moins quinze choses à faire — pour ne pas avoir à répondre à mon courrier ! Ma première réaction fut de me dire : « Ah, mais *il faut* absolument que j'écrive cette lettre ! » — c'était la voix du conformisme. C'était ce qu'on attendait de moi, donc il fallait que je le fasse. Ma deuxième réaction fut celle de la rébellion : « Personne ne peut m'obliger à écrire cette lettre-là ; rien ne m'empêche de laisser tomber et de la fourrer dans un coin ! » Mais pendant ce temps-là, l'observateur veillait : ayant observé ces deux réactions, je m'assis et j'écrivis ma lettre.

Qu'est-ce qui met fin à ce combat incessant qui se livre en nous ? Qu'est-ce qui réconcilie l'homme et le divin ? C'est la grande énigme. Le premier élément de réponse consiste à prendre conscience de ce que nous faisons ; le zazen est justement fait pour nous y aider. On verra surgir une première pensée : « Il faut que je fasse ça », suivie d'une seconde : « Je n'ai pas envie de le faire. » Ainsi prendra-t-on conscience de la valse-hésitation à laquelle nous nous livrons en oscillant sans cesse entre nos pensées.

Tous ces revirements sont l'illustration du divorce fondamental entre la réalité et nous. Comment mettre fin à cette séparation? En faisant face à ce que, normalement, on cherche à éviter comme la peste. Il faut faire l'expérience directe et non-verbale de tous les sentiments qui se cachent derrière nos hésitations perpétuelles : malaise, colère et peur. C'est ça, le vrai zazen, la prière véritable, la pratique religieuse authentique. Au bout d'un moment, même la colère rentrée (sous forme de contractions physiques) sera débusquée. Cela peut prendre des semaines ou des mois, surtout si on se laisse berner et qu'on se met *vraiment* en colère. En revanche, si l'on est capable d'éprouver cette émotion dans toute sa violence, sans rien faire pour l'esquiver ou la modifier, on se jettera *dans les bras du tigre* et la colère s'évanouira, parce qu'à cet instant-là, il n'y aura plus de distance entre l'expérience et soi. On devient soi-même l'expérience ; il n'y a plus ni sujet ni objet. La barrière pensée-émotion s'écroule et, pour la première fois, on voit clairement les choses. Et quand on voit clair, on sait ce qu'on doit faire : vivre une vie riche d'amour et de compassion. Alors, la vie trouve enfin sa dimension religieuse.

Notre manque d'amour et d'ouverture aux autres étant évident, il est clair que c'est dans ce sens-là que nous devons diriger notre pratique et nos efforts de chaque instant. Vivre de cette manière-là, c'est vivre religieusement — même si l'on n'utilise pas forcément le mot —, au sens authentique du terme *religion* tel que nous l'avons défini tout à l'heure. Essayer de vivre ainsi, c'est re-*lier*, c'est réconci*lier* : réconcilier des individualités jusque-là isolées, réconcilier notre vision des choses et la réalité, se réconcilier avec soi, malgré toutes ses peurs. Cette grande réconciliation a lieu à l'instant de la rencontre avec ce qui est — avec Dieu, diraient les chrétiens. La vie prend sa dimension religieuse quand elle devient un processus de réconciliation qui se joue à chaque instant, jour après jour.

A chaque fois qu'on dépasse le blocage de la pensée-émotion pour s'immerger dans ce qui est, on change un petit peu, on évolue. Si bien qu'on délaisse peu à peu son superbe isolement pour se rapprocher de la réalité des choses. Ce qui n'est pas facile, parce que nous restons confinés dans notre tour d'ivoire, accrochés à nos vieux réflexes : le sentiment d'être à part, supérieur ou inférieur aux autres ; l'image de soi que nous avons l'habitude de projeter devant le reste du monde.

> Avec une certaine maîtrise de la pratique — c'est d'ailleurs un des signes de sa fécondité —, on arrive à rester vigilant et à se rendre compte du moment où les barrières s'érigent et nous séparent du reste du monde. Dès que vous voyez passer une pensée qui exprime un jugement à l'égard d'une autre personne, méfiez-vous : vous devriez voir s'allumer un petit signal rouge — la lampe-témoin de la pratique.

Il nous arrive à tous de commettre des erreurs et des mauvaises actions sans même nous en rendre compte — et c'est bien là le problème. Voilà pourquoi la pratique vise à nous rendre plus conscients, à nous ouvrir les yeux sur ce qui se passe en nous et autour de nous. Ce qui ne veut pas dire que nous deviendrons parfaitement lucides et conscients du jour au lendemain, mais nous y verrons déjà beaucoup plus clair, même s'il reste toujours des zones d'ombre — c'est dans la nature des choses...

Entendons-nous bien : la pratique ne consiste pas uniquement à faire zazen tous les jours et à participer à des sesshin — c'est indispensable, certes mais pas suffisant. C'est en apprenant à devenir vraiment soi-même, à vivre selon sa nature authentique, qu'on multipliera l'impact positif de la pratique sur sa propre vie et sur celle des autres. Pas besoin de leur faire l'article ou de leur parler du dharma ; les actes et les attitudes parlent plus fort que des mots. Toute pratique authentique a un rayonnement qui est suffisamment éloquent : à quoi sert de parler du dharma quand il n'est pas autre chose que ce que l'on est soi-même ?

L'éveil

Quelqu'un m'a fait remarquer récemment que je ne parlais pas souvent de l'éveil et m'a demandé de le faire. Le problème, c'est que, dès qu'on en parle, on en crée une certaine image, alors que l'éveil n'a rien d'une image. C'est même l'inverse : c'est la destruction de tous nos clichés. Or, nous n'avons guère envie de voir démolir nos idées et notre petit train-train familier !

En quoi l'éveil représente-t-il la destruction de notre vision habituelle des choses ? Normalement, mon expérience de la vie est centrée sur moi, car c'est *moi* qui perçois toutes ces impressions qui forment ma vie. Je ne peux pas percevoir *votre* vie telle que *vous* la vivez, mais seulement à partir de ma propre perception. Le résultat est quasiment inévitable : je finis par me convaincre que ce moi doit être le centre de la vie, puisque toutes mes expériences semblent transiter par lui. C'est toujours *je* à toutes les sauces : je vois, j'entends, je pense, j'estime — le *je* est partout ; il va de soi. On ne penserait même pas à le remettre en question. En revanche, l'état d'éveil ne connaît pas de *je*. Il n'y a que la vie, cette pulsation d'énergie intemporelle dont la nature embrasse — est — toute chose.

La pratique du zen nous montre que c'est notre identification exclusive au *moi* — notre corps et notre mental — qui nous empêche de nous réaliser selon notre véritable nature. Il faut donc détruire cette illusion pour retrouver notre état naturel, qui est l'éveil. C'est pourquoi la pratique se démarque délibérément de notre mode de vie ordinaire, qui ne fait qu'encourager notre égocentrisme coutumier.

Au début, la pratique consiste à se rendre compte à quel point on est obnubilé par soi-même. On prend conscience de son égocentrisme foncier et de la manière dont il influe sur chacun de nos actes quotidiens, ainsi que sur nos paroles et nos pensées. Cette prise de conscience est déjà un énorme pas en avant.

Ensuite (et chaque étape peut durer des années, en réalité), on apprend à observer ses réactions en face des pensées, des émotions et des idées que produit l'ego. La plupart du temps, on s'accroche à elles avec la dernière énergie, parce qu'on a tellement peur de se sentir tout perdu et malheureux sans elles. « Je ne peux pas vivre sans lui, ou sans elle ; je ne m'en sortirai pas si la situation ne tourne pas comme je le veux. » Et là, on met le pied dans l'engrenage : en effet, celui qui espère que la vie lui fera toujours des fleurs se condamne à souffrir souvent, car la vie n'est jamais que *ce qu'elle est*. Pas forcément juste ou rose tous les jours. La vie ne se plie aux désirs de personne, elle suit son cours, inexorablement, elle est ce qu'elle est — tout simplement. Ce qui ne doit pas nous empêcher pour autant d'en profiter, avec plaisir et reconnaissance.

Nous ressemblons à des petits oiseaux blottis dans leur nid, qui attendent que Papa et Maman viennent leur donner la becquée. La comparaison peut vous paraître absurde, mais c'est pourtant bien le genre d'attitude que nous avons par rapport à la vie : nous nous attendons toujours à ce que tout nous tombe tout rôti dans le bec. « Je veux ça ; j'ai envie que ça marche ; je voudrais que ma petite amie soit un peu plus comme ci ou comme ça ; si seulement ma mère pouvait être plus accommodante ; j'aimerais habiter à tel endroit ; je voudrais avoir de l'argent, du succès, etc... » Ça n'a pas de fin. Nous faisons exactement comme les oisillons, sauf que nous, nous essayons de dissimuler nos appétits !

J'ai vu un documentaire qui montrait comment une ourse élevait ses petits. Elle leur apprenait à chasser, à pêcher, à grimper aux arbres ; bref, elle leur enseignait toutes les techniques nécessaires à la survie d'un ours. Et voilà qu'un beau jour, elle les entraîna à toute allure au sommet d'un grand arbre. Et là, que fit-elle ? Eh bien, notre Maman ourse *fila* à l'anglaise, sans même se retourner ! J'imagine que ses petits durent avoir une peur bleue, mais cette peur-là était le prix de leur liberté.

Nous sommes tous un peu comme ces petits oiseaux ou ces oursons. Nous aimerions tant trouver une mère-refuge dans la vie, une planche de salut à laquelle nous nous accrocherions par des tas de ficelles, pour être bien sûrs qu'il y en ait au moins une qui tienne le coup ! Personne n'a envie de quitter le nid de ses habitudes, c'est bien trop effrayant. Mais notre affranchissement est à ce prix : il n'y a qu'en se confrontant directement à sa peur — une fois, dix fois, cent fois, mille fois — qu'on découvre qu'on était déjà libre. Malheureusement, les vieux réflexes ont la peau dure et nous nous débattons comme de beaux diables. Non merci, je ne veux pas de votre liberté, car je n'ai pas envie de renoncer à mes espoirs de voir la vie prendre un jour la couleur de mes rêves. Voilà pourquoi la pratique du zen nous semble si difficile et un peu rébarbative. Le zazen est fait pour nous libérer de nos entraves. Débarrassés de la pesanteur de l'ego et de ses illusions, nous goûterons à la liberté et au non-attachement, à la simplicité de l'éveil : nous serons devenus la vie même.

Quand on pratique le zen, c'est pour le restant de ses jours. Pendant les premières années, le zazen nous aide à comprendre les mécanismes de l'attachement de l'ego, sous leurs formes les plus flagrantes et les plus grossières. Ensuite, on passe à des formes plus subtiles — et souvent plus venimeuses encore — de l'attachement. La pratique s'affine mais ne s'arrête jamais.

Pourtant, si elle est bien menée, elle nous conduit à reconnaître notre liberté. Un ourson qui n'a quitté sa maman que depuis deux ou trois mois n'aura certes pas sa force et ses aptitudes, mais il se débrouillera sûrement déjà très bien, et s'amusera sans doute bien plus que quand il était obligé de rester perpétuellement accroché aux basques de Maman-ourse.

Si la pratique quotidienne du zazen est une nécessité vitale, nos vieilles habitudes ont la peau si dure qu'il faut y ajouter les coups de butoir des longues séances de sesshin pour démonter le mécanisme de l'attachement. En effet, la longueur et l'intensité d'une sesshin* porte un sacré coup à nos espoirs et à nos rêves, ces obstacles à l'éveil. Ce n'est pas du pessimisme que de faire table rase de l'espoir : en effet, à quoi sert d'espérer puisque rien n'existe en dehors de l'instant ? Qui plus est, l'espoir engendre toujours une certaine angoisse parce qu'il nous entraîne dans une zone incertaine, loin de ce que nous sommes et vers un but hypothétique. A l'inverse, ne plus courir après les mirages de l'espoir, c'est trouver l'apaisement, vivre une vie libérée des hauts et des bas du désir ; une vie où la pensée et les émotions sont épurées des distorsions de l'ego. C'est l'état de non-attachement, l'éveil, fruit de la pratique et source de bienfaits pour tous, et qui vaut largement l'énorme somme d'efforts et l'inlassable persévérance nécessaires pour y parvenir.

Choisir

Des problèmes aux décisions

Les gens qui viennent ici, au centre zen, surtout ceux qui viennent pour la première fois, se disent motivés par un désir de vie spirituelle. Ils aspirent à une vie plus harmonieuse dans laquelle il se sentiraient en communion avec le reste de l'existence plutôt que séparés d'elle. De telles aspirations sont bien sûr louables et pertinentes, et elles vont effectivement dans le sens du travail que nous faisons ici.

Cela dit, je ne crois pas que vous pourriez trouver une seule personne ici qui sache vous expliquer *ce qu'est* « la vie spirituelle ». C'est pourquoi nous préférons généralement en donner une définition négative, en disant ce qu'elle *n'est pas*. Il y a un passage très connu de la littérature zen qui dit : « Un quart de poil de plus ou de moins suffit à séparer le ciel de la Terre. » Comment interpréter ce message cryptique ? Quel est donc ce *quart de poil* qui fait toute la différence et qui bouleverse l'unité de la vie ? En fait, du point de vue de l'absolu, rien ne saurait jamais faire éclater l'unité fondamentale de la vie ; n'empêche que, de notre point de vue relatif, on a pourtant bien souvent l'impression qu'il y a quelque chose qui cloche. La plénitude de la vie nous paraît tellement hors de portée, même si nous en avons parfois de très fugitifs avant-goûts.

Prenez l'exemple de Noël : c'est une fête que les gens adorent ou qu'ils détestent — ou parfois les deux en même temps ! Quand arrivent les fêtes de fin d'année, on a souvent un sentiment d'angoisse et de désarroi encore plus fort qu'à l'accoutumée. Avec le Nouvel An qui se profile, on sent l'imminence d'un *moment-charnière*, et on a tendance à vivre ces tournants-là avec une certaine gravité, dans la mesure où le temps nous est compté et où chaque année qui passe nous rapproche de notre fin. C'est pourquoi le Nouvel An est un moment de l'année assez délicat pour ceux qui ont une sensibilité aiguisée.

Essayons donc de comprendre ce qu'est ce fameux *quart de poil* de différence, et en quoi il est lié aux moments charnière de la vie. Il y a un passage de la Bible qui dit : « On est ce que l'on pense dans son cœur. » Le sentiment de séparation et de malaise que je viens d'évoquer provient de ce que l'on « pense dans son cœur ». (Ici, le mot *cœur* n'a pas de connotation affective ; il est à prendre dans le sens que lui donne par exemple le Sutra du Cœur : l'essentiel, le centre.) « On est ce que l'on pense dans son cœur » peut donc s'interpréter ainsi : celui qui perçoit la réalité de sa vie, *est* lui-même cette réalité. Et il voit la différence que peut faire un quart de poil de plus ou de moins. Ce qui m'amène à évoquer deux termes qui sont souvent associés dans notre vocabulaire et parfois utilisés indifférem-ment : les décisions et les problèmes.

La vie n'est qu'une succession de décisions. Dès qu'on ouvre l'œil le matin, il y a déjà des décisions à prendre : vais-je me lever tout de suite, ou dans cinq minutes ? Est-ce que je commence par faire zazen, ou je prends d'abord un petit café ? Qu'est-ce que je vais prendre pour le petit déjeuner ? Qu'est-ce que je vais faire après ? Je ne travaille pas, aujourd'hui ; j'en profite pour passer à la banque, ou simplement pour me reposer ? Ou bien je rattrape mon retard de courrier ? Du matin au soir, nous n'arrêtons pas de prendre des décisions, et c'est une chose parfaitement normale. Ce qui l'est moins, en revanche, c'est notre tendance à voir des problèmes partout, alors qu'il ne s'agit que de simples décisions.

Vous me direz peut-être : « D'accord, tant qu'il s'agit de décider si l'on va d'abord passer à la banque ou au supermarché, ce n'est pas difficile. C'est l'affaire d'une simple décision. En revanche, quand il s'agit de choses qui engagent toute votre vie, alors là, c'est un problème ! » Supposons que vous ayez perdu votre emploi ou que vous détestiez votre travail ; tout de suite, vous envisagez la situation en termes de problèmes plutôt que de décision ou de choix. Effectivement, nous avons tous tendance à voir des problèmes partout dans la vie. Prenons un autre exemple : vous habitez San Diego que vous appréciez pour son climat ; vous avez un travail correct, une petite amie qui vous plaît bien. Mais voilà qu'on vous offre un poste fantastique et mieux payé, à Kansas City. Vous hésitez et, comme vous n'arrivez pas à vous décider, vous voilà avec un problème sur les bras !

> Il y a une sorte de glissement qui s'opère et qui transforme une simple décision en problème. Et c'est là qu'apparaît le décalage, le quart de poil de plus ou de moins qui fait dérailler la vie.

Quelle est la meilleure façon de résoudre un problème ? J'exclus évidemment toutes les fausses solutions, telles que les tentatives d'analyse à outrance : à force de retourner le problème dans tous les sens, on finit par ne plus du tout savoir par quel bout le prendre. Je ne parle pas non plus des décisions mineures comme on en prend tous les jours, mais des grandes orientations susceptibles d'affecter toute notre vie. Par exemple, on a souvent du mal à se décider en amour : doit-on se lancer dans telle ou telle relation, prendre l'initiative de rompre, et si oui comment ? Et c'est là que notre citation de tout à l'heure prend toute sa pertinence : « On est ce que l'on pense dans son cœur. » C'est ce que nous avons vraiment dans le cœur qui décide de la manière dont nous allons résoudre un problème. Autrement dit, nous prenons nos décisions en fonction de notre vision de la vie.

Supposez que vous fassiez zazen depuis deux ans ; si vous avez un problème de rupture amoureuse, il est probable que vous vous y prendrez autrement que vous ne l'auriez fait avant de pratiquer le zen, car entre-temps quelque chose *a* changé, même si vous ne vous en rendez pas compte. Ce qui a changé, c'est votre façon de penser, l'idée que vous vous faites de vous et de votre partenaire. En effet, toute pratique spirituelle sérieuse transforme notre vision des choses, ce qui a forcément des répercussions sur notre manière d'être. Tout le monde aimerait découvrir la recette magique qui permette de prendre de bonnes décisions et de résoudre ses problèmes au mieux, en toutes circonstances. Mais il n'y a pas de recette, évidemment ! La seule chose qui peut nous aider, c'est d'apprendre à mieux nous connaître, car c'est à partir de cela que nous formons nos décisions.

Prenons un exemple. Imaginez qu'on invite Mère Thérésa à venir vivre à San Francisco, plutôt qu'à Calcutta : « Venez donc, vous verrez, il y a beaucoup plus d'animation, la nuit. Vous trouverez des tas d'endroits très sympathiques pour sortir et pour dîner. Et puis, le climat sera beaucoup plus agréable pour vous. » Sur quoi se fonderait sa décision ? En fonction de quels critères a-t-elle décidé de vivre dans les bas-fonds de Calcutta où elle travaille ? D'où émanait sa décision « On est ce que l'on pense dans son cœur », — elle appellerait probablement ça la prière. Depuis le temps qu'elle se connaît, elle n'envisage sans doute pas son travail ou son lieu de vie comme un problème, mais comme une simple affaire de décision.

A mesure qu'on apprend à mieux se connaître, les problèmes évoluent et changent de forme, parce qu'on les aborde en tenant compte de ce que l'on est. « Puisque je suis comme ça, il vaut mieux que je fasse cela, ou éventuellement ceci. » Vos choix seront parfois déconcertants pour les autres qui trouveront que vous

vous embarquez peut-être dans des entreprises difficiles ou pénibles. Mais si votre choix exprime ce que vous savez de vous-même, dans votre cœur, il n'y aura pas de problème — littéralement.

> Lorsqu'un problème paraît insoluble, c'est parce qu'on s'en est dissocié et qu'on en a fait un objet extérieur à soi, au lieu de l'envisager comme partie intégrante de soi-même. Il y a un bon moyen d'aider un problème à se transformer en décision : c'est de le laisser décanter en faisant zazen.

Revenons à notre exemple de tout à l'heure, où il s'agissait de décider de votre lieu de travail. Asseyez-vous et faites zazen ; vous verrez défiler toutes vos pensées sur la question, et vos éventuelles réticences à l'idée de travailler ailleurs qu'en Californie. Identifiez chacune de vos pensées, au fur et à mesure, et laissez-les passer ; voyez tout le souci que vous vous faites à analyser la situation sous toutes ses coutures, remarquez vos nerfs à fleur de peau. Mais revenez chaque fois à l'expérience directe de ce que la situation vous inspire, en votre for intérieur, et de ce que vous ressentez, physiquement. Sentez vos muscles contractés et la tension qui vous habite, mais, porté par la respiration, ne vous y enlisez pas. Respirez, ramenez votre attention sur le souffle et les sensations de votre corps et, ce faisant, vous sentirez mieux ce que vous êtes et votre décision prendra forme naturellement.

> Ce qui crée la confusion, ce n'est pas tant le problème que notre incapacité à nous définir par rapport à lui.

Supposons que j'hésite entre deux hommes qui veulent m'épouser : l'un a beaucoup d'argent et l'autre me plaît, tout simplement. Le simple fait que la question puisse même se poser dans ces termes-là est déjà révélateur : il doit y avoir une partie de moi que je ne connais pas. Le problème ne vient pas d'ailleurs que de moi-même : je ne sais pas qui je suis. Si je le savais, je n'aurais plus de problèmes pour savoir ce que je dois faire — comme Mère Thérésa. Plus j'apprendrai à me connaître et plus ma vie se simplifiera ; je saurai me contenter de satisfaire mes besoins réels, plutôt que de me laisser continuellement emporter par la logique insatiable du désir. Il ne s'agit même pas de renoncer à quoi que ce soit ; simplement, je ne verrai plus l'intérêt d'accumuler de l'inessentiel. La plupart de ceux qui pratiquent le zen depuis des années voient leur vie considérablement simplifiée ; ce qui ne veut pas dire que ces gens-là soient des saints mais, comme ils ne ressentent plus les mêmes besoins, leur désir perd un peu de sa virulence. Ceux qui me connaissent aujourd'hui ont parfois du mal à le croire mais, il y a des années, j'étais absolument incapable d'aller travailler si je n'avais pas les ongles faits et un rouge à lèvres assorti, sinon je me sentais mal à l'aise. Et bien que ne roulant pas sur l'or, je mettais toujours un point d'honneur à m'habiller avec une certaine élégance. Je ne dis pas que c'est mal de vouloir être jolie ou élégante, mais je pense qu'il faut souligner un point important : tant que vous aurez comme priorité dans la vie de satisfaire vos désirs personnels, vous aurez toujours du mal à prendre des décisions, car vous en ferez toujours des problèmes. En revanche, la pratique du zen fera peu à peu évoluer l'ordre de vos priorités dans le sens d'une décroissance graduelle du désir, et donc aussi de l'indécision qui en résulte.

Revenons à Noël, cette fête un peu difficile à vivre, parfois, avec ses allures de course folle pour tenter de satisfaire le désir ou le caprice de tout le monde. A nous de connaître nos priorités, et nous saurons dans quelle limite nous devons jouer le jeu. Il est évident que la connaissance de soi qu'on acquiert progressivement grâce à la pratique spirituelle demeurera toujours fragmentaire et limitée, voire rudimentaire. Malgré tout, elle nous permettra de nous rendre compte que la vie n'est pas qu'un long chapelet de problèmes et de lamentations.

Entendons-nous bien : je ne dis pas qu'on ne devrait jamais s'amuser ou prendre un peu de bon temps, mais je voudrais vous faire remarquer que la part que nous voulons donner au plaisir est révélatrice de notre image de soi, telle que nous la percevons actuellement. Si nous éprouvons le besoin d'avoir beaucoup de distractions, c'est que cela correspond à l'état actuel de notre évolution. Mais cette envie de plaisir diminuera à mesure que nous nous rapprocherons de nous-même ; dès que l'on touche au centre, au cœur même de son être, tout est bouleversé et c'est l'ensemble du paysage qui change.

> T.S. Elliot a parlé de ce point immobile autour duquel gravite l'univers. Ce point-là n'est pas une chose, un objet qu'on peut trouver et acquérir, mais *un état* de lucidité dans lequel on voit clairement ce qu'on est et ce qu'est la vie.

Au lieu de continuer à agir à l'aveuglette — en faisant souvent plus de mal que de bien, alors qu'on croyait se sacrifier pour aider quelqu'un — on commence à voir ce qu'on doit faire. Au fil des ans, je me rends compte que j'ai moins tendance à me *dévouer* aux autres, tout au moins dans le sens où je le comprenais avant. Il suffisait que n'importe qui vienne frapper à ma porte avec un petit ennui, je me sentais aussitôt obligée de tout lâcher pour lui parler immédiatement. Maintenant, je ne laisse plus nécessairement tout tomber tout de suite ; j'ai tendance à d'abord régler ce que j'étais en train de faire à ce moment-là. Et ce n'est pas forcément une réaction aussi égoïste qu'il y paraît : il est souvent préférable de laisser reposer un peu un problème, au lieu d'intervenir à chaud.

Plus on acquiert de maturité dans sa pratique et plus on est capable de voir ce qu'on doit faire. Les décisions se dédramatisent et cessent d'être des dilemmes cornéliens pour redevenir des actes simples. La sesshin donne le coup de pouce nécessaire pour déstabiliser la partie de nous-même qui a tendance à se complaire éternellement dans ses problèmes. Les structures mêmes de la sesshin sont faites pour nous donner un recul, un espace dans lequel on peut y voir clair. Cependant, n'oubliez pas que la pratique quotidienne de zazen reste la chose la plus importante. Mais attention, il ne s'agit pas de s'asseoir gentiment sur son coussin pour gamberger et rêver tranquillement à n'importe quoi ; encore faut-il faire zazen intelligemment. C'est-à-dire en observant tout ce qui se passe en soi et autour de soi, en étant conscient de ce que l'on fait. Sinon, autant se croiser les bras, car on ne fera que se construire un autre monde d'illusions — ce qui serait encore pire que de ne pas faire zazen du tout.

***Question :** Apparemment, les jugements de valeur seraient plutôt gênants quand on pratique?*

Joko : Et comment donc! Parce que ce sont des pensées exprimant des préjugés personnels — ce que moi, j'estime juste ou faux, bon ou mauvais — et que ces préjugés, généralement à fort contenu affectif, m'empêchent de voir clair — de me voir telle que je suis et de voir les autres tels qu'ils sont.

Question : *J'imagine que le remède serait de voir la réalité telle qu'elle est.*

Joko :Bien sûr. C'est facile à dire mais beaucoup moins simple à mettre en pratique. Qu'est-ce que c'est que « un quart de poil de plus ou de moins ? »

Question : *Si j'ai déjà des projets et que, tout à coup, il y a autre chose qui se présente à l'improviste, je vais avoir à choisir entre deux scénarios. Et si à ce moment-là je panique et je me mets à fabriquer toutes sortes de pensées dualistes...*

Joko :Alors, vous vous retrouverez avec un « problème » sur les bras, non ?

Question : *Et avec un décalage de plus d'un quart de poil !*

Joko : *Plus* d'un quart de poil ? Ah bon !

Question : *Peut-être que ce décalage a un rapport avec la non-reconnaissance de ses responsabilités.*

Joko : Est-ce que vous savez toujours bien où se situent vos responsabilités ?

Question : *Non !*

Joko : Eh bien, alors, qu'est-ce qui crée ce décalage d'un quart de poil qui nous empêche d'y voir clair ? Tout le monde a des responsabilités et des obligations, mais nous avons tendance à les mettre dans le même sac et à en faire des problèmes. Comment créons-nous ce décalage d'un quart de poil ?

Question : En voulant des choses.

Joko : Nous voulons des choses, c'est vrai.

Question : Parfois, nous pensons aussi à en donner.

Joko : Mais nous ne sommes réellement capables de donner que lorsque nous n'attendons rien en retour. D'accord ? Or, dans notre vie, tout tourne toujours autour de ce que veut le *moi* : c'est ça qu'il faut que vous compreniez. Il n'y en a que pour le *je* : je veux, j'ai envie, je voudrais. Il faut que ma vie soit exactement telle que je la voudrais. Voilà la clé du décalage, de ce petit quart de poil qui chamboule tout. Tous autant que nous sommes, nous avons notre image idéale de la vie et nous voudrions tant qu'elle se réalise. Une vie confortable, agréable, avec des lendemains qui chantent. Les lendemains ? Mais le futur n'existe pas... Alors, qui peut vous garantir que vos lendemains vont chanter ?

Question : Personnellement, je crois qu'il s'agit de se soumettre à la vie. Si j'arrivais à me soumettre au cours des événements, je ne fabriquerais pas tous ces obstacles auxquels je me heurte ensuite.

Joko : C'est parfait, si tant est que vous sachiez vraiment vous soumettre. Qu'est-ce qui nous en empêche ? Le moi. Et de quoi est fait ce moi ?

Question : De colère :« Je voudrais que ça se passe autrement, cela ne rentre pas du tout dans mes projets ! »

Joko : Oui, et ça, ce sont des pensées. Si nous étions capables de voir qu'il ne s'agit que de simples pensées, nous pourrions faire ce que nous avons à faire, tout simplement.

Question : *Lorsqu'on constate l'existence d'un problème, doit-on intervenir de propos délibéré pour en modifier les données ?*

Joko : Votre question touche à ce qui différencie une décision d'un problème. Si vous êtes capable de vous identifier vous-même au problème, au lieu de l'envisager comme un casse-tête à résoudre, vous pourrez vous demander : « Mais qu'est-ce qui se passe ici ? » Et vous vous retrouverez en face de votre colère et de vos craintes — bref, confronté à toutes vos pensées. Une fois que vous aurez l'habitude de les reconnaître, et de sentir les tensions physiques qui les accompagnent, vous saurez spontanément ce qu'il faut faire ; s'il convient ou non d'intervenir pour modifier les données du problème. Je n'ai pas dit qu'il ne fallait jamais rien changer dans la vie ! Simplement, en procédant comme je viens de le décrire, vous saurez ce qu'il faut faire — comme Mère Thérésa dans notre exemple de tout à l'heure.

Question : *S'agirait-il du remède-miracle ?*

Joko : Il n'y a pas de remède-miracle. Cependant, dès l'instant où vous vous jetterez à corps perdu dans la vie et que vous vous identifierez à elle, vous verrez exactement ce qui se passe. Vous verrez la réalité des choses. Car le décalage — le quart de poil de plus ou de moins — aura disparu, et avec lui, le problème se sera évanoui. Il ne s'agira plus d'un problème effrayant, là-bas, quelque part ; mais d'une simple rencontre entre vous et votre vie. Plus vous aurez d'expérience de la pratique, et plus vous aurez la lucidité nécessaire pour voir ce qu'il faut faire, et pour savoir s'il convient ou non d'intervenir pour modifier le cours des choses. Il n'y a pas de grand mystère là-dedans. Comme il est dit quelque part : on apprend à trouver la patience d'accepter l'inévitable, le courage de changer ce qui doit être changé, et la sagesse de reconnaître la différence entre les deux...

Question : *Qu'est-ce qui nous donne envie d'agir correctement?*

Joko : Quand on est bien centré en soi-même, on cherche tout naturellement à agir correctement. « On est tel que ce que l'on pense dans son cœur » : non seulement on *est tel qu'en son cœur*, mais on *agit* aussi en fonction de son cœur.

Le tournant

Une vie libre et riche de compassion — c'est ce que nous recherchons tous, ici. C'est-à-dire une vie à part entière, une vie humaine vraiment digne de ce nom. Or, une telle forme d'existence est nécessairement sans entraves : elle ne s'attache à rien, pas plus à une pratique qu'à un maître ou même qu'à la Vérité. Car s'attacher à la Vérité, c'est la perdre de vue.

J'ai entendu une histoire fantastique, un jour, au journal télévisé. Un homme avait découvert tout un tas de caisses remplies de pièces mécaniques et, bien que n'ayant pas la moindre idée de ce que représentaient ces pièces, il eut envie d'essayer de les monter. Cela l'amusait prodigieusement et le mystère rajoutait même du piquant à son entreprise. Il travailla donc si assidûment à son montage qu'il lui fallut dix ans de travail, à partir des milliers de pièces de toutes les tailles et de toutes les formes qu'il trouva dans ses caisses. Quand il eut terminé son œuvre, il se retrouva avec une superbe vieille Ford Modèle T, flambant neuve. Le seul ennui, c'est qu'il avait réalisé son montage *dans son séjour* ! (Cet homme-là n'était sûrement pas marié !) Après s'être abondamment creusé la tête, l'homme décida d'abattre le mur de son séjour pour sortir la voiture sur la terrasse. C'était effectivement bien mieux comme ça ! Cependant, comme la terrasse était surélevée d'à peu près un mètre vingt par rapport au sol, il dut bâtir un plan incliné pour pouvoir faire rouler la voiture dans la cour. Et ce n'est qu'après toutes ces péripéties qu'il put enfin mettre sa superbe Ford sur la route et profiter de sa voiture ancienne toute neuve!

Cette merveilleuse histoire rappelle tout à fait ce que nous faisons avec nos vies. Nous construisons une bien étrange montage que nous appelons le *moi*, mais, comme nous ne sommes que des bricoleurs amateurs, nous ne tardons pas à nous sentir quelque peu dépassés par notre création qui, comme la Ford Modèle T, paraît écrasée par le manque d'espace. Le moi a beau avoir fière allure, nous nous sentons trop à l'étroit, gênés aux entournures.

C'est là qu'arrive le moment crucial du choix : il y a deux attitudes possibles, une fois qu'on découvre l'inconfort et les angoisses du moi. La première consiste à faire comme si de rien n'était, comme si notre séjour était de tout temps destiné à abriter une Ford Modèle T. On se contenterait alors de redécorer la pièce en trompe-l'œil ou avec des miroirs, afin de donner une illusion d'espace. La deuxième façon de réagir serait de constater qu'il faut trouver le moyen de faire sortir le *moi* à l'air frais et à la lumière, pour laisser respirer cette pauvre créature crispée qui étouffe.

La pratique spirituelle commence au moment où l'on se met à examiner la Ford — l'ego qu'on a construit. On a renoncé à essayer de modifier l'environnement en trichant avec la décoration, et on se décide à faire sortir la voiture — l'ego — pour mieux l'observer à la lumière du jour. Ce n'est cependant qu'une étape transitoire, car la finalité de la vie humaine va bien au-delà de la simple analyse des mécanismes de l'ego, puisqu'il s'agit de rejoindre la route — le cours naturel des choses — pour vivre enfin comme un humain à part entière.

La première chose qui nous pousse à bouger, c'est le sentiment de claustrophobie qu'on éprouve à l'intérieur des murs de l'ego. On sait qu'il va falloir faire *quelque chose* pour faire tomber ces maudits murs. Et, lorsqu'on décide de faire sortir la Ford sur la terrasse pour la regarder à la lumière du jour et avec un peu plus d'espace et de recul, c'est l'amorce d'un changement important. Sur le plan de la pratique spirituelle, c'est un tournant capital. Que pouvons-nous faire pour le favoriser ?

On a tendance à penser que, pour prendre un nouveau départ, il faut d'abord faire table rase de tout ce qui a précédé. Renoncer à son ancienne vie afin d'en commencer une nouvelle. Mais j'aimerais que nous nous interrogions un peu sur ce *renoncement* : à quoi s'agit-il de renoncer ? Au monde matériel, tel qu'il nous apparaît, ou à notre univers mental et affectif ?

La plupart des religions encouragent leurs fidèles à renoncer aux biens de ce monde. Traditionnellement, le moine ne doit posséder qu'une petite boîte dans laquelle il range ses quelques affaires indispensables. Peut-on parler de vrai renoncement ? A mon avis, non, bien qu'il s'agisse d'une pratique utile. Un peu comme si quelqu'un qui adore les sucreries se privait de dessert pendant quelque temps pour apprendre à mieux se connaître en observant ses réactions.

Nos tentatives de renoncement peuvent aussi prendre une autre forme : quand on commence à se sentir mal à l'aise dans la jungle de ses pensées et de ses émotions, on a envie de quitter ce monde-là, de s'en débarrasser en l'abandonnant derrière soi. On aimerait renoncer à cet univers mental et affectif qui nous pèse car on se sent coupable de pensées et sentiments *mauvais*. Cependant, là encore, il ne s'agit pas d'un authentique renoncement ; on ne fait que réagir en fonction d'une idée préconçue : la notion du bien et du mal.

Certains, déçus par le quotidien, font même une ultime tentative et décident de renoncer à tout pour vivre une vie entièrement consacrée à la spiritualité. Une démarche formidable, pour qui sait vraiment ce que cela veut dire — ce qui n'est la plupart du temps pas du tout le cas, malheureusement. C'est en effet dans le cadre d'une soi-disant pratique *spirituelle* qu'on rencontre les interprétations les plus fausses du renoncement, et qui sont d'autant plus malfaisantes qu'elles sont insidieuses, parce qu'on est convaincu d'être du bon côté de la barrière. On aspire à une vie de pureté et de sainteté, on se veut différent des autres, on s'installe peut-être même dans un coin perdu, calme et tranquille, à l'écart de tout. Tout ça est très joli et part d'un bon sentiment, mais l'ennui, c'est que ça n'a rien à voir non plus avec le vrai renoncement.

Alors qu'est-ce donc que le renoncement authentique ? Existe-t-il même ? Il vaudrait peut-être mieux parler de *détachement* : la plupart du temps, nous croyons « renoncer » quand nous tentons de modifier certains détails de notre vie auxquels nous accordons, comme à nous-mêmes, une importance démesurée, alors qu'en réalité, on n'a pas besoin de renoncer à quoi que ce soit.

> Il suffit de comprendre que le renoncement authentique n'est pas autre chose que le détachement.

La pratique ne consiste pas à éliminer de force l'attachement, en laissant tomber les choses ou les gens auxquels on est attachés, mais à le percer à jour. On peut avoir une immense fortune sans y être attaché, ou n'avoir que trois sous et y être farouchement attaché. Ceux qui ont compris la nature de l'attachement ont souvent tendance à ne pas s'encombrer de trop de biens, quoique ce ne soit pas une règle générale. En effet, ce n'est pas tant ce qu'on possède qui compte que l'attitude qu'on a par rapport à ce qui vous appartient. La plupart du temps, notre pratique achoppe sur notre manie de toujours vouloir manipuler la réalité — notre esprit ou notre environnement. Par exemple, on voudrait à tout prix arriver à calmer son esprit, sans comprendre que ce n'est pas le va-et-vient des pensées qui est gênant, mais l'attachement qu'on éprouve à leur égard. Les émotions sont parfaitement inoffensives — ce ne sont que des pensées, des créations de l'esprit — tant qu'on ne se laisse pas dominer par elles en s'y attachant ; mais dès qu'on s'y attache, les ennuis commencent pour tout le monde. Voilà la première difficulté qu'on rencontre dans la pratique : prendre conscience du *poids* de l'attachement dans notre vie. Si vous faites zazen avec beaucoup de patience et de persévérance, vous vous rendrez compte que votre vie est entièrement sous l'emprise de l'attachement — comme chez nous tous. Chacun de nous n'est que la somme des liens qui l'attachent aux choses et aux êtres.

Comprenons bien qu'on ne se débarrasse pas de l'attachement de force. En revanche, si on apprend à en reconnaître la véritable nature, il s'évanouira doucement et imperceptiblement, comme un château de sable progressivement englouti par les vagues à marée montante. Il s'écroulera et disparaîtra. Où ira-t-il, qu'était-il donc ?

> Tant que l'on garde une image idéalisée de soi, des autres ou de la vie, on reste prisonnier de l'attachement. La vie spirituelle n'est autre qu'une absence d'attachement. Comme le dit Dogen Zenji : « Examiner le soi, c'est l'oublier. »

Il ne s'agit pas de se débarrasser de nos attaches ou d'y renoncer, mais de cultiver l'intelligence et la lucidité naturelles de l'esprit qui permettent seules d'en percer la nature : impermanente et vide de réalité. Vous n'avez pas besoin de chercher à vous débarrasser de quoi que ce soit. Mais sachez que les liens les plus lourds et les plus insidieux sont ceux que nous forgeons au contact de ce que nous prenons pour des *vérités spirituelles*. L'attachement au soi-disant *spirituel* est le plus gros obstacle à une spiritualité authentique. Il est impossible d'être vraiment libre et capable d'amour tant qu'on reste attaché à quoi que ce soit.

Lorsque vous ferez zazen aujourd'hui, n'oubliez pas l'essentiel : *cultiver le détachement*. Sachez persévérer dans votre pratique sans vous laisser abattre par les difficultés éventuelles — nous ne sommes pas là pour une partie de plaisir. Souvenez-vous que vous avez le choix : à chacun de décider s'il tient ou non à vivre une vie libre et riche de compassion.

Fermez la porte !

C'est dans les années soixante que Hakuun Yasutani Roshi commença à venir régulièrement aux Etats-Unis pour enseigner le dharma*, une fois par an. A l'occasion de chacune de ses visites, il dirigeait une sesshin* d'une semaine qui avait lieu ici, dans le Sud californien. Je faisais moi-même partie du groupe de gens qui venaient ainsi pratiquer intensivement sous la direction de Yasutani Roshi, une semaine chaque année, et qui, le reste de l'année, continuaient à faire zazen par eux-mêmes, chacun de son côté. Ces sesshin me donnaient un mal de chien et je dois avouer que la pratique était loin d'être claire pour moi. Cependant, le fait d'avoir l'occasion de travailler avec cet homme, ne serait-ce qu'une semaine par an, et de voir ce qu'il était — humble, bienveillant, plein de vitalité et de spontanéité — suffisait à m'inciter à persévérer.

Il était déjà assez âgé au moment où je l'ai rencontré ; il avait quatre-vingts ans bien sonnés et pas mal de problèmes physiques. Quand je le voyais traverser le zendo* de son pas traînant et incertain, je me demandais toujours s'il allait arriver à rejoindre sa place. Un petit vieillard de rien du tout, qui passait en traînant les pieds, le dos voûté. Mais dès qu'il ouvrait la bouche pour enseigner, la métamorphose était incroyable ! C'était comme si toute la pièce était soudain complètement électrisée par la vitalité, la spontanéité et la dévotion totale qui émanaient de ce petit homme. Ce qu'il disait — et même le fait qu'il ait à s'exprimer à travers un interprète — en devenait presque secondaire par rapport à l'impact de sa présence. Une présence éloquente, qui en disait plus que des volumes entiers sur le dharma ; une présence inoubliable pour qui l'avait goûtée ne serait-ce qu'une seule fois.

Il y a deux qualités qui m'ont tout particulièrement frappée chez Yasutani Roshi. Je dirais que c'était à la fois un être lumineux et un homme parfaitement ordinaire. Quand on le regardait dans les yeux pendant les entrevues prévues au cours de la sesshin*, on avait l'impression de plonger dans un espace infini que rien n'aurait borné ou interrompu. C'était une sensation tout à fait extraordinaire. D'autant que la plongée dans cet espace, cette ouverture totale, vous régénérait complètement.

En dehors du zendo*, il n'y avait plus qu'un petit bonhomme, tout à fait ordinaire d'allure, qui faisait le tour des pièces, un balai à la main, le pantalon retroussé sur les mollets, tout en croquant de temps en temps une carotte.

Yasutani Roshi est le premier qui m'ait fait sentir ce que c'était qu'un vrai maître zen ; et, du fait qu'il était lui-même si humble, ce fut une expérience qui me montra toutes les vertus de l'humilité. Il émanait de lui un tel sentiment de liberté, de spontanéité, et de compassion qu'on aurait dit un diamant qui brillait de tous ses feux — le joyau que nous recherchons tous à travers notre pratique. Mais un joyau qu'il faut bien se garder d'aller chercher là où il ne se trouve pas, c'est-à-dire en dehors de soi-même. Car on passerait alors à côté du vrai diamant qu'est notre vie. Une gemme brute, peut-être, et qui a besoin d'être polie pour en faire ressortir tout l'éclat, mais qui est d'ores et déjà parfaite et complète. C'est une réalité qui est toujours présente et accessible mais que nous ne savons pas voir. Et voilà pourquoi ce diamant, cette liberté nous échappent.

Il est difficile de parler de la liberté. Pour la plupart des gens, être libre c'est pouvoir aller où l'on veut et faire ce qu'on veut, sans que personne ne s'en mêle. On espère toujours trouver la liberté *ailleurs*, si bien qu'on prend grand soin de toujours laisser la porte ouverte derrière soi ; si les choses devenaient par trop désagréables par ici, on pourrait toujours filer pour essayer de trouver l'espoir et la liberté ailleurs. Tout le monde tombe dans le panneau... Ce qui m'amène à aborder un autre sujet épineux : le sens des responsabilités.

Un des aspects importants de la pratique consiste à se rendre compte que nous ne prenons pas nos responsabilités par rapport à nous-mêmes et à notre vie : il n'y a qu'à voir nos hésitations et nos revirements perpétuels, et les faux-fuyants dont nous usons sans cesse. Pour procéder à cet examen de conscience, il faut accepter de fermer la porte — cette porte que l'on tient tellement à se laisser ouverte ! — et se retourner pour se regarder en face. Tel qu'on est. C'est cela, prendre ses responsabilités — une démarche sans laquelle la liberté ne reste qu'un vain mot.

La pratique vise à saper nos illusions, dont la moindre n'est pas le leurre de cette porte de sortie qu'on veut toujours se ménager, dans l'espoir de trouver mieux ailleurs. Nous consacrons l'essentiel de notre énergie au maintien et à la protection de l'ego, cette structure illusoire qui repose sur l'idée fallacieuse que le *moi* aurait une existence réelle et indépendante du reste de la vie. Il faut donc prendre conscience de cette structure et voir comment elle marche. Tant qu'on n'aura pas compris son fonctionnement, elle n'en continuera pas moins — pour artificielle et irréelle qu'elle soit — à conditionner notre comportement en nous faisant agir par peur ou par arrogance. J'entends par arrogance le sentiment d'être à part, d'être quelqu'un de spécial, de pas ordinaire. Tout peut être prétexte à l'arrogance : les succès, les problèmes, et même une soi-disant *humilité* dont on se vanterait. La peur, et son contraire, l'arrogance, nous dictent toutes sortes d'attitudes et de jugements qui, inspirés par l'ego, engendrent une foule de misères, pour nous et pour les autres.

Il existe un lien étroit entre la liberté et l'attitude que nous adoptons face à la douleur et à la souffrance.

Commençons par définir dans quel sens j'entends ces deux termes. La douleur est ce qu'on ressent quand on prend la vie directement en pleine figure, quand on l'expérimente telle qu'elle est, sans rien y changer. Quoique, d'un autre côté, le mot *joie* pourrait aussi bien décrire ce vécu immédiat et intense. Lorsque, à l'inverse, on tente de se soustraire à la douleur qu'engendre ce vécu brut, on connaît la souffrance. C'est pour se prémunir de la douleur qu'on construit les remparts de l'ego, mais — ironie des choses — c'est cela même qui nous fait souffrir.

La liberté, c'est l'acceptation du risque. On accepte d'être vulnérable face à la vie, on accepte de vivre ce que chaque instant vous apporte d'agréable ou de pénible. Il faut être prêt à se donner complètement à la vie. Et lorsqu'on sait s'abandonner totalement, sans ménager ses arrières ni se garder de porte de sortie, la souffrance n'existe plus. Il n'y a plus que l'expérience brute, totale et immédiate. Et la douleur prend la couleur de la joie quand on sait pleinement l'éprouver.

La liberté et le sens des responsabilités sont étroitement liées. Lorsque deux personnes se marient, elles prennent des engagements mutuels qui, dans un certain sens, reviennent à fermer la porte de sortie. Elles renoncent à fuir les difficultés inhérentes à toute forme de rapport humain. Mais, si l'on est prêt à assumer la responsabilité de ses engagements, les difficultés deviennent pour le couple une occasion de mûrir et de progresser ensemble, et d'approfondir ses liens. Attention : je ne dis pas qu'il faille s'engager dans n'importe quelle relation de couple ! J'ai simplement pris le mariage comme exemple : la pratique aussi doit être un engagement, par rapport à l'expérience de la vie ; une volonté de vivre ce que chaque instant nous apporte. De même que les responsabilités du mariage ont un aspect contraignant, le zazen aussi exerce une certaine contrainte, une forme de pression sur nous.

> On pourrait même dire que le zazen est un mariage avec soi-même : on accepte de fermer la porte et de s'asseoir, seul à seul avec soi-même et avec les difficultés qui risquent de surgir.

Au début, les gens qui se lancent dans la pratique du zen s'attendent souvent à une petite vie tranquille et agréable. Cependant, il faut bien reconnaître que ce n'est pas rose tous les jours de faire zazen ! Le simple fait de s'asseoir et de rester tranquille, immergé dans l'instant, suffit à faire apparaître des lézardes dans le béton de l'ego — ce qui est souvent pénible et déroutant. Mais si, au lieu de se boucher les yeux pour ne pas voir ce qui se passe, on sait faire l'expérience directe de la confusion et de la douleur qu'on éprouve, on trouvera la clé de la liberté. C'est en se jetant dans les bras de la douleur et en devenant son intime qu'on découvrira la liberté.

Tant qu'on n'aura pas compris ce rapport entre la douleur et la liberté, on continuera à souffrir et à faire souffrir les autres — bien que le joyau de la liberté soit déjà entre nos mains, puisque c'est l'expérience de la vie, telle qu'elle est. Il faut être prêt à marcher sur le fil du rasoir, à vivre à fond ce que chaque instant vous apporte, sans rien y changer. Quand vous faites zazen, ne manipulez plus rien : orgueil, désir, arrogance, peine ou joie — vivez chaque chose à fond. Apprenez à aiguiser votre attention autant que vous le pourrez, et, à force de pratique, vous verrez progressivement diminuer l'attachement qui vous rend esclave de vos pensées et de vos émotions.

> *Pratiquer le zen, c'est fermer la porte à la vision-dualiste de la vie* — ce qui exige un engagement total de notre part. Cela veut dire, par exemple, savoir fermer la porte à votre manque d'envie d'aller au zendo*, le matin au réveil, et vous jeter hors du lit et partir. Savoir fermer la porte à la paresse qui vous envahit, au travail, et faire de votre mieux. Savoir fermer la porte aux critiques systématiques et aux mots blessants, dans vos rapports avec les autres. Savoir fermer la porte à la dualité, pendant le zazen, et vous ouvrir à la vie telle qu'elle est. C'est ainsi que l'expérience directe de la vie vous révèlera peu à peu que même la douleur peut avoir le goût de la joie et de l'allégresse.

A l'occasion de son quatre-vingt troisième anniversaire, qui fut son dernier, Yasutani Roshi écrivit : « Les collines sont de plus en plus hautes. » Plus on se rend compte que, d'un point de vue absolu, il n'y a rien à faire (tout est déjà parfait), et plus on remarque ce qu'il y a à faire — d'un point de vue relatif —, en fonction des nécessités du moment. Le plus étonnant, c'est que la vie coule de source une fois qu'on sait partager tout ce qu'on a — son temps, ses biens — et surtout, tout ce qu'on est — sa personne. Cela me rappelle l'histoire d'un puits qui était alimenté par tout un réseau de petites sources qui lui fournissaient toujours de l'eau en abondance. Puis, un beau jour, quelqu'un boucha le puits qui tomba dans l'oubli général, jusqu'au jour où il fut redécouvert, bien des années plus tard. Mais, comme personne n'avait puisé d'eau depuis si longtemps, les sources avaient cessé d'alimenter le puits qui s'était graduellement tari et asséché. Et c'est pareil pour nous : plus on donne de soi aux autres et plus on devient riche de vie et d'amour. A l'inverse, plus on se referme sur soi-même, et plus on s'étiole et on se déssèche.

L'engagement

Il y avait une fois un jeune homme follement amoureux d'une jeune fille belle comme le jour mais méchante comme une sorcière. La méchante belle, voulant s'assurer l'exclusivité totale de l'amour du garçon, lui dit un jour : « Je ne t'appartiendrai qu'à la condition que tu ailles couper la tête de ta mère et que tu me la rapportes ! »

Le jeune homme aimait tendrement sa mère, mais il était tellement entiché de la méchante belle qu'il s'empressa d'aller exécuter ses ordres. Se précipitant chez sa pauvre mère, il lui coupa la tête illico et, la saisissant par les cheveux, ressortit aussitôt dans la nuit, courant à toute allure tant il lui tardait d'aller rejoindre la belle de ses rêves. Il courait à grandes enjambées, la tête de sa mère à la main, quand il l'entendit qui lui disait : « Je t'en prie, ne te presse pas tant, mon fils ; tu risques de tomber et de te faire mal ! »

Cette histoire illustre toute la force de l'amour de cette mère et de son engagement irréversible envers son fils. L'amour et l'engagement sont frères jumeaux. Le terme même d'engagement vient du mot *gage* : on est prêt à se donner soi-même en gage à quelqu'un ou à quelque chose, à faire de sa personne le gage de son amour et de son dévouement.

Ce n'est qu'en pénétrant un peu mieux la nature de la réalité que nous comprendrons la véritable signification de l'engagement, pas seulement dans nos têtes mais dans nos tripes. Peut-être vous considérez-vous déjà *engagés*, par rapport à votre travail ou à une personne donnée, mais de tels engagements restent superficiels et fragiles, car essentiellement conditionnés par l'intérêt personnel. Celui dont je vous parle ici est autrement profond et puissant, et il a une tout autre portée : l'engagement, le vrai, est celui que nous prenons envers *tous les êtres*, et pas seulement envers une ou deux personnes soigneusement choisies en fonction de ce que l'on attend d'elles en retour. Et sa force lui vient de la motivation altruiste du bodhisattva* qui inspire les vœux* que nous réaffirmons quotidiennement. Voilà qui est tout à fait différent de la manière dont nous envisageons généralement nos engagements, qui sont le plus souvent prétexte à étendre la mainmise de l'ego sur tout ce que nous touchons. Le mariage devient une forme de possession de l'autre dont on attend une allégeance et une tolérance totale, vis-à-vis de soi ; la vie professionnelle n'est qu'une occasion d'affirmer et d'exalter le moi — *mon* projet, *mes* idées, *mon* entreprise, *mes* bénéfices. Tout est une extension du moi : l'activité ou la personne envers laquelle nous nous disons *engagés* devient notre *chose*, une sorte d'investissement destiné à nous garantir le bonheur et la sécurité.

En fait, nos engagements sont souvent un mélange reflétant à la fois la pureté de notre nature de bouddha*, qui s'exprime dans des élans de générosité inconditionnelle — comme l'amour de la mère, dans notre histoire —, et l'égoïsme de la partie confuse de soi, qui prête plutôt qu'elle ne se donne, et qui pose ses conditions. Je m'engagerai *si*... ou *à condition que*... Le véritable amour, l'engagement authentique est inconditionnel, quoi qu'il arrive. Pour citer Shakespeare : « L'amour n'est point amour, qui varie selon les circonstances. »

L'engagement n'est pas une chose à laquelle on peut se forcer ou être contraint : reproches, colère, grève — rien n'y fait, quels que soient les moyens qu'on mette en œuvre. La seule manière d'approfondir son engagement, c'est d'observer les manœuvres et les manipulations auxquelles on se livre constamment, avec plus ou moins de subtilité, dans l'espoir d'arriver à ses fins : assurer la tranquillité et la sécurité de sa petite personne. La pauvre mère du garçon aveuglé par l'amour n'avait rien de tout ça ; elle n'avait que sa tête, et elle n'en voulait même pas à son fils de la lui avoir prise ! Même une fois morte de ses mains, le bonheur de son fils restait la seule chose qui comptât pour elle. Nous n'en sommes pas là, bien sûr ! Nous ne sommes jamais que de simples mortels, après tout !

Jamais je ne conseillerais à quelqu'un de s'engager vis-à-vis d'une autre personne avant d'avoir fait déjà un bout de chemin ensemble. Même s'il vous a fallu des mois ou des années pour décider que c'était bien l'homme ou la femme de votre vie, vous n'en êtes vraisemblablement encore qu'au tout début de votre engagement. C'est un leurre absolu que de croire qu'il suffit d'avoir prononcé certaines promesses solennelles pour être véritablement engagé. Car s'engager, c'est fermer la porte derrière soi. Et, n'ayant pas encore réalisé notre bouddhéité potentielle, nous ne sommes pas capables de nous engager vis-à-vis du premier venu. Cependant, une fois qu'on se décide enfin, après maintes hésitations, à s'engager envers une personne ou une idée, on accepte de refermer la porte et de se mettre au boulot, en sachant qu'on a volontairement renoncé à la sortie de secours. La qualité de tous nos rapports intimes — couples, parents, enfants, amis — dépend de notre aptitude à suivre une telle démarche.

Est-ce que le fait de refermer la porte nous garantit le bonheur ? Ce n'est pas vraiment l'objet de la manœuvre, à vrai dire ; on s'engage pour le meilleur et pour le pire, et avec un peu de chance, il arrive que des moments de grâce nous soient donnés par surcroît.

L'engagement ne concerne pas toujours forcément

une personne ; on peut par exemple s'engager à apprendre à vivre dans la solitude — ce qui est une saine pratique pour la plupart d'entre nous — en vivant de temps en temps en solitaire pendant quelques mois, un an ou plusieurs années. Rares sont ceux qui apprécient la solitude à sa juste valeur ; la plupart des gens s'imaginent que cela veut dire se sentir seul et malheureux. Mais je ne vous parle pas de fuir le monde et vos contemporains en vous cachant dans une grotte, dans un coin perdu. Il ne s'agit pas d'une fuite, au contraire ; c'est se donner l'occasion de consacrer tout son temps à une pratique qui vous apprendra à vous dévouer entièrement aux autres, en oubliant le moi. Et si vous choisissez de pratiquer ainsi quelque temps, soyez bien conscients dès le départ des règles et des limites que vous allez vous imposer. C'est une pratique difficile et qui exigera le meilleur de vous-mêmes.

Jésus a dit : « Ce que vous faites au plus petit d'entre les miens, c'est à moi que vous le faites. » L'engagement, le vrai, ne se mesure pas ; on ne peut pas le découper en morceaux pour en exclure quiconque ou quoi que ce soit. Il doit être global et universel dès le départ, même si l'on n'est pas encore capable de le vivre tout de suite dans son intégralité. Pratiquement, cela signifie que c'est à chacun de nous de découvrir ceux qui, dans sa vie, font office de « plus petits d'entre les miens ». On pourrait croire de prime abord qu'il s'agit des pauvres et des déshérités, mais il faut l'entendre aussi dans le sens de tout ce qui *nous* paraît *petit* dans notre échelle de valeurs, tout ce dont nous nous passerions volontiers. Pour la plupart d'entre nous, cela veut dire les gens que nous n'aimons pas ou qui nous ont fait des ennuis, mais cela pourrait aussi être ceux qui nous font peur et dont la compagnie nous met mal à l'aise. Cette réticence peut même prendre une forme plus subtile en englobant ceux que nous avons la charge d'instruire ou d'aider.

Vous allez peut-être m'objecter : « Comment voudriez-vous que je me dévoue à quelqu'un que je ne peux pas sentir ? Il suffit que je sois à dix mètres de lui, et j'ai déjà des boutons partout ! » Eh bien, la seule méthode, c'est d'apprendre à vous y faire. Ce qui veut dire qu'il faut que vous commenciez par être parfaitement honnêtes avec vous-mêmes ; reconnaissez que vous n'aimez pas untel et que vous préférez l'éviter, et observez toutes les émotions que sa personne suscite en vous. Faites la même chose avec votre travail, aussi. Il y a pas mal de gens qui ont l'impression d'accomplir des tâches qui sont en-dessous de leur dignité (encore faudrait-il définir ce qu'ils entendent par là !) : « Avec mon diplôme, je suis surqualifié pour ce boulot d'imbécile. Pensez donc, empiler des caisses sur des étagères ! Comment voulez-vous que je me dévoue pour ce boulot de crétin ? »

On aimerait bien que la pratique soit facile et agréable, mais c'est toujours plus simple d'en parler que de le faire. Ça ne coûte rien de dire avec des trémolos dans la voix qu'on veut bien assumer la responsabilité du monde et s'engager à fond dans le dharma, mais essayez donc de le *faire* — vraiment, au quotidien ! C'est à travers chaque personne et chaque chose que nous rencontrons que le réel, le dharma*, se révèlent à nous. Vous sentez-vous responsable du clochard qui vomit tripes et boyaux dans le caniveau ? De la vendeuse qui ne vous a pas rendu toute la monnaie, ou de ce type qui vous traite comme si vous étiez un moins que rien ?

La nature de bouddha étant notre véritable nature, elle nous offre la joie en partage. Mais où est-elle, cette joie ? Elle nous attend au cœur même de la pratique que nous venons de décrire et qui est le seul moyen de sentir battre le pouls de la vie au rythme de l'allégresse.

Si je me suis longuement étendue sur les problèmes d'engagement vis-à-vis des personnes, c'est parce que c'est ce qui nous donne le plus de fil à retordre. Mais on peut éprouver exactement les mêmes difficultés par rapport à des objets. Par exemple, si votre chambre est un capharnaüm épouvantable en permanence, cela veut dire que vous n'assumez pas la responsabilité de votre cadre de vie. Vous ne respectez pas les objets qui meublent votre vie. (Ayant été élevée par une mère qui était une perfectionniste, je suis moi-même passée par une phase de rébellion pendant laquelle je faisais exprès d'être aussi désordonnée que possible.) Bien sûr, il ne s'agit pas d'être un maniaque du rangement au point d'en faire une névrose. Cependant, la pratique doit embrasser tous les aspects de la vie : le premier chat de gouttière venu, la plus banale des ampoules électriques, le plus petit bout de papier de verre, le légume le plus ordinaire, la dernière couche de bébé... Quand on apporte la même qualité d'attention à tout et à chacun, on n'a plus à s'interroger sur le sens du mot *engagement*. Car le sens des responsabilités ne naît pas tout seul, par hasard ; c'est une aptitude qui se cultive et qui se développe par la pratique — comme les muscles.

Cela dit, je ne voudrais pas que vous ayez l'impression que je suis en train de vous dicter de nouvelles tables de la loi ! D'ailleurs, si je ne parle pas souvent des préceptes*, c'est parce que, la plupart du temps, les gens les interprètent de travers. Après, on les entend raconter : « Il faut que je soigne ma tenue, c'est Joko qui l'a dit. » Néanmoins, je pense que nous avons tous besoin de prendre conscience de notre tendance au gaspillage, par exemple : on laisse brûler la lumière quand on n'en a pas besoin, on met beaucoup plus de choses sur son assiette qu'on n'en peut manger, et ainsi de suite. Et pourquoi ? Parce que nous n'assumons pas pleinement la responsabilité de notre vie ; si nous en négligeons les détails les plus quotidiens, comment pouvons-nous prétendre faire mieux dans notre couple, avec nos enfants, au travail, dans notre pratique et en matière de dharma ?

> Pour connaître la joie, il ne faut rien négliger — rien ni personne. « Ce que vous faites au plus petit d'entre les miens, c'est à moi que vous le faites. »

La force de notre engagement se mesure à nos actes. C'est pourquoi il faut s'efforcer d'être extrêmement vigilant, à tout moment. Peu m'importe le nombre de *flashes* d'éveil que vous avez pu avoir et auxquels vous vous accrochez comme des fous, l'essentiel, c'est *ce qui se passe au quotidien*. Le dharma*, c'est aussi cette table, là, devant vous, tout de suite. Hier, elle était légèrement poussiéreuse ; aujourd'hui ; elle est fraîchement époussetée.

Voilà : nous arrivons au terme de cette sesshin. Mais ne vous y trompez pas : la sesshin* la plus difficile vient à peine de commencer, maintenant que vous allez retrouver votre routine quotidienne.

Servir

Que ta volonté soit faite !

Nous avons sans doute été nombreux à regarder le documentaire sur la vie et l'œuvre de Mère Thérésa qui est passé à la télévision cette semaine. C'est une femme que certains considèrent un peu comme une sainte — bien que j'imagine que pareil titre ne lui fasse ni chaud ni froid, en ce qui la concerne. Ce qui m'a personnellement beaucoup impressionnée, c'est sa façon de se donner totalement à chacune de ses activités, l'une après l'autre. Sa vie et son travail ne sont qu'une seule et même chose à laquelle elle se donne de tout son cœur et sans compter. Et c'est exactement cette manière d'être, cette qualité de présence et d'attention à chaque instant, que nous devons apprendre et cultiver.

Une telle simplicité d'être est assez difficile à comprendre pour des gens aussi compliqués que nous. C'est vrai que ce n'est *pas facile*, mais c'est pourtant l'objectif de notre pratique : remplacer *ma* volonté par la *Tienne*. Ce qui ne veut pas dire que ce *Toi* soit autre que soi-même. Il ne l'est que dans le sens où le *je* représente une forme particulière de la vie, avec certaines limites spatio-temporelles bien déterminées, tandis que le *Toi*, la volonté, dont il est question se situe hors du temps et de l'espace puisqu'étant l'énergie à partir de laquelle ces données relatives se manifestent. L'énergie qui anime toute chose et tout être : celle qui fait pousser mes ongles, qui assure le bon fonctionnement de mon foie, qui fait exploser une étoile dans l'espace. Bref, le merveilleux drame de l'univers. Le maître.

Un des inconvénients qu'on rencontre dans certaines formes de pratique religieuse, c'est qu'elles encouragent leurs adeptes à vivre selon la règle de « Ta volonté soit faite », avant qu'ils ne soient suffisamment mûrs pour mesurer ce que cela implique concrètement. Avant de pouvoir comprendre *ce qu'est Ta volonté*, il faut avoir déjà percé l'illusion de *ma volonté*. Autrement dit, je dois me rendre compte que ma vie n'est que l'expression de ma volonté, de mon désir : je veux ceci, je voudrais cela — toujours et encore. Et qu'est-ce que je veux? Tout et n'importe quoi — l'objet du désir est presque secondaire —, et parfois, j'ajoute à ma soif de biens matériels celle de valeurs *spirituelles*. Mais ce que je veux surtout, c'est que vous soyez conforme à ce que j'attends de vous.

Là où ça se gâte, c'est quand *mes* desiderata rentrent en conflit avec *les vôtres* — ce qui arrive tôt ou tard, immanquablement. Avec pour inévitable résultat la souffrance et la peine. Au contraire — et on le voit bien en regardant comment vit Mère Thérésa — quand ce n'est plus le moi et sa volonté qui orientent la vie on connaît la joie ; la joie de faire ce que les circonstances exigent, tout simplement, sans qu'il soit question de ce que *je veux* faire.

L'exemple de Mère Thérésa illustre bien la différence qu'il y a entre une profession et une vocation. Chacun de nous a une profession donnée : médecin, avocat, étudiante, femme au foyer, plombier, etc. Mais il ne s'agit pas forcément d'une vocation, au sens propre du terme. Ce mot vient en effet du latin *vocatio*, lui-même dérivé d'un verbe qui signifie appeler, convoquer. Qu'il le sache ou non, chacun est appelé par le vrai soi (Ta volonté) ; d'ailleurs, nous ne serions pas là, dans un centre zen, si nous n'avions pas entendu quelque écho de cet appel intérieur — cet appel qui s'exprime à travers une vocation. Ainsi, la vie de Mère Thérésa n'a-t-elle pas pour sens de servir les pauvres mais de répondre à son appel intérieur. Servir les pauvres, ce n'est pas sa profession, c'est sa vocation. De même qu'enseigner le zen n'est pas une profession pour moi mais une vocation. Et vous pouvez en venir aux mêmes conclusions en ce qui vous concerne.

Cependant, à y regarder de plus près — et au risque d'avoir l'air de me contredire —, occupation et vocation ne font qu'un, quand on sait reconnaître sa vocation. Prenez le mariage par exemple : la vie de couple recouvre quantité de tâches différentes (gagner de l'argent, s'occuper des enfants et du foyer, aider son conjoint et participer à la vie collective), mais pour qui se reconnaît la vocation du mariage, toutes ces activités sont inspirées et coordonnées par la force de l'appel intérieur au mariage. On connaît la priorité qu'on s'est donnée : la vocation devient le moteur, le « maître » de sa vie. Ainsi, pour qui sait entendre l'appel du vrai soi, le travail coule de source. A l'inverse, tant que vous n'aurez pas identifié votre petite voix intérieure, vous vous sentirez partout en porte-à-faux, que ce soit dans votre travail ou dans vos rapports avec les autres.

Pendant ce temps-là, le grand manège continue de tourner ; tout le monde s'affaire allégrement sans bien savoir pourquoi — sans connaître sa vocation. Comment sortir de cet aveuglement pour entendre l'appel intérieur et reconnaître *le maître* de sa vie ? Comment comprendre *Que Ta volonté soit faite* ?

Cela se fera en deux étapes, et avec pas mal d'hésitations et de revirements entre les deux. Le premier pas est un constat pur et simple : si je veux être honnête, force m'est d'avouer que *Ta volonté* est bien la dernière chose qui m'intéresse. En fait, c'est même le cadet de mes soucis — je n'en ai rien à faire ! Ce qui m'intéresse, c'est d'arriver à faire ce que je veux pratiquement tout le temps. Me sentir bien dans ma peau, réussir, m'amuser, être en bonne santé — et tout et tout. Nous sommes entièrement habités par *la volonté du moi* qui palpite jusque dans la moindre de nos cellules. Au point qu'il nous est même impossible d'imaginer qu'on puisse vivre sans cela.

Malgré tout, à force de pratique patiente et attentive, une deuxième étape se dessine. Petit à petit, on se rapproche de la réalité de ce qu'on est — on commence à le sentir, au plus profond de soi —, tandis que, parallèlement, nos idées et nos préjugés (ma volonté) perdent de leur emprise sur nous. Lentement, mais sûrement.

> Certains s'imaginent que le zen est une pratique ésotérique qui vous éloigne de la réalité, alors que c'est tout à fait l'inverse qui se produit. On rentre dans la réalité de son être qui se réalise progressivement, à travers une évolution en profondeur due à une simple prise de conscience de soi, loin des arcanes de la philosophie.

Et c'est ainsi qu'on découvre sa vocation, son « *maître* », et que *ma volonté* se fond de plus en plus dans *la Tienne*.

Je ne m'en fais pas pour Mère Théresa : elle fait ce qui lui donne la plus grande des joies — elle vit selon son appel intérieur. En revanche, je m'en fais pour nous tous qui sommes coincés dans nos petites vies égoïstes — la vie style « *Que ma volonté soit faite* », avec tout son cortège d'angoisses et de peines.

Nous avons tous des problèmes, certes, mais ne pourrait-on y voir autant d'occasions d'apprendre et de progresser ? Ce n'est qu'en cessant d'esquiver sa colère et ses autres émotions et pensées, apparemment insoutenables, qu'on arrivera à découvrir l'autre versant de la vie. Celui où règne ta volonté et non la mienne. Celui de la joie pure et de la vraie vie, libérée de la cage de l'ego. Et comment y arrive-t-on, me direz-vous ? Grâce à une vie de pratique...

La logique de l'échange

Quelle est la différence entre manipuler la vie et la prendre comme elle vient ? Je suppose qu'en tant qu'adeptes du zen, nous ne nous concevons pas comme des manipulateurs de la réalité. D'accord, nous ne sommes pas du genre à détourner des avions ; ce qui ne nous empêche pas, malgré tout, de manipuler les choses à un niveau plus subtil.

Prenons un exemple en envisageant deux manières d'agir différentes. Imaginons d'abord une situation dans laquelle notre attitude et nos actes sont conditionnés par le pseudo-esprit, notre petit mental mesquin et dualiste, ce fabricant d'idées fixes, préjugés, désirs, et fantasmes en tous genres. Par exemple, vous voyez arriver quelqu'un que vous n'aimez pas — pour une raison quelconque — et, d'emblée, vous êtes désagréable avec lui. Maintenant, imaginons une situation dans laquelle on agisse spontanément, en réponse à une sollicitation sensorielle provenant de notre environnement. Par exemple, je fais tomber un grain de raisin sur le sol de la cuisine ; je m'en aperçois et je me baisse pour le ramasser. Il n'y a aucune manipulation de la situation ; j'ai agi spontanément, en réponse aux informations fournies par mes sens.

Mais maintenant, imaginez que, dans la situation de ce deuxième exemple, j'aie eu une idée fixe, du genre : « ma cuisine doit toujours être impeccable », ma première réaction aurait été de chercher à nettoyer le carrelage immédiatement. Bien sûr, c'est normal de vouloir que la cuisine reste propre ; c'est une idée saine, mais qui n'en demeure pas moins simplement *une idée*. Et si on le perd de vue — par exemple si l'idée de propreté devient une obsession qui finit par dominer la vie de toute la famille — nos actes cessent d'être une réponse spontanée aux nécessités du moment pour devenir des réflexes conditionnés par nos idées et nos théories. L'idée que vous vous ferez de la propreté du carrelage de la cuisine dépendra sans doute de l'âge de vos enfants. Il est sûr que si vous en avez trois ou quatre en bas âge, vous ne pouvez guère vous attendre à garder une cuisine impeccable, sauf si vous êtes le genre de mère pour qui la propreté de la cuisine passe avant la bonne entente familiale. Certains d'entre nous ont grandi dans des familles comme ça, où les priorités sont complètement inversées, où une simple idée peut devenir une sacro-sainte Vérité : « Une cuisine doit toujours rester impeccable, sinon *c'est mal*. »

Nous serions prêts à n'importe quoi pour affirmer le bien-fondé de nos idées : on irait jusqu'à ruiner sa famille ou à précipiter la perte de nations entières... Derrière toutes les guerres, on trouve l'idéologie d'une nation qui prétend détenir la Vérité et l'imposer aux autres.

> Le mental dualiste se conduit toujours en dictateur ; incapable de s'ouvrir à la réalité de la situation, il veut à tout prix manipuler le monde pour lui faire avaler « sa » vérité. A chaque fois que l'ordre des priorités est renversé — en faisant passer l'idée avant la réalité —, il y a forcément manipulation du réel.

Bien sûr que nous avons besoin d'idées et de

réflexion pour agir, là n'est pas la question. Il n'y a problème qu'à partir du moment où on prend ses idées pour des « Vérités » En disant qu'une cuisine *doit* toujours rester impeccable, on n'énonce pas quelque grande Vérité éternelle, mais juste une idée, un point de vue. La vérité, c'est que notre pseudo-esprit, le mental dualiste, ne s'intéresse pas à l'expérience mais uniquement à *l'échange.*

La cause de nos souffrances, c'est l'impression — fausse — d'avoir un *moi*, ce moi qui n'est qu'un tissu de concepts. Cependant, dès le moment où l'on croit à l'existence du moi et à la vérité de ses concepts, on éprouve le besoin de le protéger et de satisfaire ses désirs. Par exemple, qu'on pense qu'une cuisine doive toujours rester propre, et on se fait l'esclave de ce diktat qu'on cherche aussi à imposer aux autres. Le *moi* n'est autre que notre création ; nous le créons en prenant nos idées pour des réalités, des vérités, et en faisant tout ce que nous pouvons — de manière obsessionnelle — pour le protéger et le satisfaire.

Lorsqu'on vit de cette façon-là, tout notre univers tourne autour de deux syllabes : « je veux ». C'est la logique du désir qui domine tout, quels qu'en soient les objets, — multiples et changeants, à l'infini. Cependant, la racine même du désir est toujours la même : le besoin d'affirmer et de conforter l'idée du moi, que nous prenons pour une entité réelle. Voilà pourquoi nous sommes obligés de manipuler la vie pour la faire cadrer avec notre projection du « moi ».

> A vrai dire, nous ne faisons jamais rien gratuitement ; le moindre de nos actes s'inscrit dans la logique de *l'échange :* je fais ceci, d'accord, mais en échange de cela. La vie devient une série de transactions commerciales, sauf que les termes de l'échange sont beaucoup moins clairs que dans nos achats ordinaires.

Ainsi, si vous voulez passer pour un grand altruiste, vous ferez tout pour donner l'impression que vous n'êtes pas un égoïste (même si c'est loin de correspondre à la réalité !)

Si je vous achète des bananes, par exemple, je vois le prix qui est affiché et je sais ce que je vais recevoir en échange de mon argent. Mais si je vous donne quelque chose — de l'argent, de l'aide, du temps —, j'attendrai forcément aussi *quelque chose* de vous en échange, même si l'enjeu n'est pas précisé. Au minimum, je m'attendrai à de la reconnaissance de votre part ; après tout, j'ai fait un geste noble et généreux à votre égard. C'est *donnant donnant*. Et c'est ainsi que nous faisons de la vie une vaste opération de troc.

Si vous vous dévouez à une cause ou à une association, vous en attendez quelque chose en retour : la reconnaissance de vos bons et loyaux services, un certain respect, un traitement de faveur. Si vous arrivez à vous montrer patient dans une situation délicate et à retenir votre langue, à quoi vous attendez-vous ? A ce qu'on reconnaisse votre patience ! Bref, nous sommes incapables d'un geste gratuit ; il y a toujours un échange, quelque chose à gagner. Nous ferions aussi bien d'afficher nos prix dès le départ ! Et c'est toujours la même chanson : qu'on se montre compréhensif, qu'on pardonne ou qu'on se sacrifie, il y a toujours quelque chose à la clé. Une bonne partie des rapports familiaux s'inscrivent d'ailleurs dans cette logique vicieuse de l'échange, sous une forme plus subtile — celle du chantage affectif : « Comment, après tout ce que j'ai fait pour toi ! »

Cependant, il est rare que la vie nous apporte ce que nous en attendons, et, avec un peu de maturité dans la pratique, on se rend compte qu'on a toujours fait fausse route en envisageant ses rapports avec l'existence en termes d'échange. Le monde n'est pas là pour satisfaire mes désirs et confirmer mes idées. Il est donc indispensable de se rendre compte à quel point la logique de l'échange domine nos vies, même si cette prise de conscience est douloureuse.

> La vraie pratique, la spiritualité authentique, commence quand on constate la faillite de l'échange et de l'attente. Comme l'écrivait Trungpa Rimpotché : « Il n'y a pas de meilleur véhicule que la déception pour avancer sur la voie du dharma. » La déception est un ami précieux et un guide infaillible, même si ce n'est pas tout à fait le genre d'amitié dont nous avions rêvé !

Le refus d'assumer sa déception est une forme subtile de dérogation aux Préceptes* — c'est manquer à ses engagements spirituels. Au lieu d'affronter la réalité de la situation, on choisit la facilité — colère, avidité, critique ou médisance —, perdant du même coup la meilleure occasion d'apprendre et de progresser : faire face à la déception. Si l'on est incapable de l'assumer, qu'on en profite au moins pour noter ce refus. L'instant de la déception est un moment unique ; c'est un cadeau inestimable que nous fait la vie, plusieurs fois par jour, si tant est qu'on ait les yeux ouverts pour s'en rendre compte. Pensez au nombre de fois dans une journée où vous constatez que les choses ne se passent pas du tout comme vous le souhaiteriez !

Tout va si vite, dans le flot du quotidien, qu'on ne se rend souvent pas bien compte de ce qui se passe, dans le feu de l'action. Mais, une fois qu'on est tranquillement installé pour faire zazen, on a le temps d'observer les choses et d'éprouver sa déception. N'oubliez pas que le zazen est notre pain quotidien, la matière première du dharma*, et ne vous en privez pas, si vous tenez à ne pas mourir idiots...

Je dois dire que c'est très encourageant pour moi de voir le changement qui s'opère dans un groupe, même après une courte sesshin comme celle du week-end dernier : les gens en ressortent adoucis et plus ouverts. Parce que la sesshin représente justement un refus pur et simple de céder à notre attente et à nos désirs habituels. De la première à la dernière minute de la sesshin, c'est une frustration permanente ; on a mal — physiquement, moralement —, et surtout, on est sans cesse en état de contrariété. Et, si on assume correctement cette contrariété maximum, on en ressortira forcément un peu transformé — c'est même tout à fait frappant dans certains cas. Ce sont d'ailleurs souvent les nouveaux venus qui tirent le meilleur profit des sesshin ; les anciens ont réussi à mettre au point tout une stratégie qui leur permet de se défiler tout en y participant ! Ils ont *des trucs* pour éviter d'avoir *trop* mal aux jambes ou de se remettre *trop* en question. Les nouveaux n'ayant pas encore appris cet art de la manipulation subtile, la sesshin* les heurte de plein fouet et apporte souvent des changements visibles.

En avançant dans la pratique du zen, on apprend à reconnaître sa tendance à manipuler la vie en fonction de ses désirs. Plus conscient de ses frustrations, on tombe moins facilement dans la colère et dans le dépit. Cela dit, si colère il y a, c'est le signal d'alarme, la petite lampe rouge qui doit nous avertir que c'est le moment de pratiquer car on a atteint la limite : le point de la frustration, de la déception, de la contrariété maximum. On voudrait que les choses se passent autrement. C'est le point critique, l'instant crucial où s'ouvre *la porte sans porte* : c'est le moment de transformer le *je veux* en *je suis* en éprouvant à fond sa déception, sa frustration.

Résumons-nous : lorsque nous agissons à partir d'une expérience immédiate — comme quand on ramasse un grain de raisin tombé par terre —, nos actes répondent aux nécessités du moment. Ce sont donc des actes spontanés, sans manipulation de la réalité. A l'inverse, les actes qui découlent de la volonté du moi ressemblent aux diktats d'un tyran qui voudrait soumettre le monde entier à ses désirs. En voulant plaquer ses idées et ses désirs sur la réalité, on manipule le monde et les autres pour arriver à ses fins. C'est une vie de calcul, étrangère à la compassion qui, elle, donne sans rien attendre de personne. La compassion ne connaît pas l'échange.

La parabole de Mushin

Il y avait une fois un jeune homme qui s'appelait Joe et qui habitait la ville de Bonne-Espérance. Comme Joe se passionnait pour l'étude du dharma, il avait pris un nom bouddhiste et se faisait appeler Mushin.*

A part cela, Joe vivait comme tout le monde : il allait travailler tous les jours et il avait une charmante épouse. Cependant, malgré tout l'intérêt que Joe professait pour le dharma, il faut reconnaître que c'était plutôt un macho, un type assez amer, un m'as-tu-vu qui croyait tout savoir. Il finit même par se rendre tellement insupportable au travail qu'un beau jour, son patron le renvoya en lui déclarant qu'il en avait assez. Et voilà notre Joe, chômeur, qui rentre à la maison où il découvre une lettre de sa femme : « J'en ai assez, Joe. Je te quitte. » Et Joe se retrouve tout seul chez lui, en tête à tête avec lui-même.

Cependant, notre Joe, alias Mushin, n'étant pas du genre à baisser les bras facilement, ne se démonta pas et jura que, s'il n'avait pas su garder sa femme et sans boulot, il réussirait néanmoins à trouver la seule chose qui compte vraiment dans la vie : l'éveil. Et le voilà qui court jusqu'à la librairie la plus proche et qui passe au peigne fin toutes les dernières parutions traitant des moyens d'atteindre l'éveil. Et là, il trouve un livre qui lui paraît plus intéressant que les autres, intitulé : Comment sauter dans le train de l'éveil. *Joe achète aussitôt le livre et l'étudie à fond, après quoi il rentre chez lui, il liquide son appartement, il met toutes ses affaires dans un sac à dos et part pour la gare qui se trouve à la lisière de la ville. Il a en effet lu dans son livre qu'en suivant bien toutes les indications, il trouverait le fameux train et saurait comment s'y prendre pour monter dedans. « Formidable », s'est-il dit.*

Voilà donc Joe qui arrive à la gare — désaffectée —, qui relit soigneusement son livre et qui en apprend par cœur toutes les indications et recommandations diverses. Et puis il s'installe pour attendre. Et il attend : deux jours, trois jours, quatre jours — il attend le grand train de l'éveil, car le livre a bien dit qu'il ne pouvait manquer de venir ; et Mushin fait toute confiance à son livre. Enfin, le quatrième jour, il entend un grand bruit, dans le lointain, et le bruit se rapproche de plus en plus. Sachant que ce doit être le fameux train qui arrive, Mushin se prépare. Il est là, si excité de voir le train qui entre en gare ; c'est vraiment incroyable ! Et puis, soudain, vroom... *même pas le temps de dire ouf, et le grand bolide métallique est déjà passé. Parti, envolé. Alors que faire, maintenant ? Ce train existe bel et bien, il l'a vu. Mais il n'a pas pu y monter. Alors il se replonge dans son bouquin et se remet à l'étudier d'arrache-pied. Mais, chaque fois que le train arrive, c'est toujours le même scénario...*

Le temps passant, d'autres gens s'étaient rendus à la librairie et avaient acheté le même livre que Mushin. Joe les vit bientôt débarquer à la gare ; il y en eut d'abord quatre ou cinq, puis une vingtaine, puis une trentaine, venus eux aussi pour attendre le fameux train. La température montait, les gens étaient très excités : la Solution était là, enfin, à portée de main. Tout le monde put entendre le vrombissement du train qui passait, traversant la gare à toute allure, sans s'arrêter. Et bien que personne n'ait réussi à y monter, les gens gardaient quand même l'espoir que quelqu'un finirait bien par y parvenir, un jour, et que cela inspirerait les autres à en faire de même. Ainsi, le groupe grossit-il de jour en jour ; l'espoir et l'enthousiasme étaient à leur comble.

Quelque temps plus tard, Mushin se rendit compte que certains avaient amené leurs enfants avec eux et, les parents étaient tellement absorbés par l'attente du train qu'ils ne s'occupaient pas du tout de leur progéniture. Les gosses, qui essayaient bien d'attirer l'attention de leur père ou de leur mère, se voyaient rabroués sans ménagement : « Fiche nous la paix, va donc jouer! » Ces petits étaient vraiment sérieusement négligés ; et comme Mushin n'était pas vraiment un si mauvais bougre, au fond, il se dit qu'il ne pouvait pas laisser ces gosses comme ça, même s'il préférait continuer à guetter le train comme tout le monde. Alors il entreprit de s'occuper un peu d'eux ; il sortit de son sac à dos ses provisions de fruits secs et de chocolat, et les distribua aux gamins et aux gamines, dont certains étaient véritablement affamés. Si les parents ne semblaient pas avoir le temps de sentir la faim, les gosses, eux, avaient l'estomac dans les talons — sans parler de leurs genoux écorchés! Mushin leur fit des pansements avec du sparadrap trouvé dans son sac, et il se mit même à leur lire des histoires dans leurs petits livres.

Certes, il allait bien toujours guetter l'arrivée du train de temps en temps, mais les gosses ne tardèrent pas à devenir sa préoccupation numéro un. D'ailleurs, il y en avait de plus en plus, et même toute une bande d'adolescents, au bout de quelques mois. Et comme les ados ont de l'énergie à revendre et qu'elle tourne mal si elle reste inoccupée, Mushin les prit en main et organisa une équipe de base-ball qu'il faisait jouer derrière la gare. Il les mit aussi au jardinage, histoire de les occuper utilement, et encouragea même les plus sages d'entre eux à le seconder dans ses tâches d'organisation. En un rien de temps, il s'était effectivement retrouvé à la tête d'une énorme somme d'activités, si bien qu'il avait de moins en moins le temps d'aller guetter le train. Ce qui le faisait d'ailleurs frémir de rage et verdir d'amertume : l'important se passait là-bas, à guetter le train — ce que faisaient du reste tous les adultes — mais il fallait que ce soit lui qui se retrouve coincé là, avec les gosses! Il continuait malgré tout à s'occuper d'eux sans relâche, puisqu'il savait qu'il fallait bien le faire.

Au fil des mois puis des années, des centaines, puis des milliers de gens affluèrent à la gare pour venir attendre le train avec armes et bagages, enfants et famille élargie. Mushin ne savait plus où donner de la tête avec toute cette marmaille ; il dut même entreprendre d'agrandir la gare. Il dut prévoir de nouveaux locaux pour faire coucher les gens, et finit même par construire une poste et des écoles... Mushin était débordé ; il travaillait du matin au soir, il n'avait plus un instant à lui. Et cependant, il restait tenaillé par la colère et le ressentiment. « Tout ce qui m'intéresse, c'est l'éveil, vous savez. Pourtant, tout le monde est là à guetter le train, et pendant ce temps-là, qu'est-ce que je fais, moi ? » Mais il persévérait malgré tout...

Un beau jour, il se souvint qu'il devait encore avoir un petit livre dans son sac que, par hasard, il n'avait pas jeté avec les autres, en vidant son appartement. Il tira des profondeurs du sac à dos un petit opuscule qui s'intitulait : Comment faire zazen. *Encore de nouvelles instructions à étudier, se dit Joe, mais constatant que celles-ci n'avaient pas l'air trop compliquées, il entreprit de les apprendre et se mit à faire zazen tous les matins, assis sur son petit coussin, avant que tout le monde ne se réveille. Au bout d'un certain temps, il constata qu'il arrivait à mieux supporter le poids de toutes les responsabilités épuisantes qu'il avait été amené à prendre sans vraiment le vouloir. Et il se dit qu'il y avait peut-être un rapport entre le zazen et ce sentiment de paix et de tranquillité qu'il commençait à éprouver. Certains autres aspirants-voyageurs, un peu découragés d'attendre un train dans lequel ils n'arrivaient jamais à monter, prirent l'habitude de se joindre à Mushin. Si bien qu'il y eut bientôt tout un groupe de gens qui faisaient zazen tous les matins, tandis que, parallèlement, les candidats au voyage ferroviaire continuaient à affluer et à guetter le fameux train. Tant et si bien qu'il fallut établir une seconde colonie, un peu plus loin, le long de la voie ferrée. Et comme ce nouveau groupe rencontrait les mêmes problèmes qu'avaient connus ceux de la première gare, quelques anciens pionniers allaient de temps en temps prêter main-forte aux nouveaux et les conseiller. Par la suite, il y eut même une troisième colonie... la tâche était infinie.*

Ils n'arrêtaient plus, du matin au soir : il fallait donner à manger aux enfants, faire de la menuiserie, faire marcher le bureau de poste, organiser la nouvelle clinique — bref, tout ce qui est nécessaire à la survie et au bon fonctionnement d'une société humaine. Pendant ce temps-là, on ne s'occupait plus du train qu'on entendait encore passer de temps en temps, et s'il y avait bien toujours un peu de jalousie et d'amertume dans les cœurs, elles n'étaient plus aussi virulentes qu'avant — moins solides. Pour Mushin, le vrai virage eut lieu le jour où il essaya d'organiser ce que son petit livre appelait une sesshin*. *Il emmena les gens de son groupe dans un coin de la gare et ils s'installèrent un peu à l'écart du va-et-vient quotidien pour faire zazen intensivement, pendant quatre ou cinq jours d'affilée. Ils entendaient bien passer le train de temps en temps, dans le lointain, mais ils l'ignoraient et se contentaient de rester assis sur leurs coussins. Par la suite, ils firent aussi connaître cette pratique aux gens des nouvelles gares installées le long de la voie ferrée.*

Les années passaient, Mushin avait maintenant la cinquantaine bien sonnée, et ça se voyait : il avait l'air d'un homme fatigué et il commençait à se voûter sous le poids de tant d'années de labeur et d'efforts incessants. En revanche, les soucis, les angoisses et les interrogations d'antan s'étaient envolés depuis longtemps. Il y avait longtemps qu'il ne se posait plus les grandes questions philosophiques qui l'avaient hanté, jadis : « Est-ce que j'existe vraiment ? La vie est-elle un rêve ou une réalité ? » Il était tellement pris par son travail et son zazen que tout le reste avait fini par passer à l'arrière-plan et à s'estomper, même les grandes questions métaphysiques, et même l'amertume et la colère ; seules comptaient les réalités de chaque jour. Mushin n'avait plus rien à faire qu'à accomplir ses tâches quotidiennes, en fonction des nécessités du moment. Mais il n'avait plus du tout le sentiment d'y être obligé ; il faisait ce qu'il y avait à faire — tout simplement.

Les gares étaient devenues des endroits très peuplés où vivaient des quantités de gens — qui travaillant et élevant ses enfants, qui se contentant juste d'attendre le train. Certains des candidats au voyage ferroviaire finissaient par s'intégrer eux aussi à la vie de la gare, tandis que de nouveaux arrivants leur succédaient à la vigile. Mushin, qui avait fini par se prendre d'affection pour toute cette humanité à l'affût du train, consacrait tout son temps et toutes ses forces à les aider et à les soutenir de son mieux. Les ans passèrent ainsi, tandis que Mushin se faisait de plus en plus vieux et fatigué. A présent, il ne se posait plus la moindre question ; il n'y avait plus que Mushin et sa vie — enfin dans la plénitude de sa plus simple expression —, et Mushin faisait exactement ce que la vie exigeait de lui, à chaque instant.

Un soir — allez savoir pourquoi —, Mushin se dit : « Ce soir, je vais faire zazen toute la nuit. Pourquoi, je n'en sais rien mais j'en ai envie... » Il y avait déjà belle lurette que Mushin ne cherchait plus monts et merveilles en faisant zazen ; c'était devenu un acte très simple pour lui. Il restait assis, tranquillement, sans rien faire si ce n'est s'ouvrir à tout ce qu'il sentait en lui et autour de lui. Ce soir-là, il s'assit donc ; il entendait le bruit des voitures qui traversaient la nuit, il sentait la fraîcheur de la brise nocturne, les mouvements subtils qui animaient son corps. Et il resta comme ça toute la nuit. Tout à coup, à l'aube, il entendit le vrombissement du grand train qui se rapprochait de plus en plus. Le train ralentit, ralentit encore, pour s'arrêter pile, devant lui. Et c'est alors que Mushin comprit : il avait toujours été dans le train, depuis le début ; il était *lui-même ce train. Il n'y avait pas de train à prendre, rien à accomplir, nulle part où aller. Il y avait simplement la vie, dans sa plénitude. Toutes les vieilles questions — qui n'en étaient pas vraiment — trouvèrent spontanément une réponse. Le train s'évanouit comme un mirage, sous le regard paisible du vieux petit bonhomme, tranquillement assis sur son coussin dans la lumière naissante du petit matin.*

Mushin s'étira et se leva. Il partit faire du café pour tous ceux qui ne tarderaient pas à arriver pour travailler. Une dernière image de Mushin : il est dans l'atelier de menuiserie avec quelques-uns des plus grands garçons, en train de fabriquer des balançoires pour le terrain de jeux des gosses. Voilà donc l'histoire de Mushin. Que croyez-vous qu'il ait trouvé? Je vous laisse juges...

Glossaire

établi par Katia Holmes pour l'édition française

NOTA :

• Pour faciliter la consultation du glossaire, les termes ont été classés par ordre alphabétique.
• Les mots signalés par une astérisque renvoient à d'autres termes du glossaire.

CLES DES ABRÉVIATIONS
Skt : sanskrit
Jap : japonais
Tib : tibétain
Chin : chinois

Bodhisattva : (Skt)

Etymologiquement, ce terme signifie : l'être (*sattva*) de l'éveil (*bodhi*). Il sert à qualifier deux sortes de personnes :
• Les aspirants bodhisattvas : tous ceux qui s'engagent à devenir un bouddha afin de libérer tous les êtres de la souffrance en les guidant vers leur propre libération, quelles que soient la difficulté ou l'ampleur de la tâche. A l'inverse de l'homme *ordinaire*, un bodhisattva a pour motivation essentielle le bonheur des autres, sans aucun souci de son bien propre.
La traduction tibétaine de bodhisattva rend bien compte de l'énorme dose de courage nécessaire pour

s'engager dans une telle entreprise : le terme signifie — littéralement — *héros de l'éveil*, celui qui a le courage de se consacrer à la recherche de l'éveil. (Tib : byangs. chub. sems. dpa').

• Les bodhisattvas proprement dits sont ceux qui, grâce à une pratique diligente, soutenue par le pouvoir de leur motivation altruiste, ont compris l'irréalité du moi et de ses projections. Ils ont donc déjà réalisé, au moins partiellement, leur potentiel d'éveil et ils ne risquent plus de retomber dans l'état d'ignorance de *l'homme ordinaire* — le commun des mortels — qu'ils sont capables d'aider grâce à leur sagesse et à leur compassion. (Les bodhisattvas passent par dix niveaux d'éveil successifs avant d'arriver à l'éveil total d'un bouddha.)

Bodhisattva : VŒU DE... VOIR VŒU

Bouddha (Skt)

Le bouddha est « un être *éveillé* du sommeil de l'ignorance et dans la *plénitude* de toutes les qualités ». Cette définition canonique illustre bien les deux aspects clé de la bouddhéité : l'éveil de l'esprit et la plénitude de toute ses qualités intrinsèques à travers l'épanouissement du potentiel de perfection présent en chaque être. On retrouve cette richesse de sens dans la racine sanscrite *budh* qui signifie : s'éveiller, émerger, s'épanouir, resplendir.

Le terme *Bouddha* ne s'applique pas seulement au « bouddha historique » Sakyamuni, qui vécut en Inde et trouva l'éveil 500 ans avant notre ère, mais à tout être qui réalise en lui cette perfection inhérente à l'être.

Par extension, on dit parfois comme le fait Joko Beck — que « nous sommes tous des bouddhas », puisque tout être est effectivement un bouddha en puissance. (cf. Nature de bouddha*, infra.)

Bouddha-Dharma (Skt) : voir Dharma, ci-dessous.

Bouddha : NATURE DE BOUDDHA, voir Nature...

Bouddhisme Mahayana : voir Mahayana

Chan ou Ch'an (Chin.) voir Zen

Dharma : (Skt)
Dharma est un mot qui a de nombreuses significations, (un commentaire tibétain en répertorie dix), dérivant toutes d'une racine signifiant : qualité ou caractéristique spécifique. Le terme prend ensuite des sens différents selon le contexte.
• Contexte général : une des significations usuelles de *dharma* est celle de *chose* ou *phénomène*. Dans la mesure où l'enseignement du Bouddha vise à montrer ce que sont les choses et comment elles fonctionnent, c'est un *dharma*, au sens d'une phénoménologie.
• Contexte religieux, spirituel : par extension *dharma* a pris le sens de voie, de vérité, d'*enseignement*, c'est ainsi qu'on utilise le terme *bouddha-dharma* pour désigner la philosophie bouddhiste, l'enseignement du Bouddha.
• Contexte du bouddhisme contemporain en Occident : par extension, le mot *dharma* est souvent utilisé dans le sens de

— mode de vie
— manière d'être, vocation
} conformes aux principes du bouddhisme

Impermanence

Une des réalités fondamentales de la vie qui inspira toute la démarche spirituelle du Bouddha et qui tient une place essentielle dans son enseignement.

• L'impermanence de toute chose et de tout être est une des données inéluctables de la vie ; il suffit d'y réfléchir un peu pour le constater, en soi et autour de soi.
• Si la notion d'impermanence peut paraître simpliste par son évidence, elle s'avère d'une importance cruciale pour comprendre le non-soi*, ou l'absence de réalité absolue du moi et des choses, un des postulats essentiels de la philosophie bouddhique. La plupart des autres religions croient à une forme de réalité absolue et affirment l'existence d'un soi permanent — que ce soit sous la forme d'un Dieu, de plusieurs dieux ou divinités, d'une âme, de l'*atman* (hindou), d'un surmoi ou de toute autre entité. Une bonne compréhension de la notion d'impermanence permet de se rendre compte que ces soi-disant entités permanentes se décomposent pratiquement à l'infini en éléments et attributs divers qui sont eux-mêmes sujets aux changements dus à l'impermanence de la vie (ce qui rejoint les dernières avancées de la science contemporaine). Quand on examine la nature de la réalité avec un esprit attentif et lucide, il est impossible de trouver ne serait-ce qu'une seule caractéristique immuable, et donc ontologiquement réelle, qui corresponde aux *réalités* illusoires créées par l'intellect.

Ici et maintenant

Expression très usitée dans le bouddhisme zen pour rappeler le besoin de vivre l'instant de manière directe, sans passer par l'intermédiaire de l'intellect qui noie la réalité sous un flot incessant de souvenirs du passé, d'anticipation de l'avenir, de préjugés et de commentaires sur le présent. Ce rappel au présent s'applique particulièrement à la pratique de zazen*, où l'on apprend à reconnaître et à expérimenter ses perceptions, ses pensées et ses émotions à l'instant même où elles surgissent dans l'esprit, mais il est aussi une invitation à vivre pleinement toutes les expériences du quotidien, sans rien esquiver.

Joriki (Jap.)

Jo signifie concentration et *riki*, pouvoir. Ce terme désigne le pouvoir de concentration que l'on peut développer à travers la pratique de la méditation.

Karma (Skt)

Ce mot lui-même signifie « l'acte, l'action ». Dans la terminologie bouddhique, le *karma* désigne deux choses :

- l'acte lui-même, en tant qu'acte intentionnel, achevé, et porteur d'impressions affectives (qui marquent le sujet dans son subconscient.)
- la relation de cause à effet qui s'applique à tous les actes. Chaque être est la résultante de tous ses actes passés et ses actes présents déterminent la qualité de son avenir.

Cela correspond à ce que l'on appelle parfois « la loi du karma ».

- Le langage ordinaire a vulgarisé le mot *karma* en lui donnant des sens tels que : *destin ou fatalité* qui sont assez trompeurs dans la mesure où ils évacuent l'essentiel : la responsabilité de ses actes et de leurs résultats.

Koan (Jap.)

Problème philosophique généralement formulé en une phrase très courte et hermétique, souvent paradoxale ou apparemment contraire à la logique conventionnelle, et qui sert de sujet de méditation. Exemple : quel son fait une seule main qui applaudit?

Le koan est tellement *irritant* pour l'esprit qu'il pousse le méditant jusqu'aux limites extrêmes de la pensée discursive et le fait sortir des gonds de sa logique ordinaire. Spécialité de l'école zen Rinzai*.

Krishnamurti (1895-1986)

D'origine indienne et d'abord proche du mouvement théosophique dans sa jeunesse, Krishnamurti prôna et enseigna une forme de spiritualité originale qui se voulait totalement libre de toutes contraintes — dogmes, rituels, structures, autorité d'un maître — dans le but de se défaire de tous les conditionnements pour retrouver une conscience immédiate du vécu de chaque instant.

Mahayana (Skt)

• *Maha* signifie grand, et *yana*, moyen, véhicule. Mahayana est souvent traduit par Grand Véhicule, que certains croient devoir opposer au *Hinayana* — *hina* signifiant « petit ». A vrai dire, le sens de grande « capacité » conviendrait mieux — la capacité de transporter plus ou moins de passagers, pourrait-on dire.
Le Bouddha avait compris que tout le monde n'était pas prêt ou capable de poursuivre, comme lui l'avait fait, l'idéal du bodhisattva : prendre sur soi l'immense tâche de chercher l'éveil total pour pouvoir libérer tous les êtres de la souffrance, au mépris de son propre bien-être. C'est pourquoi, par compassion envers ses disciples, il fut amené à leur donner différentes sortes d'enseignements, selon les aspirations et les capacités de chacun.

• Son enseignement de la morale et de la méditation était destiné à ceux qui voulaient une vie meilleure ou, dans les meilleurs cas, qui avaient soif d'une paix intérieure durable — d'une émancipation du monde du désir et de la souffrance. Ces enseignements correspondent à ce qu'on appelle le *hinayana*, le Petit Véhicule, dans le sens où il ne transporte vers la libération qu'un seul être à la fois, qui devient un *arhat*. Le nirvana* du hinayana est un état de paix irréversible — l'arhat ne retombe jamais dans la souffrance du samsara — mais ce n'est pas l'éveil total de la bouddhéité.

• En revanche, à ceux qui étaient capables de se consacrer par altruisme à faire disparaître la souffrance de tous les êtres qui peuplent l'univers, il enseigna la voie qu'il avait lui-même suivie et qui mène à la bouddhéité, source de libération pour tous les êtres. Amenant une infinité d'êtres à se libérer de la souffrance, cette voie s'est donc appelée le *Grand Véhicule*.

• Bien que le mahayana et le hinayana représentent essentiellement deux types de démarche du bouddhisme vers l'émancipation de la souffrance, en fonction de différences psychologiques entre les individus, leur développement historique et géographique fait qu'on les a de plus en plus associés à certaines aires culturelles données. On parle souvent de *bouddhisme du Nord*, à propos du mahayana qui s'est surtout développé en Chine, au Japon, au Tibet et dans les contrées himalayennes. Tandis que le hinayana est devenu pratiquement synonyme de « bouddhisme du Sud » : Sri Lanka, Birmanie, Cambodge, Thaïlande, Vietnam, etc.

Matérialisme spirituel

On aborde souvent la spiritualité avec des motivations qui reproduisent l'attitude matérialiste qu'on a par ailleurs dans la vie. C'est un phénomène qu'a très bien décrit Chögyam Trungpa, un des maîtres contemporains du bouddhisme tibétain, à qui l'on doit le terme de *matérialisme spirituel*. (« Pratique de la voie tibétaine : Au-delà du matérialisme spirituel », par Chögyam Trungpa, Seuil.)

Nature de bouddha

« La nature essentielle des êtres humains est fondamentalement bonne et douée de compassion » : cette remarque de Joko Beck illustre un des principes les plus fondamentaux du bouddhisme *mahayana** selon

lequel tous les êtres sont doués d'un potentiel de perfection, du germe de l'éveil (le *tathagatagarbha* en sanskrit.) C'est ce qu'on appelle aussi la *nature du bouddha*.
« Chacun porte en soi le potentiel de la perfection car l'esprit est naturellement doué de toutes les qualités, dont la connaissance, la sagesse, l'amour et la compassion. Toutes ces qualités sont actuellement présentes en chacun de nous, mais c'est l'ignorance — la méconnaissance de la nature réelle des choses — et l'accumulation d'impuretés qu'elle génère qui les empêchent de se révéler dans leur plénitude active. Celui qui découvre en lui ce potentiel et qui parvient à le réaliser complètement devient un bouddha, un être éveillé du sommeil de l'ignorance. » (Citation extraite de « L'Art de dresser le tigre intérieur : Une thérapie pour mieux vivre le quotidien », par Akong Tulku Rinpoché, Editions Sand).

Nirvana (Skt.)

• Le nirvana se définit comme étant : « la cessation de la souffrance. »
L'existence dominée par l'ignorance et le désir étant un univers soumis à la souffrance (samsara), l'idéal de la voie bouddhique est la libération de cet état de souffrance auto-entretenue. Le nirvana est l'absence du samsara. Dans la perspective du hinayana, c'est la paix que connaît l'arhat (voir mahayana*) qui n'a plus à retomber dans les souffrances de l'existence conditionnée par l'ignorance. Dans le mahayana*, le nirvana est la bouddhéité.
• La vulgarisation de ce terme, le plus souvent hors contexte, en a malheureusement déformé considérablement la signification, puisqu'il semble avoir pris le sens de plaisir ou de jouissance intense. Une jouissance personnelle et matérialiste qui n'a pas le moindre rapport avec le nirvana d'un Bouddha...

Non-soi

• Dans le contexte bouddhique, le *soi* correspond à une entité, une réalité ontologique à deux facettes : l'une individuelle — le moi, l'âme, l'atman —, l'autre universelle — l'ensemble des phénomènes, le monde, la réalité que nous appelons *objective*.
• Le non-soi (skt : anatman) désigne la non-existence d'une réalité permanente et absolue, tant en soi qu'hors de soi. Le moi et le monde qu'il perçoit ne sont pas des entités réelles au sens ontologique, mais des créations mentales subjectives et interdépendantes. Elle n'ont donc pas d'existence absolue, mais relative et conditionnelle. Le bouddhisme définit ainsi très clairement sa position quant à la nature de la réalité : l'individu et le monde ne sont pas des réalités objectives (position matérialiste), pas plus qu'on ne peut dire qu'ils n'existent pas (position nihiliste) dans la mesure où ils ont une existence relative et interdépendante — nous sommes là, dans le monde que nous percevons. Le bouddhisme adopte la *voie du milieu* (Madhyamika, en sanskrit) : la vérité absolue (rien n'a d'existence absolue) et la vérité relative (l'individu et le monde existent de manière relative et interdépendante) ne s'excluent pas mais s'appliquent simultanément.
Voir aussi *Vacuité** et *Impermanence**.

Octuple sentier

Il s'agit des huit qualités d'éveil que l'on doit cultiver pour suivre la voie qui mène à l'extinction de la souffrance. Ces qualités servent de référence à la conduite de tous les bouddhistes, dans la mesure où ils représentent ce que les Quatre Nobles Vérités* appellent *la voie*, le chemin à suivre pour sortir de la souffrance.

<table>
<tr><td>1. Compréhension juste
2. Intention juste
3. Parole juste
4. Actes justes
5. Mode de vie juste</td><td>pour son propre progrès mais aussi à titre d'exemple positif pour les autres</td></tr>
<tr><td>6. Effort juste
7. Juste vigilance
8. Juste absorption (samadhi*)</td><td>les trois facettes de la méditation</td></tr>
</table>

Posture

La méditation se pratique dans une posture assise, jambes croisées, le dos droit, qui favorise le calme de l'esprit en assurant un bon équilibre entre les énergies des quatre éléments du corps (terre, eau, feu, air). Les détails techniques de la posture peuvent varier d'une tradition à l'autre mais sa finalité reste la même dans tous les cas. Voir aussi *zazen**.

Préceptes

Vœux ou engagements formels à travers lesquels on fixe volontairement certaines limites à ses actes ou à ses paroles, dans le but de ne pas faire de mal aux autres.

Il y a cinq préceptes de base :

1. Ne pas tuer

2. Ne pas voler

3. Ne pas mentir

4. Ne pas avoir une conduite sexuelle immorale

5. Ne pas prendre de produits qui altèrent la conscience (drogues, alcool, etc.)

Ces cinq préceptes peuvent être pris par tous les bouddhistes, à vie ou pour une durée déterminée (même une journée.) Ils deviennent le premier degré d'ordination monastique des novices lorsque le 4e précepte prend la forme d'un engagement au célibat. Les degrés d'ordination suivants incluent un nombre croissant de préceptes, jusqu'à plusieurs centaines pour un moine ou une nonne ayant reçu la pleine ordination.

Quatre nobles vérités (les)

Les quatre vérités furent énoncées par le Bouddha après qu'il eut atteint l'éveil.

1. La vie est souffrance.

2. L'origine de ces souffrances est l'ignorance et les actes qui en découlent.

3. L'extinction de la souffrance et de ses causes se trouve dans le nirvana*.

4. La *voie* est ce qui mène à l'extinction de la souffrance et de ses causes.
• Cette *voie* est ce qu'on appelle l'*octuple sentier**.

Rinzai (zen) (Jap.)

L'école tire son nom de celui de son fondateur, Rinzai Gigen (Lin-chi I-hsüan, ?-867), maître chinois, lui-même disciple de Obaku Kiun.
Le zen rinzai privilégie tout particulièrement l'utilisation du koan pour la méditation.

Sagesse et compassion

La sagesse et la compassion sont deux des qualités innées de l'esprit qu'il convient de développer pour pleinement réaliser son potentiel d'éveil. Le bouddhisme met l'accent sur l'absolue nécessité de les développer conjointement, sous peine de déséquilibre et d'erreur : on a besoin de la sagesse pour comprendre la réalité relative du monde qui nous entoure et la nature ultime de toute chose. Mais cette qualité d'intelligence risquerait de devenir *sèche* et purement intellectuelle, désincarnée, si elle n'était pas constamment *arrosée* par les eaux de la compassion qui donne à la connaissance sa dimension humaine et chaleureuse. A l'inverse, la compassion a besoin de la lucidité et du recul de la sagesse pour éviter de devenir un amour aveugle ou de tomber dans la sensiblerie et l'inefficacité. Ces deux qualités se complètent donc et sont aussi inséparables que les ailes d'un oiseau, ou que les yeux (sagesse) et les jambes (compassion) d'un voyageur.

Samadhi (Skt)

Ce terme signifie *absorption* et décrit l'aptitude de l'esprit à se concentrer si complètement sur son objet qu'il s'y absorbe complètement. La pratique de la méditation non discursive comme le zazen permet d'accéder à cet état de paix et de clarté mentale de manière passagère au départ, pour devenir graduellement un état naturel.

Sangha (Skt)

Ce terme signifie *la communauté*, l'*assemblée*. Traditionnellement, il désigne la communauté des bouddhistes qui embrassent la vie monastique. Par extension, tous ceux qui pratiquent le bouddhisme font partie du sangha au sens large.

Le sangha fait partie de ce qu'on appelle les Trois Joyaux : le Bouddha*, le Dharma*, et le Sangha. Quand on devient bouddhiste on « prend refuge » dans ces Trois Joyaux : le Bouddha, en tant que maître qui montre la voie, le dharma en tant qu'enseignement — l'itinéraire, et le sangha, en tant que compagnons de route.

Satori (Jap.)

L'éveil spirituel, l'illumination. « Un nouveau point de vue sur la vie et le monde », comme dit D.T. Suzuki (*Essais sur le Zen*, Albin Michel). Il peut y avoir différents degrés de satori, depuis un petit « flash » passager jusqu'à l'éveil total.

Sesshin (Jap.)

Ce terme signifie « entrer en contact avec l'esprit. » Il désigne une retraite de méditation intensive qui peut durer de deux à sept jours, voire plusieurs semaines ou plusieurs mois.

Shikan/ Shikan taza (Jap.)

Le mot signifie « simplement s'asseoir. »
Il désigne une forme de méditation utilisée surtout dans l'école Zen Soto*, et qui consiste à laisser aller et venir les pensées comme elles veulent, sans intervenir pour les arrêter ou les retenir ; ou pour les identifier, les commenter ou les juger.

Soto (Zen) (Jap.)

Ecole de zen fondée par Tozan Ryokai (nom japonais du Chinois Tung-shan Liang chieh), lui-même disciple de l'école de bouddhisme zen tel qu'il florissait en Chine au temps du Sixième Patriarche. Le nom de *Soto* unit la première syllabe du nom de son fondateur — *to* — et la première syllabe du nom d'un de ses principaux maîtres, Sozan Honjaku — *so*. L'école zen soto met particulièrement l'accent sur l'intégration du zen dans la vie quotidienne.

Sutras (Skt) (Prononcer « soutra »)

Le mot même signifie « un discours ».
Il est utilisé dans le bouddhisme dans deux sortes d'acception :

- D'une façon générale, il peut s'appliquer à tous les discours du Bouddha tels qu'ils ont été consignés dans le Tripitaka — le corpus des écritures bouddhistes.
- Plus précisément, il désigne une des trois parties du

Tripitaka, justement nommée *Sutras*. Les deux autres sont le Vinaya (l'éthique et la morale) et l'Abhidharma (une analyse de l'esprit et de la matière qui constitue la psychologie et la phénoménologie du bouddhisme.) Le quatrième volet de l'enseignement du Bouddha est représenté par les Tantras.
• SUTRA DU CŒUR : (skt : Hridaya Sutra)
Ce sutra s'appelle ainsi parce qu'il est la forme condensée et la plus courte du *Prajnaparamita Sutra* — le Sutra de la grande perfection de la sagesse — dont il contient l'essence, le cœur.

Vacuité

Ce terme (traduction du sanskrit *sunyata*) correspond à l'un des thèmes essentiels de la philosophie du bouddhisme : l'absence de réalité ontologique du moi et du monde soi-disant objectif (voir Non-soi.*) Le bouddhisme démontre la nature illusoire de ces pseudo-réalités qui ne sont que de fragiles constructions mentales, interdépendantes et changeantes, *vides de toute substance ou réalité* autre que subjective et conditionnelle — d'où le nom de *vacuité*. (C'est ce qu'explique toute la littérature de la Prajnaparamita — la Perfection de la Sagesse — qui vise à donner à ceux qui l'étudient une compréhension de la vacuité du moi et de la soi-disant réalité objective du monde.)
La vacuité est une notion très subtile : la réflexion permet d'en avoir une connaissance théorique mais seule la pratique méditative permet de l'assimiler en la saisissant de manière directe et intuitive.
Voir aussi *Impermanence**.

Vipassana (Pali)

Les nombreuses formes de méditation qu'offre le bouddhisme sont divisées en deux catégories de techniques.
• La première technique est la pratique de la concen-

tration afin de développer une attention vigilante. Cette catégorie de pratiques, qui porte le nom de *samatta* (stabilité, en pali), est destinée à cultiver un état de tranquillité et de stabilité de l'esprit qui apprend à rester attentif à l'objet sur lequel il se concentre.
• Une fois l'esprit stabilisé par la concentration, les méditations de type *vipassana* (voir plus, en pali) aiguisent sa lucidité et lui permettent de pénétrer la nature des objets qu'il contemple.
La maîtrise de ces deux techniques est indispensable pour parvenir à percer la nature de l'esprit et de tous les phénomènes.

Vœu de bodhisattva

Par ce vœu, on s'engage à atteindre l'éveil — à devenir un bouddha — afin de pouvoir libérer tous les êtres de la souffrance.
Si le vœu de bodhisattva se prend au cours d'une cérémonie spéciale, c'est surtout un engagement concret à mener une vie plus tournée vers les autres et moins vers soi. Chaque jour, on réaffirme cette motivation altruiste à l'occasion de sa pratique mais aussi à tout moment, afin qu'elle finisse par devenir un jour seconde nature.
• Les QUATRE VŒUX :
Prière traditionnelle, notamment récitée à la fin de chaque office, pour réaffirmer son engagement à suivre la voie des bodhisattvas.
« Je promets de sauver tous les êtres, aussi nombreux soient-ils.
« Je promets d'éteindre le feu de toutes les passions, aussi inépuisable soient-elles.
« Je promets de maîtriser tous les dharmas*, aussi incommensurables soient-ils.
« Je promets d'atteindre la vérité du Bouddha, aussi incomparable soit-elle. »

Zazen (Jap.)

Zazen est un mot japonais dont l'étymologie est intéressante puisqu'elle combine deux mots chinois dont l'un d'origine sanskrite.

Tso, devenu *za* en japonais, est un mot chinois qui signifie « être assis. » *Chan*, ou tch'an, est une contraction de *tch'an-na*, transcription chinoise du sanskrit *dhyana*, (méditation), devenue *zen** en japonais. La combinaison finale, *zazen*, représente le fait que la méditation se pratique toujours dans la posture* assise jambes croisées, posture particulièrement favorable à la méditation. « Dans cette posture, au dire de certains médecins japonais, le centre de gravité demeure fermement dans les régions inférieures du corps ; la tête ainsi libérée du risque de congestion, tout le système fonctionne dans un ordre parfait et l'esprit est mis dans un état favorable à la réception des vérités du zen. » (Source de tout ce passage : D.T. Suzuki, *Essais sur le bouddhisme zen, Albin Michel, p. 376)*

• *« Faire zazen », c'est s'asseoir dans la posture de méditation et simplement observer le va-et-vient des pensées et des sensations. Cette pratique correspond à ce que d'autres traditions bouddhiques appellent la méditation non discursive et sans objet, comme le mahamudra* ou le *maha ati* dans la tradition tibétaine.

Zen (Jap.)

Zen est un mot qui correspond à la prononciation japonaise du chinois *ch'an ou tch'an-na*, transcription chinoise du sanskrit *dhyana* qui signifie méditation, concentration. Le zen est une forme du bouddhisme mahayana* qui a pour particularité de viser à une prise de conscience directe, intuitive et immédiate, de la « nature de bouddha* » inhérente à chacun de nous, mais qui reste comme endormie tant qu'on en ignore la présence en soi.

Cet éveil de la perfection intérieure ne peut se faire qu'en dépassant les limites de la pensée discursive. On y parvient par la pratique essentielle du zen : le zazen*.

Zendo (Jap.)

Le lieu où se pratique le zazen ; temple ou espace calme, propre et dépouillé.

Ronald Mary/
Marie Borrel
L'Âge d'Être et ses techniques

Guy Missoum/
Jean-Marc Lhabouz
Piloter sa vie en champion

Philippe Morando
Maîtrisez votre destin

Michel Odent
Naître et renaître dans l'eau

Adelheid Ohlig
Luna Yoga

Nils O'Jacobson
La vie après la mort ?

Karlis Osis/
Erlendur Haraldsson
Ce qu'ils ont vu... au seuil de la mort

Jacques de Panafieu
La rebirth-thérapie

Erik Pigani
Les channels

Bernard Raquin
La sortie hors du corps

Norman Rosenthal
Du soleil au quotidien

Geneviève Salvatge
Décodez vos rêves

Roland di Sabatino
Ces couleurs qui nous guérissent

Lisette Scholl
Bien voir pour mieux vivre

Elaine Stephens
Vos vies antérieures

Docteur Alex
Tanous/Katherine
Fair Donnelly
Éveillez les facultés psychiques de votre enfant

Henry G. Tietze
L'Être alpha

Peter Tompkins/
Christopher Bird
La vie secrète des plantes

Monique de Verdilhac
La conscience au soleil

John Volkmar
Ces pouvoirs qui sont en vous

Janwillen van de
Wetering
Un éclair d'éternité

Greg Whincup
Yi-king au quotidien

Ian Wilson
Super-moi

Jacquelyn Wonder/
Priscilla Donovan
Utilisez les pouvoirs de votre cerveau

Achevé d'imprimer en janvier 1994
sur les presses de l'Imprimerie Bussière
à Saint-Amand (Cher)

POCKET - 12, avenue d'Italie - 75627 Paris Cedex 13
Tél. : 44-16-05-00

— N° d'imp. 274. —
Dépôt légal : février 1994.

Imprimé en France